Levenslang

Wendy Jean

Levenslang

2007 – De Boekerij – Amsterdam

Oorspronkelijke titel: Unstolen (Macmillan)
Vertaling: Hans Kooijman
Omslagontwerp: Wil Immink Design

ISBN 978-90-225-4608-6

DEEL I

1

2002

Op dinsdag 15 oktober omstreeks halfzes in de middag sloeg mijn moeder Thomas Randal Freeman met een ijzeren pook op zijn achterhoofd toen hij op een kruk aan het aanrecht naar een herhaling van *Seinfeld* op zijn kleine kleuren-tv zat te kijken.

Het was duidelijk dat mamma had kunnen toeslaan zonder dat hij erop verdacht was geweest, want toen de politie binnenkwam, stond de tv nog te blèren, had hij zijn mond nog vol toast met pindakaas en jam en plakten er roodachtig bruine haren aan zijn kleverige vingers.

Doordat hij opging in de aflevering en gedachteloos kauwend de cyperse kat op zijn schoot aaide, zou hij alleen hebben kunnen weten dat mamma van achteren op hem afkwam als zijn intuïtie plotseling ongekend groot zou zijn geworden.

Veertig minuten voordat hij de klap kreeg waardoor hij tegen de keukenvloer sloeg, was TRF naar kruidenier Prince geweest. Hij had daar drie blikken Nine Lives-kattenvoer, twee pakjes Marlboro, een kwart liter magere melk en een rol isolatietape van zevenenhalve meter gekocht.

Mamma was toen ook in de kruidenierszaak. Ze was tien minuten daarvoor uit mijn huis vertrokken om melk te halen voor de gegratineerde aardappelen die we die avond zouden eten. Dat was het probleem als je een alleenstaande, werkende moeder was, vooral als je een zoon van vier jaar had. Ik kon Ryans snack voor halverwege de ochtend inpakken, hem aankleden en naar het kinderdagverblijf brengen, op tijd op mijn werk komen, in de loop van de dag drie keer naar huis bellen, in mijn lunchpauze haastig naar de bank gaan om een paar rekeningen te betalen, en dan vergeten om onderweg naar huis melk te kopen.

Hoewel ik had aangeboden haar met de auto te brengen, wilde mamma per se naar de winkel lopen. De wandeling zou haar goeddoen, zei ze. Ze zou er al zijn tegen de tijd dat ik Ryan had aangekleed en hem in zijn kinderstoeltje in de auto had gezet.

Daarmee had ze een punt. De temperatuur was de laatste paar dagen gedaald tot een graad of tien en ik had Ryan eerst sokken, schoenen, een trui en een jack moeten aantrekken. Ik had moeten ophouden met aardappelen schillen en het eten had moeten wachten. Toen ik mijn hoofd om de deur van de huiskamer stak, zag ik bovendien dat Ryan, die in zijn bordeauxrode zitzak naar *Monsters Inc.* had zitten kijken, met zijn hoofd achterover en zijn mond wijd open lag te slapen. Bovendien was het ook niet donker. Ik vond het niet bezwaarlijk om mamma de drie straten naar de kruidenier te laten lopen. Ze was er al vaak genoeg met Ryan naartoe gegaan wanneer ze bij ons logeerde, waarvoor ze met de bus een reis van tweehonderddertig kilometer had gemaakt, van Dartmouth naar mijn huis Helena in Montana.

Het punt was dat Lizzy Potter, een vrouw met kraaloogjes en bruinrood haar die de afgelopen drie jaar vier dagen per week van drie uur 's middags tot negen uur 's avonds bij Prince had gewerkt, had gezegd dat Thomas Randal Freeman niet degene was die zich die middag vreemd had gedragen, maar mamma.

Volgens Lizzy's getuigenverklaring was mamma met open-hangende mond, vuurrode wangen en gefronste wenkbrauwen naar de kassa gekomen met een plastic jerrycan melk van acht liter tegen haar borst gedrukt. Toen Lizzy mamma's aankoop aangeslagen had en om 2,19 dollar vroeg, schudde mamma het hoofd en liep ze enigszins verdoofd en met lege handen de winkel uit.

'Eerst dacht ik dat ze niet genoeg geld bij zich had om te betalen,' vertelde Lizzy de politie. 'Maar het vreemde was dat ze niet eens in haar portemonnee had gekeken, alsof ze eigenlijk niet van plan was om de melk te kopen. Ze bleef alleen maar de hele tijd naar de deur kijken.'

Mamma had beslist indruk op Lizzy gemaakt. Zo veel indruk dat Lizzy haar perfect wist te beschrijven, van haar golvende, schouderlange, zandgrijze haar tot haar bruingele leren instappers. TRF daarentegen was zo volkomen onopvallend geweest dat Lizzy zich van hem, behalve zijn gemiddelde postuur en uitdrukkingsloze gezicht, alleen kon herinneren dat hij onder andere isolatietape had gekocht. Toen de politie haar vroeg of ze het vreemd vond dat hij die had gekocht, ging haar stem afwerend een octaaf omhoog, alsof ze ergens van beschuldigd werd.

'Natuurlijk niet,' verklaarde ze. 'Een heleboel mensen kopen isolatietape, vooral na 11 september. We hebben er zelfs zoveel van verkocht dat we een paar keer moesten bijbestellen.'

Helaas had ze daar gelijk in. Het was een artikel dat in maar weinig huishoudens ontbrak sinds president Bush iedereen had aangeraden er genoeg van in huis te hebben om ons tegen terroristische aanslagen te beschermen.

Dus mamma was het rare type. Mamma was degene die zich die middag in de winkel vreemd had gedragen, niet de psychopathische seriekindermoordenaar Thomas Randal Freeman. Hij was een doorsnee van alle blanke mannen die ooit bij Prince waren binnengekomen, zo volkomen normaal dat hij niemand zou opvallen. Zijn uiterlijk maakte evenveel indruk als een vlek op een vuile muur.

De vraag was hoe het kwam dat mamma de man die zijn hand, misschien op hetzelfde moment als zij, in de koelkast had gestoken, met zo veel zekerheid had herkend dat ze later met dodelijke precisie had toegeslagen? (Hadden hun vingers elkaar aangeraakt? Hadden ze elkaar aangekeken?)

Door een tekening, zo kwam het.

Niet door een foto of een videoclip, maar door een artistieke impressie. Ik werkte als politietekenaar en had op basis van de herinneringen die ik aan de vijfjarige Amy Wetherall had ontlokt een tekening gemaakt, die mamma op de avond voor het incident had gezien. Het was een tekening die ik nog niet eens had ingeleverd, maar achteloos in een manilla envelop op een kast had laten liggen in de kamer waarin mamma altijd sliep wanneer ze bij ons logeerde.

Ik had hem nog niet ingeleverd uit onzekerheid, door mijn gebrek aan vertrouwen in de herinneringen van het meisje. Het was een tekening die ik misschien helemaal niet zou hebben ingeleverd, maar die, naar bleek, natuurgetrouw genoeg was om mijn moeder er voor honderd procent van te overtuigen dat de man die ze in de winkel had gezien, de man was die Amy's broertje Aaron meegenomen had. Daarom was ze TRF vanaf de kruidenier vijf straten in westelijke richting gevolgd naar Fairbourne Street in de middenklassenwijk Waylane. Ze had hem door een zijraam bespied, was zijn huis vijftien minuten later door de niet afgesloten voordeur binnengegaan en had hem met zijn eigen ijzeren pook doodgeslagen.

Dit was allemaal geen bijzonder onwaarschijnlijk of krankzinnig gedrag van mamma. Gezien haar zekerheid over de identiteit van de verdachte, de tijd die ze had gehad om te besluiten of ze hem zou volgen of niet en het feit dat ze een gelegenheid zag om

10

actie te ondernemen, was haar gedrag bijna logisch, hoewel ze op dat moment ook een andere keus had kunnen maken. Ze wist waar hij woonde en was er zeker van dat hij de juiste man was. Ze had weg kunnen gaan en het alarmnummer of mij kunnen bellen. Maar wat ze had gedaan, was begrijpelijk en, mamma's verleden in aanmerking genomen, zelfs onvermijdelijk. Dat ze stiekem zijn huis binnen was geslopen terwijl de tv zo hard stond dat hij haar niet kon horen, dat ze de pook had opgepakt om zich te kunnen verdedigen, dat ze van achteren naar hem toe was gelopen terwijl hij zijn kat aaide, een hap van zijn toast nam en misschien grinnikte om de capriolen van Kramer, zou je allemaal niet onvoorstelbaar noemen. Het was echter wel compleet onvoorstelbaar en schokkend gedrag van mamma dat ze niet stopte na de eerste, de tweede en zelfs niet de derde slag op TRF's hoofd. Mamma was kennelijk in een soort trance geraakt en het was haar gelukt zijn hoofd totaal tot moes te slaan. Ze was pas opgehouden toen de adrenaline die door haar aderen gepompt werd haar armen niet meer genoeg kracht gaf om de pook op te heffen.

Op de plaats van het misdrijf had een van de jonge agenten me verteld dat de kracht die nodig was om TRF's hoofd zo toe te takelen zelfs door een topbodybuilder moeilijk op te brengen zou zijn geweest. Mamma, een vrouw van vijfenvijftig die nog geen vijftig kilo woog en in haar hele leven nog nooit een halter had opgetild, was op dat moment onoverwinnelijk geweest. Ze was de legendarische moeder geworden die in haar eentje een bus optilt om haar kind te redden dat eronder verpletterd dreigt te worden.

Hoeveel keer had ze geslagen? Vast meer dan vijftig keer. En niet alleen op zijn hoofd, maar ook op zijn nek, zijn rug en zijn billen, hoewel zijn schedel het zwaarst toegetakeld was. Daarna was ze alles vergeten, omdat haar daden voor haar even onbegrijpelijk waren als haar kracht.

11

Hoewel mamma zich niets van het incident herinnerde, had ze, toen haar kracht eenmaal uitgeput was, voldoende tegenwoordigheid van geest gehad om over de met bloed bevlekte vloer naar een witte druktoetstelefoon aan de muur te lopen, een trillende hand uit te steken, het alarmnummer in te toetsen en de telefoniste het juiste adres en een korte beschrijving van het aan gort geslagen lichaam voor haar voeten te geven. Toen de politie arriveerde, zat mamma met haar gezicht naar de deur van de huiskamer roerloos op de kruk waar ze TRF van af had geslagen. Met over elkaar geslagen benen en stijf verstrengelde vingers staarde ze uitdrukkingsloos voor zich uit. Ze leek het luide gebonk op de deur en de stemmen die haar riepen niet te horen. Ze kwam pas weer met een schok bij haar positieven toen ze de vier verbijsterde agenten zag die over het verminkte lijk heen gebogen stonden.

Als alleenstaande moeder heb ik soms het gevoel dat ik in een vliegtuig zit en dat ik, net wanneer ik een beetje in de film begin te komen die vertoond wordt, plotseling in de realiteit teruggeworpen wordt.

Dus mamma's bezoeken werden tegenwoordig zeer gewaardeerd. Ik had het gevoel dat ze noodzakelijk waren. Ze zinspeelde er steeds maar op dat Ryan bij haar in Dartmouth hoorde te wonen, in elk geval tot ik getrouwd zou zijn, tot Will en ik allebei onze carrière op de rails zouden hebben, tot Ryan hele dagen op school zou zitten of tot die dingen allemaal in orde waren. Maar ik wilde Ryan nu bij me hebben. Het was te moeilijk geweest toen ik studeerde, te zwaar zonder hem. Ik had mijn studie strafrecht grotendeels online kunnen doen, maar in mijn laatste jaar moest ik praktijkervaring opdoen, dus ging ik naar Carroll College. Ik herinner me die onverdraaglijke weekendbezoeken waarbij ik tweeënhalf uur van Helena naar Dartmouth reisde en hij zich voor me verstopte, me negeerde of deed of hij me helemaal niet kende. Mamma zei dat het een normale reactie was en dat hij zich heel anders zou gedragen wanneer we ons eenmaal in Helena gevestigd zouden hebben. Ze had gelijk gehad, maar ik zou het nooit vergeten. Ik ben er voor het leven door getekend.

Het was een complete verrassing voor me geweest dat mamma's levenspartner, Richard, direct nadat ik afgestudeerd was een baan voor me had weten te regelen: een goede baan met een fatsoenlijk salaris en ruimte om te groeien. Ik had gedacht dat ik het een jaar rustig aan zou kunnen doen, dat ik bij Ryan, mamma en Richard zou kunnen zijn en dat we weer een gezin zouden vormen. Het gebeurde allemaal te snel, maar hoe kon ik nee zeggen tegen precies de baan waarvoor ik opgeleid was? Politietekenaar. Het was mamma's droom die werkelijkheid werd en bovendien woonde Will, die aan zijn studie business technology begonnen was, op de campus van de Universiteit van Montana. Ik zou mijn vriend zo vaak kunnen zien als ik wilde, een rijtjeshuis met een kleine tuin kunnen huren, Ryan op de kleuterschool kunnen doen en de Toyota Corolla kunnen kopen die ik altijd had willen hebben. Ik was de oudste, meest volwassen negentienjarige ter wereld…

Het hele incident zou misschien niet gebeurd zijn als Ryan niet op zijn zitzak in slaap was gevallen toen hij naar de video van *Monsters Inc.* keek. Als hij wakker was gebleven, zou hij mijn moeder vast niet zonder hem naar de winkel hebben laten gaan. Ze had hem nog nooit iets geweigerd en ze zou het zeker heerlijk hebben gevonden om hem bij zich te hebben. Mamma zou misschien niet eens tegelijkertijd met TRF in de winkel zijn geweest als ze Ryan meegenomen had. Als je met Ryan lopend ergens naartoe ging, duurde het altijd twee keer zo lang als wanneer je alleen was. Zelfs als mijn moeder tegelijk met TRF in de winkel zou zijn geweest, zelfs als ze hem gezien en van de tekening herkend zou hebben, zou het te riskant zijn geweest om hem naar huis te volgen, omdat Ryan de hele weg gebabbeld en gezongen zou hebben. En als ze echt wanhopig was geweest en hem samen met Ryan naar huis zou zijn gevolgd, zou mijn moeder zich naar de dichtstbijzijnde telefoon gehaast hebben om het adres door te geven, verder niets.

Maar Ryan was wél tijdens *Monsters Inc.* in slaap gevallen, omdat hij al sinds zes uur 's ochtends op was en ik hem uit de keuken wilde hebben, zodat mamma en ik het eten konden klaarmaken. Pas nadat mamma en ik een paar aardappelen hadden geschild, merkte ik dat er nog maar net genoeg melk in het pak zat voor een kop koffie. Mamma ging dus alleen naar de winkel, herkende TRF, volgde hem naar huis, sloop bij hem naar binnen en sloeg hem tot moes.

2

1989

We zijn een gezin waarin een gat is geschoten waarvan de gescheurde randen flapperen. Het is een gat dat open moet blijven voor het geval mijn broer opduikt en het zou alleen gedicht kunnen worden doordat hij erdoorheen terugkomt. Mijn jeugdherinneringen bestaan er grotendeels uit dat mijn moeder zich daarop voorbereidt en samen met mijn vader geduldig naast het gat wacht, terwijl ik er over verschillende paden omheen loop.

Ik glip naar beneden, de houten trap af die naar de keuken leidt. Het is vroeg in de ochtend en ik ben net uit bed gekomen. Ik ben zes jaar. Ik weet dat omdat mijn broer Michael vandaag tien jaar wordt.

Ik weet ook dat ons huis oud is omdat alles, vooral nu in het begin van de zomer, kraakt: trappen, vloeren, kasten en deuren. Leidingen murmelen als mompelende stemmen. Ik kan mijn ouders door de ontluchtingsbuis van de verwarming in mijn kamer boven horen praten wanneer ze helemaal beneden in de huiskamer zijn. Ik hou van ons huis. De geluiden ervan zijn even geruststellend als een verhaaltje voor het slapengaan.

Ik draag een pyjama van het soort dat pijpen heeft met voeten waarvan de stof aan de onderkant plakkerig is, zodat ik niet van de trap kan vallen. Hij is roze, donzig en een beetje te warm.

Vanaf de middelste trede zie ik een vierkant van goudroze licht dat door het raam van de aangrenzende waskamer op de vloer van de gang valt. Wanneer ik de onderste trede bereik, zie ik ballonnen die met hun touwtjes aan de lijst van de deur naar de keuken zijn geplakt. Ze zijn babyblauw en wit en deinen hypnotiserend heen en weer in een luchtstroom. Er hangen ook bijpassende blauwe en witte guirlandes: lange dunne linten die krullen als mijn lange haren.

Wanneer ik de keuken in gluur, golft een warme, zoete geur over me heen die me dwingt naar binnen te gaan. Ik voel me als een kat uit een tekenfilm die dromerig zweeft. Een geurige stroom tilt mijn lichaam op en rekt mijn neus naar voren uit. Biscuitgebak, de favoriete lekkernij van mijn broer.

Mamma staat achter het aanrecht met een glazen mengschaal die tot aan de rand is gevuld met sneeuwwitte heuvels van glaceersuiker. Ik kijk vanuit de deuropening toe wanneer ze de heuveltjes begiet en platmaakt met druppels melk uit een maatbekertje. Daarna gebruikt ze een metalen handmixer, die zoemend in de poederachtige massa ronddraait. Hij klettert en rinkelt tegen het glas. Ze glimlacht wanneer ze me binnen ziet komen.

'Morgen, schat.' Haar gebruikelijke begroeting klinkt boven het kloppende, zoemende geluid uit.

Over de keukentafel is pakpapier uitgespreid, dat op zijn plaats wordt gehouden door onbreekbare glazen die op de hoeken ervan staan. Ik was erbij toen mamma die tumblers kocht in de ijzerwarenwinkel in het centrum. Er stond een knappe man op de afdeling keukengerei die hun duurzaamheid demonstreerde door er dunne spijkers mee in een houten plank te slaan. Toen mamma dat had gezien, kocht ze er een hele set van, maar uiteindelijk bleken ze toch breekbaar te zijn, want toen mamma er per ongeluk een op de betonnen vloer van haar werkkamer liet vallen, brak hij in talloze stukjes. Ik wist niet dat iets op die manier kon breken. De stukjes waren zelfs niet scherp. Het glas veranderde in kleine kristallen knikkertjes. Mamma gaf me er een paar in de hand, omdat ik me er niet aan kon snijden. Ze waren prachtig en glinsterden als edelstenen in mijn handpalm. Mamma heeft ze bewaard. Ze zegt dat ze ze eens zal gebruiken voor haar meubelontwerpen. Ze zitten nu in een heldergeel margarinekuipje dat op een plank in haar werkkamer staat.

Mamma's wangen zijn rood door de hitte van de oven en de inspanning van het kloppen van de glaceersuiker. Ik klim op een kruk en zie hoe de poederachtige suiker zich op wonderbaarlijke wijze transformeert tot kleverige, sneeuwwitte punten. Ik wacht als een hond die een bot voorgehouden wordt omdat ik weet dat ik de romige bladen van de mixer mag aflikken.

Mijn gespannen afwachting wordt verbroken doordat er plotseling op de deur wordt geklopt. Mamma en ik zien het ronde, grijnzende gezicht van onze buurvrouw, mevrouw Brown, die door het kleine, vierkante ruitje in de achterdeur kijkt. Ik ben het dichtst bij de deur, dus ik doe open. Mevrouw Brown draagt dezelfde, met sierlijke bloemen bedrukte zomerjurk die ik haar al tientallen keren heb zien dragen sinds het warmer is geworden. Eerst lijkt ze verbaasd en daarna kijkt ze verrukt wanneer haar blik van mij naar onze zoet geurende keuken schiet.

'Hartelijk gefeliciteerd met je verjaardag, Bethany,' roept ze boven het geluid van de mixer uit, en ze strijkt me vriendelijk over mijn schouder. Ik glimlach naar haar.

'Het is mijn verjaardag niet, mevrouw Brown. Michael is jarig.'

Je zou denken dat ik haar diep beledigd heb, want haar gezicht verstrakt in een woedende uitdrukking. Ze buigt zich voorover tot haar gezicht vlak bij het mijne is en sist: 'Dat is niet grappig, meisje.'

Ik draai me om en kijk naar mamma, die opmerkelijk stil is. Ik zie haar geschrokken gezicht. Ze lijkt op een hert dat in het licht van koplampen gevangen is: een duidelijk, stilzwijgend blijk van schaamte.

Mamma laat de mixer in de schaal met glaceersuiker los en loopt snel de keuken uit. Ik blijf alleen met mevrouw Brown achter. Ik zie nu pas dat ze een met een doek afgedekte mand in haar hand heeft. Ze geeft hem aan me en ik til de vierkante, witlinnen doek op om te kijken wat erin zit. Op een geruite doek liggen koekjes met diverse vormen.

'Zijn die ook voor Michaels verjaardag?' vraag ik, maar ze antwoordt niet. Ze aait me alleen over mijn bol en loopt weg.

3

2002

De eerste les die ik bij de politie van Helena leerde, was dat het vrijwel onmogelijk was om de leidinggevenden van het politiekorps – uitsluitend mannen met een flink aantal dienstjaren – zover te krijgen dat ze luisterden naar wat een net afgestudeerd meisje van negentien te zeggen had.

Ik begreep dat een dergelijke houding in dit mannenbolwerk diep ingeworteld was. Ik wist dat het nog heel lang zou duren voor ik hun respect verdiend zou hebben, maar ik wist ook dat ik in deze kwestie gelijk had. Dus ik jammerde, schreeuwde, gilde en huilde en ik verstopte zelfs het fotoboek, zodat commissaris Harrison Wathy me ten slotte bij zich riep.

'Wat is er in vredesnaam aan de hand, Bethany? Ik heb gehoord dat het fotoboek weg is.' De commissaris leunde voorover op zijn bureau met zijn beide ellebogen op een stapeltje losse papieren gedrukt. Zijn rode, hoekige gezicht had een vermoeide, ernstige uitdrukking en zijn wenkbrauwen waren hoog opgetrokken.

'Ja, meneer,' zei ik terwijl ik als een kind in het kantoor van het schoolhoofd voor hem stond, gereed om mijn rebelse gedrag te rechtvaardigen.

'Weet je waar het fotoboek is, Bethany?'

'Ja, meneer,' zei ik weer. Mijn ernstige gelaatsuitdrukking noch de zijne veranderde.

'Zou je er dan bezwaar tegen hebben het terug te leggen?'

'Ja, meneer,' zei ik.

'Hoe bedoel je "ja, meneer"?'

'Ik heb er bezwaar tegen om het terug te leggen, meneer.'

'Bethany,' kreunde hij. 'Bevalt je baan hier bij de politie je?'

'Zeker, meneer. Ik hou veel van mijn werk en daarom heb ik er ook bezwaar tegen om het fotoboek terug te leggen en het aan slachtoffers van een misdrijf te laten zien voordat ze de tijd hebben gehad om hun herinneringen naar boven te laten komen. Met alle respect, meneer, maar je zou hun net zo goed foto's van clowns kunnen laten zien.'

De commissaris leunde achterover in zijn oorfauteuil en slaakte een overdreven diepe zucht.

'Bethany, we gebruikten deze methode om het geheugen van slachtoffers van een misdrijf op te frissen al met succes voordat jij geboren was.'

'Dat is precies wat ik bedoel. Mag ik u een verhaal vertellen, meneer?'

De commissaris had vier kinderen – allemaal jongens – dus maakte ik, wanneer het maar mogelijk was, gebruik van zijn zwakke plek voor meisjes.

'Een verhaal? Denk je dat ik tijd heb om…?'

'Er was eens een klein meisje dat toekeek toen haar moeder een bout braadde.'

Zijn zwakke plek had niet alleen met het vrouwelijke geslacht te maken. Geen van zijn volwassen zoons was in zijn voetsporen getreden. Ze hadden banen en studies gekozen die zo weinig mogelijk met politiewerk te maken hadden.

'Ik ben niet in de stemming voor een anekdotisch…'

'En ze vroeg haar moeder waarom ze altijd het uiteinde van de bout afsneed voordat ze hem in de pan legde.'

Zijn oudste zoon was vorig jaar uit de kast gekomen en hij had zijn liefde voor kruiden, wortelgewassen en mannen bekendgemaakt. Zijn jongste zoon was leerling-timmerman en zijn twee middelste zoons studeerden letteren.

'Ik heb veel werk te doen, Bethany.'

'En de moeder zei: "Dat weet ik niet, schat. Zo deed mijn moeder het ook. Misschien moet je het aan je grootmoeder vragen.'"

Niet dat de commissaris me dat allemaal toevertrouwd had – daarvoor was hij veel te professioneel – maar deze wetenswaardigheden hadden zich door het bureau verspreid als een onaangename geur.

'Wil je alsjeblieft gewoon het fotoboek terugleggen?'

'Dus toen het meisje haar grootmoeder de volgende keer zag, vroeg ze waarom ze het uiteinde van de bout afsneed voordat ze hem in de pan legde. Weet u wat de grootmoeder zei?'

Dus ik was niet alleen de dochter die hij nooit gehad had, maar ik deed ook het werk dat hij zijn zoons graag had zien doen.

'Al sla je me dood.'

'Ze zei dat ze het niet wist, maar dat haar moeder het ook altijd deed.'

'Leg het fotoboek alsjeblieft op zijn plek terug.'

'Dus toen het meisje op een dag het verpleegtehuis bezocht waar haar overgrootmoeder verzorgd werd, vroeg ze haar: "Waarom snijdt u altijd het uiteinde van de bout af voordat u hem in de pan legt?" En haar overgrootmoeder zei: "O, schat, dat deed ik omdat mijn braadpan te klein was.'"

Daarna draaide ik me om en liep het kantoor van de commissaris uit. Ik ging regelrecht naar mijn eigen kantoor, pakte het fotoboek uit de onderste la van mijn bureau en legde het, onder het oog van de commissaris en de aanwezige politiemannen, terug in de kast waar het vandaan was gekomen. Na de lunch riep de commissaris zijn staf en het kantoorpersoneel bijeen in de vergaderkamer om een paar belangrijke zaken door te nemen.

'Vergeet niet om uw quarter in het blikje te doen als u koffie drinkt, zodat Angela nog een paar pakken kan kopen.'

Achter de dikke brillenglazen glinsterden de ogen in het meer dan veertig jaar oude gezicht van de receptioniste even veelbetekenend.

'En ik wil geen klachten meer horen over politiemensen die hun auto op de gereserveerde plaatsen parkeren wanneer ze 's ochtends bij Perfect Gebakken hun muffin gaan halen.' Er werd beschaamd gegrinnikt.

'O, en dan nog iets. Geef Bethany een maand de tijd om het zonder het boek te proberen. Alle slachtoffers van een misdrijf gaan direct naar haar toe zonder voorafgaande hulp. Of we er na die maand mee doorgaan of niet laten we van de resultaten afhangen.' Hij richtte zijn blik op mij. 'We zullen zien of de bout past, om het zo maar eens te zeggen.' Ik kon er niets aan doen dat ik straalde.

Amy Wetherall, die haar had dat op gekrulde frieten leek, kwam bij me als een onbeschreven blad en ze fixeerde me met haar ijskoude, getraumatiseerde blik. Ik zat recht tegenover haar en ik kon zien dat de vijfjarige me niet zag, dat ze niets anders zag dan het lege scherm dat ze over haar geest had getrokken. Het was mijn werk om ervoor te zorgen dat de beelden die er uiteindelijk op zouden verschijnen accuraat zouden zijn. Ze kwam eerst bij mij, onbezoedeld, voordat de rechercheurs haar in handen kregen, voordat ze duizend fotografische beelden in haar ongerepte geheugen hadden geplant. Zij was het experiment waaruit zou moeten blijken of de bout paste.

In het begin praatten Amy en ik overal over. Over alles behalve over de man die midden in de nacht haar kamer binnen was gekomen en haar broertje Aaron van het onderste matras van het stapelbed had weggehaald. De eerste twee weken deden we bijna niets anders dan scrabble spelen, tekeningen maken en puzzelen. In de daaropvolgende weken ging ik naar haar huis.

De familie Wetherall woonde niet ver van mijn huis vandaan in een bungalow met drie slaapkamers aan de westkant van de stad. Haar jonge moeder Sharon, een volwassen versie van haar dochter, keek met stille hoop toe, terwijl Amy en ik op de vloer van de huiskamer met barbiepoppen speelden, over haar lievelingsvideo's praatten en samen in de keuken crackers met smeerkaas klaarmaakten. Uiteindelijk nodigde Amy me in haar kamer uit waarin ze, zoals haar moeder me had verteld, sinds het incident niet meer durfde te slapen. Ik stelde voor om op het onderste bed een spelletje te gaan kaarten, maar dat weigerde ze. Dat was het bed van haar broertje, zei ze. Toen ik haar vroeg of we haar broer konden vragen of we op zijn bed mochten kaarten, snauwde ze: 'Hij is er niet.'

'Waar is hij dan?' vroeg ik.

'Hij is meegenomen.'

'Meegenomen? Door wie? Wie heeft je broer meegenomen?'

'De dikke man.'

'De dikke man?'

'Ja, de lelijke dikke man.'

Ik betwijfelde of de lelijke, dikke man echt bestond. Iemand die haar broer meenam, zou in haar gedachten lelijk zijn. De man die haar broer had ontvoerd, zou in haar dromen in een lelijke, dikke man veranderd kunnen zijn. Ik was achterdochtig, maar het was een begin.

In de daaropvolgende dagen veranderde ze van gedachten en ze zei tegen me dat haar broer het niet erg zou vinden als we op zijn bed gingen spelen.

'Hoe weet je dat?'

'Hij is er niet, dus het kan hem niet schelen.'

23

'En de lelijke, dikke man? Denk je dat het hem wat kan schelen?'

Ik wilde haar niet bang maken, maar ik wilde wel dat ze weer over hem zou gaan denken en praten.

'Nee,' zei ze.

'Waarom kan het hem niet schelen?' vroeg ik.

'Omdat hij er niet is. Hij is bij mijn broer.'

'Waar denk je dat ze naartoe zijn gegaan?' vroeg ik.

'Dat weet ik niet.' Ze haalde haar schouders op.

'Denk je dat hij je broer terug zal brengen?'

'Dat weet ik niet.'

Het ging er hierbij om hoeveel tijd Amy nodig zou hebben, hoe lang het zou duren tot er iets zou gebeuren dat de herinneringen in haar hersens zou wekken, tot de synapsen contact zouden maken en ze het gevoel zou hebben dat ze er veilig mee voor de dag kon komen. Maar het ging er ook om wat deze vijfjarige kon uiten en om hoeveel ze wist.

Ik kon nu terugvallen op mijn voorbereiding. Ik haalde mijn spullen tevoorschijn, waaronder honderden houten blokken met de vorm van gelaatstrekken die op een gezichtsframe gezet moesten worden.

Naast de vormen die ze al kon benoemen, zoals vierkant, cirkel, driehoek en rechthoek, leerde Amy de namen van de nieuwe vormen, onder andere langwerpig, amandel- en rozenknop, klaver- en halvemaanvormig.

Amy en ik speelden *Welke vorm heeft het?* Ik hield dan bijvoorbeeld een amandelvormig blok omhoog en na haar te hebben geprezen voor het juiste antwoord, vroeg ik haar of mijn ogen amandelvormig waren. We deden hetzelfde voor al mijn gelaatstrekken en daarna voor de hare, waarbij we een spiegel gebruikten. Ik vroeg haar nooit naar de lelijke, dikke man. Zij moest hem uit eigen beweging in het spel introduceren wanneer ze er klaar voor was.

Amy stelde me niet teleur. Toen we op een dag op de vloer van haar slaapkamer een kaartspelletje speelden, begon ze de mysteries van TRF's gezicht te onthullen. Haar herinneringen kwamen onbezoedeld bij haar boven en ze zag zijn gezicht even duidelijk als wanneer ze het met haar kleine ogen op een muur geprojecteerd zou hebben…

4

1990

Mamma zit in haar favoriete stoel, de stoel die in de huiskamer naast het raam staat dat op onze voortuin uitkijkt. Het is een schommelstoel met brede, uitwaaierende leuningen en een felkleurig bloemmotief. Ze haakt een deken in diverse blauwtinten. Een naaimand vol blauwe knotjes wol staat voor haar voeten. De bolletjes wol komen om de paar seconden met een ruk omhoog wanneer ze aan de draad trekt om speling te hebben. Haar onderlichaam is bedekt met de anderhalve meter deken die ze al klaar heeft. Haar gezicht heeft een tevreden uitdrukking, maar toch lijkt ze in het ochtendlicht te vervagen. Ze neuriet terwijl haar vingers werken. Als je haar bewegende handen niet zou zien, zou je kunnen denken dat ze een foto is, grijs en ouderwets.

Ik zit in kleermakerszit op het tapijt vlak bij haar kousenvoeten. Ik sorteer mijn verzameling stempels. Ik heb drie stempelkussens: rood, zwart en koningsblauw. Ik heb zesentwintig rubberstempels, sommige met simpele vormen (een ster, een hart) en andere met boodschappen (*kus me, liefste*), maar de beste zijn die met pinguïns: schattige, dikke pinguïns die allemaal van elkaar verschillen, maar duidelijk van dezelfde familie zijn.

Ze doen verschillende dingen: dansen, schaatsen, zwemmen. Ik heb een zingende pinguïn die in een wolk van muzieknoten zweeft, maar mijn lievelingspinguïn doet iets heel gewoons. Ze leest. Elke keer dat ik haar zie, probeer ik me voor te stellen welk boek het is. Ik kan de woorden van *Kat in de hoed*, *Sneeuwwitje* en *Gullivers reizen* in mijn hoofd horen.

'Ik ben niet gek, hoor,' zegt mamma.

Als pappa hier zou zijn, zou ik gedacht hebben dat ze het tegen hem had, maar hij is in de garage, waar hij aan de motor van onze Volvo sleutelt. Nee, alleen mamma en ik zitten hier in de huiskamer en deze kalme bewering zweeft tussen ons in. Ik kijk op. Ik zie dat ze nu ernstig kijkt, alsof ze tegen me gezegd heeft dat ik mijn kamer moet opruimen of zo. Haar handen bewegen niet meer.

'Dat weet ik,' zeg ik ten slotte. Het lijkt lang geleden sinds ze het zei.

'Ze zullen je iets anders vertellen,' zegt ze.

'Wie, mamma?'

'De kinderen.'

Ik vertrek mijn gezicht. Hoewel ik mijn best doe om haar te begrijpen, zou ze net zo goed Swahili kunnen spreken.

'Op school,' zegt ze met een ongeduldige klank in haar stem. 'Morgen op school. De eerste dag is altijd de ergste en je krijgt dan van alles te horen.'

'Wat dan, bijvoorbeeld?'

'Onware dingen. Pijnlijke dingen.'

'Dat laat ik niet toe,' zeg ik.

'Ze zullen zeggen dat je moeder gek is.'

'Dan zeg ik dat u dat niet bent.'

'Ze zullen zeggen dat Michael niet naar huis komt.' Mamma buigt zich dichter naar me toe en een deel van de gehaakte deken glijdt rimpelend op de vloer.

'Maar geloof er maar niets van.' Ze spreekt nu op een scherpe fluistertoon alsof ze me een gevaarlijk geheim toevertrouwt. 'Ze weten niets. Alleen wij kennen de waarheid. Rechercheur Adams zegt dat de dag waarop ze Michael zullen vinden steeds dichterbij komt. Dat moet je altijd onthouden en wanneer hij thuiskomt, zullen we er in ons hart, in ons hoofd en op alle andere manieren klaar voor zijn.'

Ik weet dat dit waar is. Ik weet dat we er klaar voor zullen zijn wanneer Michael met Kerstmis, op zijn verjaardag of met Pasen thuiskomt. Dan zullen er cadeautjes, gebak en chocoladepaashaasjes voor hem zijn en als hij op een gewone dag thuiskomt, zal hij alle dingen krijgen die hij gemist heeft.

Mamma leunt achterover in haar schommelstoel en haakt verder aan Michaels deken. Ja, als Michael nu door de deur naar binnen loopt, zullen we er klaar voor zijn.

5

Moeder vermoordt monster.

Mijn moeder.

De moordenares van een monster.

In de ogen van de media had ze een draak gedood. Door toedoen van mijn moeder was de openbare veiligheid flink toegenomen. Binnen vierentwintig uur, de tijd die nodig was om de dagbladen op straat en de tv-programma's op de buis te brengen, was mamma van een moordenares een heldin geworden. Natuurlijk was het niet helemaal zo simpel. Er was nog steeds de nare kwestie dat deze gewone vrouw TRF's schedel ingeslagen had en dat zijn hersenen vier meter van zijn hoofd vandaan tegen de muren geplakt zaten. Bovendien was er het onontkoombare feit dat er iets in haar dichtgeklapt was en dat ze alles ontkende.

Nadat mamma vanaf de plaats van het misdrijf geboeid naar een patrouillewagen geleid en afgevoerd was, vond de politie in TRF's meterkast een uitgehongerd, anaal verkracht jongetje van vier jaar met een prop in zijn mond en met vastgebonden handen en voeten. Hij ademde en leefde.

Hij leek niet meer op de mollige, glimlachende Aaron Wetherall wiens twinkelende ogen de mensen in de hele stad vanaf posters op etalageruiten en telefoonpalen aankeken.

Hij was een uitgemergelde, grauwe, pygmeeachtige versie van zichzelf toen hij met spoed naar de eerstehulpafdeling van het ziekenhuis werd gebracht. Hij zou vijf maanden in het ziekenhuis blijven, waar zijn toestand op de medische ladder geleidelijk van kritiek stabiel en ten slotte, als door een wonder, van stabiel goed werd.

Door toedoen van mijn moeder zou Aaron Wetherall in leven blijven. Zijn gebroken lichaam zou opgelapt worden en zijn beschadigde geest zou door de heilzame werking van liefde herstellen. De zeven kinderen wier botten en schedels onder de keldervloer van TRF's huis lagen en die zorgvuldig opgegraven en als een gruwelijke legpuzzel opnieuw samengevoegd werden, kon mamma niet meer redden. Het waren kinderen die in de loop van de afgelopen tien jaar vermist waren. Maar mamma had wel het mysterie van hun verdwijning opgelost en de deur van de hoop voor hun familie dichtgeslagen. Ze had voor een ontknoping gezorgd.

Richard en ik keken door de doorkijkspiegel toen mamma door de rechercheurs McDowel en Dunny ondervraagd werd. Haar vingerafdrukken waren afgenomen, ze was gefotografeerd, uitgekleed en medisch onderzocht en ze had een te grote marineblauwe gevangenisoverall aan. Mamma moest inmiddels weten dat er iets heel erg mis was, maar toch leek ze niet in verwarring of bang te zijn. Ze zag er sereen uit en had op een parkbank kunnen zitten terwijl ze naar spelende kinderen keek. Veilig en vrij. Misschien deed ze dat in gedachten ook, vanaf een afstand naar kinderen kijken terwijl ze diep vanbinnen wist dat zij degene was die hen gered had. Mamma mocht zich dan niet tot in detail herinneren wat ze gedaan had, het was me duidelijk dat ze precies wist wat er gebeurd was. Ze had een monster vermoord, een draak gedood, en haar eigen demonen vernietigd.

Ze hield haar handen verstrengeld tussen haar over elkaar geslagen benen. Ik vond dat niets bijzonders tot ze een hand uitstak naar de beker water die rechercheur Dunny haar gegeven had. Toen ze hem naar haar lippen bracht, klotste het water over de randen van de piepschuimen beker en liet donkere strepen op de voorkant van haar gevangenisoverall achter. Het kenmerk van een drugsverslaafde met onthoudingsverschijnselen.

'Het spijt me, het spijt me,' zei ze en ze zette de halflege beker terug op de tafel. 'Mijn armen doen zo'n pijn en ze zijn zo zwak.'

Ik had Richard vanuit het politiebureau gebeld om hem te vertellen dat mamma gearresteerd was nadat de commissaris mij thuis gebeld had. Hij had me gevraagd of Doris Fisher mijn moeder was en toen ik dat had bevestigd, had hij me verzekerd dat alles in orde was met haar, dat ze ongedeerd was. Daarna had hij gezegd dat ik maar beter naar het bureau kon komen en dat ik een oppas voor Ryan moest regelen (God zij dank voor mijn buurvrouw Vivian) en met niemand mocht praten.

Terwijl ik wachtte tot mamma zou terugkomen, had ik me al grote zorgen gemaakt en ik was in alle staten omdat ze tegen de tijd dat de telefoon ging al meer dan drie uur weg was. Drie uur om naar de winkel te lopen, die drie straten verderop lag, en melk te kopen. Ik beefde zichtbaar toen ik op het bureau aankwam en naar een van de verhoorkamers was gebracht waar ik zo veel slachtoffers had ondervraagd. Nu zat ik daar aan de verkeerde kant van de tafel naar de commissaris te luisteren, die het tafereel beschreef dat de agenten drie uur geleden hadden aangetroffen: het bloed, de slachting, de ontdekking van het jongetje en mamma die op de kruk zat te wachten.

Ik belde Richard voordat ik pappa belde. Ik wist dat Richard zou weten wat hij moest zeggen en wat hij moest doen. Hoewel we het over zijn vrouw hadden, wist ik zelfs dat zijn rechercheursinstinct zijn emotionele reactie maar tijdelijk zou verdringen en dat hij daarna in de eerste plaats bezorgd over mamma en mij zou zijn.

Richard was in mijn leven steeds op de achtergrond als een soort vangnet voor mamma en mij aanwezig geweest, zelfs toen pappa nog bij ons was en zijn eigen vrouw nog leefde, want Richard was altijd onze verbinding met Michael geweest. Hij leek op een van mamma's meubelstukken, dat wachtte tot ze het helemaal goedgekeurd zou hebben. Hij wachtte zijn tijd af en vroeg nooit om meer. De grote, zachtaardige rechercheur Adams die al mijn stiefvader was voordat mijn echte vader wegging…

Richard zei dat ik op het bureau bij mamma moest wachten en moest regelen dat Ryan die nacht bij Vivian kon slapen. Hij zei dat hij er zo snel mogelijk zou zijn. Hij zou direct in zijn pick-up stappen, naar het huis van mijn vader gaan en daarna naar Helena rijden. Als de rit van een kwartier van mijn huis naar het bureau zonder dat ik de waarheid kende al zo veel stress opleverde, dan moest de tweeënhalf uur durende rit van Dartmouth naar Helena voor Richard, die net zo weinig wist als ik, helemaal gruwelijk zijn.

Ik was blij dat ik ermee had gewacht om het pappa te vertellen en dat ik eerst met Richard had gepraat. Ik was dankbaar dat ik eerst naar de stem van de rede had geluisterd voordat ik moest aanhoren dat pappa maar 'o, mijn god' bleef roepen, daarna het hele verhaal tegen Lori herhaalde om vervolgens in tranen uit te barsten en keer op keer te vragen of alles in orde met me was.

Ik zei tegen pappa dat Richard elk moment bij hem kon zijn. Als ze wilden, konden ze met hem meekomen, maar dat hoefde niet. Ze zouden trouwens toch weinig kunnen doen. Ik zei dat alles in orde met me was, dat we dit tot de bodem zouden uitzoeken en dat ik hen op de hoogte zou houden. Lori had inmiddels het extra toestel gepakt en zij was het, niet pappa, die zei dat ze met Richard mee zou gaan. Ze zei dat ze voor Ryan zou zorgen en dat pappa in het weekend zou overkomen omdat hij het op het ogenblik razend druk had op zijn werk.

Voordat ik ophing, hoorde ik dat er bij hen aangebeld werd en ik was ervan overtuigd dat Richard hen er wel doorheen zou helpen. Ik was ook opgelucht dat Richard tijdens de rit hiernaartoe iemand zou hebben om mee te praten.

Daarna belde ik Lucy, die ook bereid was om direct met Richard en Lori mee naar de stad te komen, maar ik wilde per se dat ze thuisbleef tot ze vrij had van haar studie. Mijn beste vriendin zat in haar eerste jaar van de opleiding kookkunst aan het Dartmouth College en als ze nu vertrok zou ze cruciale presentaties missen.

Ik bewaarde het moeilijkste telefoontje voor het laatst. Ik wist dat ik me daar niet sterk bij zou kunnen houden en dat ik in zou storten. Ik belde Will en begon al te janken voordat hij de kans had om te vragen wat er aan de hand was.

Hij luisterde naar me terwijl ik het verhaal snotterend vertelde en hij zei dat hij er direct aan kwam. Een kwartier later was hij er, met uitgespreide armen waar ik zo in kon vallen en een hart vol medeleven. We bleven in een soort wiegende omhelzing staan tot Richard arriveerde. Richard had Lori afgezet bij mij thuis, waar ze Vivian van Ryan had verlost. Will vertrok en Richard en ik mochten, als politiemensen, door de doorkijkspiegel toekijken hoe mamma werd verhoord.

'Waarom denkt u dat uw armen pijn doen?' vroeg Dunny bijna liefdevol. De magere undercoverrechercheur die een neus had als een tuinslang, zat naast mamma en McDowel liep peinzend achter hen heen en weer. Ik was dankbaar dat Dunny vriendelijk tegen haar was.

Mamma dacht over de vraag na en keek naar linksboven.

'Ik weet het gewoon niet.' Ze haalde haar schouders op, verbijsterd door haar eigen onvermogen om het zich te herinneren. Ze dacht er weer over na, aarzelde toen, schudde haar hoofd en zei: 'Ik weet het gewoon niet.'

'Mevrouw Fisher,' viel McDowel haar in de rede. Zijn barse stem en het feit dat hij stond, waardoor hij boven mamma uittorende, zorgden ervoor dat hij minder geduldig leek dan zijn collega. 'Kunt u ons precies vertellen wat u zich wel van de gebeurtenissen van vanavond kunt herinneren?'

Mamma's ogen schoten weer omhoog en flitsten van links naar rechts alsof ze wakker in haar remslaap zat. Ze schraapte haar keel en sprak toen zo zacht en elegant dat je zou denken dat ze aan vrienden vertelde hoe haar dag was geweest.

'Bethany maakte gegratineerde aardappelen voor het avondeten. Ryan is er dol op. Hij eet altijd zijn bordje leeg wanneer zijn moeder ze maakt. Ze heeft het recept van mij, maar ik vind die van haar eerlijk gezegd lekkerder.'

'Oké, mevrouw Fisher, maar laten we proberen ons op de gebeurtenissen te concentreren,' zei Dunny. 'Wat gebeurde er daarna?'

'We hadden geen melk meer, dat herinner ik me nog. Je kunt geen gegratineerde aardappelen maken zonder melk, dus vroeg Bethany me of ik wilde kijken of ik van haar buurvrouw Vivian wat melk kon lenen. Een lieve meid. Ze is nu ongeveer vijf jaar weduwe, maar dat zou je niet zeggen. Ze heeft zo'n opgewekt karakter. Ik was zo blij dat Bethany zo'n lieve vrouw had om haar te helpen en ze is dol op Ryan. Ze is er altijd voor Bethany, wat er ook...'

'Had ze melk, mevrouw Fisher?' onderbrak McDowel haar.

'Nee, dat was het nu juist, zij had ook geen melk meer. Dus zei ik tegen Bethany dat ik Ryan mee zou nemen naar de winkel, maar toen ik hem wilde vragen of hij met oma meeging, was hij in zijn zitzak in diepe slaap gevallen. Het was zo schattig, u had hem moeten zien.'

'Bent u toen alleen naar de winkel gegaan?'

'Ja.' Mamma zweeg en het leek alsof ze zich probeerde te herinneren wat er daarna gebeurd was.

'Hoe ver is de winkel van het appartement van uw dochter?' vroeg Dunny, maar mamma leek van de wereld te zijn. Haar gezicht stond uitdrukkingsloos, ze hield haar hoofd schuin naar links en staarde in het niets als de gekkin die ze, naar haar zeggen, al die jaren niet was geweest. Haar gezicht had iets gewichtloos, alsof haar daden haar de kracht hadden gegeven om de zwaartekracht te tarten en de spanningshoofdpijn van een decennium en de rimpels die er het gevolg van waren te laten verdwijnen. Mijn moeder, de moordenares van een monster, zag er jonger uit dan ik haar ooit had gezien.

Ten slotte mompelde mamma: 'De winkel. Daar was hij. Ik heb hem gezien.' Ze praatte in zichzelf.

'Wie hebt u gezien, mevrouw Fisher?' vroeg McDowel.

'Hij stond op de zuivelafdeling. Hij stond daar gewoon.' Mamma mompelde nog steeds, alsof ze verdoofd was, maar ze gebruikte nu haar handen en strekte ze uit naar de onzichtbare boeman, met haar mond in een soort lus scheefgetrokken.

'Ja, ja, hij staat daar, Doris,' zei Dunny. 'Wat deed je toen je hem zag?'

'Hij stond daar gewoon. Iedereen kon hem zo zien,' zei mamma.

'Wat heb je gedaan, Doris?' herhaalde Dunny. 'Wat heb je gedaan toen je hem zag?'

'Iedereen kon hem zo zien.'

En zo ging het maar door. Mamma had op de zuivelafdeling van kruidenier Prince als aan de grond genageld naar TRF staan staren. Ze had hem herkend en daarna had iemand anders mamma's lichaam, geest en ziel overgenomen. Wat daarna was gebeurd, waren de daden geweest van het beest dat sinds 16 juli 1983 in haar lichaam was gegroeid, sinds de dag van het jaarfeest van Dartmouth, de dag waarop Michael was verdwenen.

6

Mamma brengt me naar school in de Volvo. Ik wil met de schoolbus gaan die verderop in onze straat stopt, maar ze zegt 'nee', punt uit.

Ik zit naast mamma voorin en door het raampje zie ik kinderen met rugzakken lopen die nieuwe herfstjacks dragen. Mijn jack is oud, maar de turkoois met witte jurk eronder is gloednieuw. We hebben hem pas vorige week bij de K-mart gekocht toen mamma en ik daar schoolspullen en nieuwe kleren gingen kopen. Michael en ik hebben allebei een rugzak gekregen. Op de mijne staat Tenderheart Care Bear omdat we geen rugzak met een pinguïn konden vinden en op die van Michael staat Alf. Zodra mamma het tv-programma zag, zei ze dat ze wist dat Michael van het donzige, buitenaardse wezen zou houden.

Mijn rugzak ligt naast me op de stoel. Erin zitten nieuwe schriften, glanzende nieuwe krijtjes, ongebruikte viltstiften en een pennendoos van hard plastic die uitpuilt van de potloden, pennen en vlakgommetjes. Ik ben opgetogen. Ik hoef niet naar mamma te kijken om te weten dat ze nerveus is. Ik houd mijn blik op de weg gericht.

De school is helemaal aan de andere kant van de stad, veel te ver om te lopen. Mamma draait het parkeerterrein op. Ik heb nog nooit zo veel kinderen bij elkaar gezien. Groepjes giechelende meisjes en springende jongens, wiebelende, wild bewegende of zich verspreidende kinderen in alle soorten en maten met plat achterovergekamd, in pieken of spiralen rechtopstaand of modieus geknipt haar, een werveling van nieuwe kleren en op en neer deinende rugzakken. Ik vraag me af wie van hen de rotkinderen zijn.

Mamma parkeert en zet de motor af. Er valt plotseling een weergalmende stilte in de auto, die daarna langzaam volstroomt met gedempt gegil en het drukke gekwebbel van vele kinderstemmen. Mamma zucht en draait zich naar me toe. 'Onthoud wat ik heb gezegd,' waarschuwt ze. 'Niemand weet waar we mee bezig zijn.'

'Ja, mamma,' zeg ik.

Ik wacht op haar goedkeurende knikje, maak dan mijn gordel los en open het portier. Mamma houdt mijn hand de hele tijd vast wanneer we het gebouw binnengaan en door de lange gang naar de administratie lopen. Haar greep is zo stevig dat mijn vingers over elkaar heen gedrukt worden en ze loopt zo snel en doelbewust dat ik haar amper kan bijhouden.

In het administratiekantoor tekent mamma een paar papieren en daarna voegen we ons bij de massa kinderen die ineengezakt in kleermakerszit op de vloer van het gymnastieklokaal zitten, een uitgestrekte deken van wriemelende eekhoorns. Het is er lawaaiig en opwindend als een knetterend vuur. Iedereen lijkt elkaar te kennen.

Mijn naam wordt afgeroepen en ik word toegewezen aan de klas van juf Robart. Mamma loopt in een lange rij kinderen en hun moeders met me mee naar mijn nieuwe klas. Wanneer we bij de deur zijn, buigt mamma zich voorover en zegt zacht: 'Ik haal je hier op wanneer de school uitgaat.'

Ik kies een lessenaar uiterst links van het lokaal, waar ik op de tuin uitkijk. Juf Robart stelt zich voor en zegt dat we onze boeken en andere schoolspullen uit onze rugzak op de lessenaar moeten leggen zodat we onze initialen erop kunnen stempelen. Ze is knap, heeft lang blond haar en een vriendelijke glimlach en draagt een kort rokje.

Nadat we onze initialen op onze spullen gezet hebben, wil juf Robart dat we ons voorstellen en iets over onszelf zeggen. Ik luister naar de kinderen die opstaan en iets over zichzelf vertellen.

'Ik heet Kevin Moore,' zegt een jongen met konijnentanden en peenhaar. 'Ik heb twee zussen en een hond die Spike heet.'

'Ik heet Charlene Lovit,' zegt Charlene alsof dat voor zichzelf spreekt. 'Mijn vader is advocaat en mijn moeder is bibliothecaresse.'

Wanneer het mijn beurt is, denk ik aan wat mamma heeft gezegd. Ik denk aan de pestkoppen die wachten op hun kans om iets onwaars of kwetsends te zeggen. Mijn gezicht wordt plotseling warm wanneer ik ga staan.

'Ik ben Michael Fishers zuster. Mijn broer is gestolen toen ik een baby was, maar hij komt binnenkort thuis.'

Opgelucht omdat het voorbij is, laat ik me achter mijn lessenaar zakken. Dan zegt juf Robart: 'Je hebt ons niet verteld hoe je heet.'

Ik ga weer staan. 'Ik ben Bethany, degene die niet gestolen is.'

7

Het duurde niet lang voordat de media rond begonnen te snuffelen op zoek naar informatie, naar bijzonderheden over ons leven. Terwijl Richard en ik op het politiebureau naar mamma zaten te kijken die de vragen van Dunny en McDowel probeerde te beantwoorden en we daarna onze eigen verklaringen aflegden, belden verslaggevers van allerlei media naar mijn huis. Lori beantwoordde alle telefoontjes en ze deed haar uiterste best om nauwkeurige, duidelijke boodschappen voor me te noteren zonder onder hun spervuur van vragen iets los te laten.

'Waarom heb je de stekker er niet gewoon uit getrokken?' vroeg ik haar toen ik thuis in de keuken de lange lijst van kranten en tv- en radiozenders doornam die hun geluk hadden beproefd. Zelfs *People* had gebeld.

'Ik wilde de telefoonlijn openhouden voor het geval jij zou bellen,' zei de murw geslagen, sproetige vrouw van mijn vader. Het moest behoorlijk zwaar zijn geweest dat de onverstoorbare Lori zo uit haar evenwicht was gebracht.

Ryan hing, jengelend om opgepakt te worden, aan mijn been. Ik was bijna vergeten om hem een kus te geven en hem te omhelzen en ook dat ik negentien uur weg geweest was. Mijn kleine keuken glinsterde in het ochtendlicht, maar toch kon ik mijn ogen haast niet openhouden. Lori stelde voor dat ik zou gaan slapen en toen ik mezelf in de spiegel van de badkamer zag, begreep ik waarom. Verfomfaaid haar en ogen van een drugsverslaafde. Lori had gelijk. Ik was uitgeput, maar mijn hoofd zat vol met beelden van TRF's ingeslagen schedel, het uitgemergelde lichaam van de kleine Aaron en mamma's bizarre sereniteit. Ik wist dat ik niet zou kunnen slapen als ik me niet op de een of andere manier kon ontspannen. Ik wendde mijn afgetobde gezicht van de spiegel af en doorzocht het medicijnkastje achter de spiegel. Het enige wat ik had, was een kindermedicijn dat Ryan voor het slapengaan had moeten innemen toen hij griep had. Ik sloeg de overgebleven helft van de weezoete bruine vloeistof achterover, ging op bed liggen en viel even later in slaap.

Toen ik met een ruk wakker werd doordat Will me zachtjes aanstootte, wist ik dat de dag om was. Hij was klaar op de universiteit en het daglicht was veranderd in de vroege-avondhemel van oktober. De lichten van het complex rijtjeshuizen waren aangegaan en hun blauwwitte schijnsel viel door mijn raam naar binnen en leek Wills gebogen hoofd met rijp te bedekken.

'God, het spijt me. Ik was niet van plan om zo lang te slapen. Waar is Ryan?' De energie stroomde door me heen toen de herinneringen in volle hevigheid terugkwamen.

'Ssst,' zei Will en hij legde een vinger op mijn lippen. 'Het gaat prima met hem. Hij is bij Richard en Lori in de huiskamer. Het is goed dat je geslapen hebt.'

'Ik moet hem zien. Ik moet…' Ik probeerde overeind te komen maar Will kwam op bed naast me liggen en trok me tegen zich aan.

'Blijf nog even bij me liggen. Heel even maar,' zei hij. Hij sloeg zijn armen om me heen, maar ik kon niet blijven. Zelfs geen minuut. Ik moest de wereld die uiteengevallen was gaan controleren.

Richard, Lori en Ryan waren op de huiskamervloer een soort lego-fort aan het bouwen toen Will en ik binnenkwamen. Kleine, felgekleurde steentjes lagen als gevallen snoepjes over het tapijt verspreid. Ryan stond op en keek versuft van ons naar zijn architectonische meesterwerk. Zijn aandacht was plotseling verdeeld tussen zijn fort en zijn voortijdig wakker geworden moeder.

'Mamma, Will, kijk, kijk,' gilde hij en hij trok ons naar voren om naar de hoge muren van zijn toren te kijken. Ik maakte bewonderende, moederlijke geluidjes.

'Doen jullie mee?' vroeg Ryan, die zijn positie op de vloer weer innam. Ik keek voor het eerst op de klok aan de muur: vijf over halfacht.

'Ik denk dat het tijd voor je bad is, mannetje.'

Er was afgesproken dat Richard in de logeerkamer zou slapen, die nu vrij was. Ik zou Ryan bij me in bed nemen en Lori zou in Ryans bed slapen. Toen ik de gewassen, schone Ryan instopte, was hij opgewonden omdat hij in mamma's grote bed mocht slapen, ondanks de verontrustende toestanden die zijn leven in de afgelopen vierentwintig uur hadden beheerst. Will kwam binnen en hij gaf Ryan een knuffel en een nachtkus. Toen we weer alleen waren, zei ik tegen Ryan dat ik direct bij hem zou komen, de eerste van een reeks leugentjes om bestwil die ik mijn zoon spoedig zou vertellen.

Toen ik naar de volwassenen terugging, waren de verspreide lego-stenen weer in hun doos teruggestopt en het kasteel was vlak bij Ryans zitzak neergezet. Richard en Lori zaten als boekensteunen aan de uiteinden van de bank. Ik ging bij Will op de vloer zitten. We strekten onze benen uit, leunden met onze rug tegen de televisiekast en bespraken met zijn vieren wat er gebeurd was.

'De maat was gewoon vol voor haar.' Richard sprak als eerste en zijn enorme handen vormden schalen om te illustreren wat een last mamma haar hele leven had gedragen. 'Uiteindelijk heeft ze het recht in eigen hand genomen.'

'De omstandigheden vielen door stom toeval samen met je moeders ervaring,' voegde Will eraan toe alsof mamma's daden logisch geanalyseerd konden worden.

'Toeval bestaat niet,' zei Lori op haar verstandige, pedante toon.

'Ik weet alleen dat de wereld er beter op is geworden door wat Doris heeft gedaan,' zei Richard. 'Ze heeft de wereld verlost van een krankzinnig beest.'

'Ja,' stemde ik in. 'We zijn allemaal blij dat we van TRF af zijn, maar het gaat om de manier waarop mamma het heeft gedaan.'

We dachten na, stelden hypothesen op, overlegden en uitten eindeloos veronderstellingen, maar we hadden toch niet het gevoel dat we dichter bij mamma's ingewikkelde waarheid kwamen. We zochten vergeefs naar aanwijzingen, met als enige beloning de geringe troost die onze woorden ons schonken, want er waren niet meer antwoorden op de vraag wat mamma op de vroege avond van 15 oktober 2002 tot haar daad had gebracht dan op de vraag wat er op 16 juli 1983 op een grasveld was gebeurd. Zo gingen we door tot de door het gele lamplicht verlichte huiskamer somber begon te glanzen in de spookachtige, dode blauwe kleur van de zonsopgang en we onze bloedeloze, oververmoeide gezichten afwendden om naar bed te gaan. Toen ik Will eindelijk bij de deur ten afscheid zoende, was het op de klok in de gang vier over zes in de ochtend.

In de loop van de avond hadden we besloten dat we de media geen enkele informatie zouden geven. Ze zouden het een en ander van de politie horen en ze konden hun eigen research verrichten. Het was niet bepaald topgeheim dat Michael jaren geleden ontvoerd was. Ze zouden er snel genoeg achter komen en de feiten op een rijtje zetten. Ze zouden er een vervloekte tv-film van maken, hun eigen verbanden leggen en hun eigen deskundigen kiezen om erover te speculeren waarom het allemaal zo gelopen was. Wij hoefden hen niet te helpen. We zouden pas praten wanneer we er klaar voor waren en we zouden het op onze eigen manier en tegen de juiste mensen doen. We hadden al genoeg zorgen. We moesten nu in de eerste plaats aan mamma denken.

8

In de pauze speelt een groep jongens op de speelplaats trefbal. Ik zit tegen een van de metalen palen geleund in het overdekte gedeelte te kijken. Een grote rubberbal met de kleur van een baksteen vliegt door de lucht. Hij raakt een rennende jongen hard en laat een stoffige plek op de rug van zijn koningsblauwe T-shirt achter. Hij slaakt een kreet, rent achter de bal aan en pakt hem op. Hij gooit hem terug naar de jongen die hem geraakt heeft, maar mist hem. De bal rolt over de betonnen vloer van de speelplaats naar me toe. Ik loop naar voren om hem terug te schoppen wanneer een stem vanuit de wirwar van gezichten roept: 'Raak hem niet aan. We willen niet met je bacillen besmet worden.'

Iedereen lacht. Ik hoor een tweede stem, ditmaal van een sproetige jongen die mijn richting uit komt om de bal op te halen.

'Was je je naam vergeten, juffrouw Niet Gestolen?' jouwt hij terwijl hij de bal oppakt en hem teruggooit in de stilstaande groep wachtende jongens.

Wanneer mijn kwelgeest terugholt naar zijn medespelers wellen de tranen in mijn ogen op en mijn neus prikt alsof ik een zure bom eet. Daarna hoor ik een verlegen stemmetje achter me.

'Ik heet Lucy.'

Ik draai me om. Voor me staat een meisje in een overgooier van spijkerstof dat een slordig bundeltje zilverkleurige jacks en een kleinere versie van de bal waarmee de jongens spelen in haar handen heeft.

'Wil je meespelen?'

Wanneer de bel gaat, staat mamma voor het klaslokaal me op te wachten, zoals ze beloofd heeft. Omdat het de eerste schooldag is, hoeven we maar tot de lunch te blijven. Ik zwaai naar Lucy wanneer mamma mijn hand vastpakt. Ze wacht tot we in de auto zitten voordat ze vraagt: 'Hoe was het?'

'Prima.'

'Vind je de juf aardig?'

'Ja.'

'Heb je nog vriendinnen gemaakt?'

'Ja, Lucy.'

Ze start de auto, waardoor ik ten onrechte denk dat ze me niets meer zal vragen. Ik doe mijn gordel om en trek mijn jurk glad.

'Heeft iemand je gepest?' vraagt ze terwijl ze de auto in zijn achteruit zet. Wanneer ik niet antwoord, schakelt ze terug.

'Heeft iemand je geplaagd?' vraagt ze nog een keer.

Ik weet dat ik tegen mamma niet kan liegen. Ze merkt het altijd.

'Een beetje,' zeg ik.

'Wat zeiden ze dan?'

Onwillig herhaal ik de schimpscheuten van de rotjongens op de speelplaats. Mamma's gezicht wordt rood en er verschijnt een harde uitdrukking op. Haar lippen vormen een strakke streep. De sleutels rinkelen in haar hand wanneer ze die uit het contact rukt. Ze stapt uit en slaat het portier met een klap dicht. Het lijkt een eeuwigheid te duren voordat ze mijn portier opent en haar hand naar binnen steekt om mijn gordel los te maken.

'Waar gaan we naartoe?' vraag ik, maar ze reageert niet.

We marcheren terug door de lange gang en gaan het admini-stratiekantoor binnen. Mamma eist dat ze iemand te spreken krijgt. De woede spat van haar gezicht af.

Ik krijg te horen dat ik op een stoel achter de balie van de re-ceptionist moet wachten. Mamma gaat de deur van een kantoor binnen waarop CONRECTOR staat om met een man in een zwart pak te praten. Ik zie haar door een reeks rechthoekige glazen blokken heen waardoor haar lichaam verwrongen lijkt. Ik hoor haar stem achter de gesloten deur, maar ik kan haar niet ver-staan, zoals je ook hebt met stemmen op de tv wanneer hij een beetje te zacht staat.

Ik zie hoe de grote wijzer van de wandklok langzaam langs de cijfers glijdt. Ik luister naar het geratel van de typemachines en het gerinkel van de telefoons. Ik zwaai mijn benen onder de stoel. Als ik ineenzak, iets waar mamma altijd boos om wordt wanneer ik het aan de eettafel doe, kan ik de vloer met de neuzen van mijn witleren schoenen aanraken. Het misthoorngeluid van de voorgeprogrammeerde zoemer vertelt me dat de lunchpauze voorbij is. Tegen de tijd dat mamma weer verschijnt, heeft de grote wijzer van de klok vijfenveertig minuten weggetikt. Maar dat kan me niet schelen, want die woedende ogen glimlachen nu en ze schudt de hand van de man in het pak.

Ze strekt haar arm naar me uit. Ik pak haar hand en we gaan terug naar de auto. Als we onze gordel om hebben en de motor stationair draait, zegt ze dat die gemene kinderen me niet meer lastig zullen vallen. Ze zegt dat ik morgen, de dag daarna en mis-schien de daaropvolgende weken naar school zal gaan, maar dat ze een thuisschoolprogramma heeft besteld en dat ik uiteindelijk bij haar thuis zal blijven.

Ik denk aan Lucy en juf Robart. Aan mijn nieuwe turkoois met witte jurk en mijn Care Bear-jack, maar ik zeur er niet over. Het lijkt me dat mamma aan mijn kant staat en ik besluit dat ik ook altijd aan haar kant zal staan.

Ik lig in bed met de deur half open om het licht uit de gang binnen te laten. Ik hoor pappa en mamma praten en hun boze woorden die door de ontluchtingsbuis naar boven komen doen mijn adem stokken.

'Ik hoop er nu eenmaal op. Ik kan zo veel hopen als ik wil,' schreeuwt mamma.

'Er is verdomme alleen maar gezegd dat ze hem gezien hebben. Hoe vaak is dat al niet gebeurd?' zegt pappa.

'Eén keer is genoeg, als het echt waar is,' kaatst mamma terug.

'Hoe vaak moeten we ditzelfde gesprek nog voeren? Die vervloekte rechercheur blijft je maar die waardeloze aanwijzingen geven en jij blijft ze maar voor zoete koek slikken.'

'En ik houd er niet mee op voordat…'

'Voordat wat? Voordat je iedereen weggejaagd hebt, met inbegrip van je echtgenoot en je kind?'

'Houd op! Zo is het genoeg,' zegt mamma en ik hoor een klap alsof iets hards de muur raakt. Dan zwijgen ze allebei en ik weet niet wat erger is: het geschreeuw of de stilte. Ik wacht op wat er gaat komen. Mijn oren gloeien. Ze voelen aan alsof ze zes keer zo groot zijn geworden. Superoren die zelfs het zachtste, meest gedempte snikje kunnen horen. Ja, daar komt het. Mamma huilt.

Ik hoor dat de badkamerdeur beneden dichtgeslagen wordt, dat er water in de wastafel stroomt en dat het toilet doorgetrokken wordt. Vervolgens valt er even een afschuwelijke stilte en daarna komt er iemand de trap op. Ik zie mamma, die zich voor mijn deur in silhouet aftekent. Ik merk dat ik rechtop zit.

'Het is goed, schat, het is goed. Alles is in orde,' zegt mamma en ze komt op mijn bed zitten. Haar stem klinkt weer normaal, alsof er niets gebeurd is. Ze streelt mijn haar, stopt me opnieuw in en wikkelt me stijf in mijn dekens tot ik me een levende mum-

mie voel. Ik denk aan de dingen die ze tegen elkaar gezegd hebben.

'Ga nu maar slapen,' zegt mamma. 'Heb je al gebeden?'

'Ja, mamma. Denkt u dat God mijn gebeden hoort?'

'Natuurlijk,' zegt mamma.

'Hoort God Michaels gebeden ook?'

'Ja, Hij hoort de gebeden van iedereen.'

'Kan ik God dan vragen of Hij iets tegen Michael wil zeggen?'

'Dat kun je proberen. Misschien lukt het. Wat wil je Michael
vertellen?'

'Dat het in orde is. Dat hij thuis kan komen.'

'Ik weet zeker dat hij dat zou doen als het kon, schat.'

Mama staat op en wil weggaan.

'Mamma?'

Ze buigt zich over mijn bed heen. 'Ja.'

'Waarom geeft God Michael niet terug?'

9

Een van de geüniformeerde politieagenten die het eerst op de plaats van het misdrijf aangekomen waren, vroeg me of het me opgevallen was dat mamma zich in de tijd voor de moord abnormaal had gedragen. Ik had de twee agenten die me kwamen ondervragen gevraagd om mee te komen naar de huiskamer, waar Richard en Lori tv zaten te kijken, maar ze wilden liever in de hal blijven, die zo groot is als een tweepersoonsbed. Ik was dankbaar dat ze 's avonds waren gekomen, nadat Ryan naar bed was gegaan. Hij was in de afgelopen anderhalve dag al getuige van genoeg waanzin geweest. Zijn moeder was haastig weggegaan om de nacht in het politiebureau door te brengen, Richard en Lori waren plotseling verschenen, de telefoon rinkelde onophoudelijk en we verzekerden hem voortdurend maar weinig overtuigend dat alles in orde was.

De agent die de vraag stelde, was de jongste van de twee, een stevig gebouwde Aziatische man met de huidskleur van een theevlek. De oudere agent, die met zijn lange, magere gestalte zijn tegenbeeld vormde, had een gezicht dat gegroefd was als omgewoeld zand en hij bekeek mijn kleine hal aandachtig. Ik kon niets bedenken wat uit de toon was gevallen toen ik de gebeurtenissen beschreef en de Aziatische agent aantekeningen maakte. Zelfs toen mamma de tekening had gevonden die half uit de envelop stak, had ze absoluut niet de indruk gemaakt dat ze emotioneel werd – tenzij je nieuwsgierigheid als abnormaal gedrag beschouwde.

'Wat hebt u haar verteld?' vroeg de agent. Hij had geen spoor van een oosters accent. Ik moest moeite doen om het me te herinneren.

'Ik heb haar verteld dat we nog geen naam hadden, maar dat het een tekening was van de man die volgens Amy Wetherall haar broer had ontvoerd.'

'En wat zei uw moeder daarop?' vroeg hij.

Ik had medelijden met hem omdat hij getuige moest zijn van de nasleep van zo'n gruweldaad. Ik vermoedde dat het het eerste lijk was dat hij ooit had gezien, behalve dan de cleane lijken uit het mortuarium die ze voor hun opleiding bestuderen. Maar dit was geen oefening. Dit was een echt lijk dat helemaal onder het bloed zat en deze jonge agent zou waarschijnlijk nooit meer een dode onder ogen krijgen die zo gruwelijk toegetakeld was.

'Ik weet niet precies wat ze zei. Ik denk dat mijn zoon me riep. Ja, ja dat klopt. Ik herinner het me nu omdat ik het bad voor hem liet vollopen en alleen maar even was weggegaan om een paar handdoeken uit de wasmand in de logeerkamer te pakken.'

Terwijl ik dit allemaal vertelde, vroeg ik me af wat de reactie van mijn moeder was geweest. Wat had ze gedaan toen ik Ryans kleine lijfje inzeepte en hij Scooby-Doo-poppetjes in het met zeepbellen bedekte water liet zinken. Had ze het met potlood getekende gezicht bestudeerd? Had ze geprobeerd elk detail ervan in haar geheugen te prenten? Had ze hem in gedachten al vervloekt, tot moes geslagen en gedood?

'Waar is die tekening nu?' vroeg de oudere agent. Ik herinnerde me zijn gezicht nu van het bureau. Ik wist zeker dat ik hem

50

eerder had gezien, ergens in de wirwar van geüniformeerde agenten die door de gangen liepen.

Ik keek eerst in de logeerkamer, waar mama had geslapen. Ik trok de lade naast haar bed open en daar lag de tekening boven op de envelop, daar staarde de loodgrijze versie van TRF's gezicht naar me omhoog. Ik had het gevoel dat mijn hart uit mijn lichaam wilde springen om van die kwaadaardige, loodkleurige ogen vandaan te komen. Wat had mamma gedaan? Had ze het gezicht de hele nacht bestudeerd? Had ze de schoft verleid om van het papier haar wereld binnen te komen?

Ik liet de tekening terugglijden in de envelop en nam hem mee naar de wachtende agenten. De adem van de jonge agent stokte toen ik hem de tekening overhandigde, alsof hij een lichte elektrische schok had gehad. Hij bekeek de tekening even aandachtig en overhandigde die toen langzaam aan zijn collega, zonder zijn blik ervan af te wenden.

'Wanneer hebt u deze getekend?' vroeg hij.

'Even kijken… misschien een week geleden. Nee, afgelopen vrijdag, zes dagen geleden,' zei ik.

'Had u een foto van de verdachte gezien?'

'Nee.' Ik vertelde hem dat ik de tekening had gemaakt aan de hand van de beschrijving die Aaron Wetheralls zusje had gegeven. 'Waarom wilt u dat weten?' vroeg ik.

De oudere agent keek zijn collega aan en knikte toen. De jonge agent stak zijn hand in zijn binnenzak en haalde er een politiefoto uit.

'Deze is vannacht uit de politiedossiers gehaald toen we de naam van de dode kenden. Hij is een paar jaar geleden vastgehouden voor verhoor na meldingen dat hij bij verschillende schoolpleinen rondhing. Hij is nergens voor aangeklaagd.'

Hij overhandigde me de foto. Nu stokte *mijn* adem.

Ik zag de drie gebeurtenissen die als drie ballen op een biljarttafel op een rij lagen. Amy had die herinnering in haar geheugen opgeslagen, waar ze wachtte tot ze naar boven gehaald zou worden.

Bal één.

Toen ze zich de herinnering eenmaal voor de geest had gehaald en zijn gezicht voor me beschreven had, moest bij mij ook een herinnering gewekt worden. Ik moest me zien te herinneren hoe ik haar herinnering moest tekenen.

Bal twee.

Wat mamma betreft, zij had een herinnering die we allemaal hebben en nooit willen oproepen. Mamma's herinnering was de herinnering aan een vuurspuwende demon die ergens op een klein plekje tussen het hart en de ingewanden wacht. De meesten van ons krijgen onze demon nooit te zien omdat hij meestal voor altijd in ons blijft sluimeren. Jammer genoeg voor TRF was mamma's demon wakker geworden.

Bal drie.

Bing-bang-boem.

Zoals afgesproken kwam pappa in het weekend en hij leek de hele zaak steeds opnieuw te willen doornemen. Met een nerveuze uitdrukking op zijn rimpelige gezicht probeerde hij naar verklaringen te zoeken. Ten slotte voelde ik me genoodzaakt hem te zeggen dat hij moest ophouden met vragen stellen en dat hij ons moest helpen bedenken wat we nu moesten doen. Zondagavond, toen pappa terugging naar Dartmouth omdat hij de volgende dag moest werken, wist ik Lori ervan te overtuigen dat ze met hem mee moest gaan. Ze wilde nog een week blijven om me met Ryan te helpen en me te steunen, maar ik had genoeg steun aan Richard, Will en buurvrouw Vivian. Bovendien, zei ik tegen haar, zou ik toch een poosje niet gaan werken. De commissaris had me voor onbepaalde tijd vrij gegeven met volledig behoud van salaris. Ik wilde dat ze naar huis zou gaan. Ik hield van Lori en ik was haar dankbaar omdat ze direct helemaal hierheen was gekomen, maar het werd me allemaal te druk. Er waren te veel mensen in ons huis, het krioelde buiten ons rijtjeshuizencomplex van de verslaggevers en ik had te weinig tijd om helder in het hoofd te worden en te bedenken wat ik kon doen om mamma te helpen.

Mamma's geheugen bleef na zes achtereenvolgende verhoren die almaar strenger werden een gesloten deur. De rechercheurs raakten steeds gefrustreerder doordat ze zich niets kon herinneren. De commissaris ondertekende het bevel dat mamma naar het State Hill-ziekenhuis voor geesteszieken gebracht moest worden. Het zou voor maximale veiligheid zorgen en, wat belangrijker was, ze zou dagelijks een psycholoog bezoeken wiens taak het zou zijn om de dingen naar boven te halen die zo diep in het ontoegankelijke gedeelte van mamma's hersenen begraven lagen. Het betekende ook dat ik haar zou kunnen bezoeken en dat ik voor het eerst sinds ze zes dagen geleden zo onschuldig uit mijn keuken was vertrokken om melk te gaan halen met haar zou kunnen praten.

10

Het begint altijd op dezelfde manier. Ik voel een koel briesje door mijn haar blazen. Iemand anders zou er misschien geen aandacht aan schenken, maar ik weet wel beter. Ik weet wat er gaat gebeuren. Dit is geen gewoon briesje. Het is een waarschuwing.

Ik zie mijn huis. Niet zoals het er echt uitziet, met andere huizen eromheen en als onderdeel van een buurt, maar klein en alleen van een afstand. Ik weet dat ik ernaartoe moet gaan en dat ik me moet haasten omdat het al harder gaat waaien. Hoe meer ik mijn best doe om sneller te gaan lopen, hoe harder de wind wordt, tot hij ten slotte een vloedgolf van druk is en ik het gevoel heb dat ik onder water ren. Net wanneer ik denk dat ik weg zal waaien, verschijnt er een stopbord en ik grijp met beide handen de metalen paal vast waaraan het bevestigd is. Mijn handen zijn te klein, zodat ik mijn vingers er amper half omheen krijg en de wind rukt met tornadokracht aan mijn lichaam. Papieren, vuil en afval schieten langs me heen. Kiezelsteentjes stuiteren van mijn gezicht. Mijn neus zit vol stof. Mijn vingers glijden weg. De wind tilt mijn lichaam op tot ik horizontaal hang en heen en weer zwaai als een vlag. Mijn armen zijn moe en zwak. Ik wil loslaten, maar ik weet dat ik, als ik dat doe, weggeslingerd zal worden en de weg naar mijn huis nooit meer terug zal vinden. Een laatste windvlaag rukt mijn handen los en ik vlieg door de lucht.

Oma en opa Wallace zijn helemaal uit Florida gekomen om ons te bezoeken. Pappa, mamma en ik zitten aan de keukentafel naar hen te luisteren terwijl ze vertellen hoe hun reis is geweest. Florida is heel ver weg en opa en oma hebben zeven uur in het vliegtuig moeten zitten om hier te komen. Mamma heeft me eens op de kaart aangewezen waar Florida ligt. Het steekt uit in de oceaan en het ziet eruit alsof het zou kunnen afbreken bij een aardbeving of zoiets. Toen ik mamma ernaar vroeg, zei ze dat ik me over dat soort dingen geen zorgen moest maken.

Ik zit op opa's schoot.

'Hoe lang blijven jullie?' vraag ik opa, terwijl mamma en oma over de tomaten in de tuin achter het huis praten en pappa naar hen luistert en koffie drinkt. Opa's bakkebaarden prikken kietelend in mijn gezicht wanneer hij in mijn oor zegt dat ze twee weken blijven.

'Kunnen jullie niet tot volgend jaar blijven, omdat jullie mijn verjaardag hebben gemist?' vraag ik.

Opa lacht luid, maar ik vind het een redelijke vraag omdat pappa en mamma me hebben verteld dat opa en oma een heel jaar zijn gebleven toen ik een baby was, nadat Michael was ontvoerd.

'Dat denk ik niet,' zegt opa. 'Maar misschien komen we er volgend jaar voor terug.'

Ik herinner me de zeven dollar die ze me dit jaar in een briefkaart hebben gestuurd en ik zeg tegen opa dat ik er nog meer pinguïnstempels voor ga kopen. Ze sturen me altijd het aantal dollars dat met mijn leeftijd overeenkomt. Ik denk dat ik rijk zal zijn wanneer ik honderd word.

Oma heeft één grote rode koffer en opa één kleine zwarte. Opa zet zijn scheerspullen in de badkamer op de plank naast de was-tafel. Oma hangt haar gespikkelde douchemuts op het haakje aan de binnenkant van de badkamerdeur. Oma heeft een T-shirt met de zon van Florida erop voor me gekocht. Ze zegt dat de zon in Florida warmer is dan in Dartmouth. Ze mogen in Michaels kamer slapen.

Wanneer ik de volgende ochtend opsta, zit opa aan de keuken-tafel slurpend koffie te drinken en de krant te lezen. Oma bakt bacon. De lekkere geur was helemaal naar boven gezweefd en heeft me wakker gemaakt. Daarna bakt oma eieren in het vet van de bacon en ze roostert een stapel witte boterhammen, die ze daarna met boter besmeert. Op het gas staat een pot koffie die nog doorloopt. Ik vind het leuk om te zien hoe de bruine vloei-stof in het glazen buisje in het deksel van de percolator omhoog-borrelt. Ik houd van de geur van koffie, maar niet van de smaak. Mamma heeft me haar koffie eens laten proeven en er bleef toen een plakkerige, bittere smaak in mijn mond achter.

Ik ben bijna klaar met ontbijten wanneer pappa en mamma samen binnenkomen. Het komt niet vaak voor dat je ze samen de keuken ziet binnenkomen. Tegen de tijd dat mamma opstaat, is pappa op werkdagen meestal allang weg en in de weekends is hij dan al in de garage.

Pappa gaat op zijn plaats aan het hoofd van de tafel zitten. Mamma schenkt koffie in. Oma dient het brood, de eieren en de bacon voor hen op op borden en al snel zitten we allemaal te eten.

Alles aan dit moment is even heerlijk. De zoute smaak van de bacon in mijn mond, de volle geur van koffie, de warmte van zo veel mensen in dezelfde ruimte. Dit is mijn familie: pappa, mam-ma, opa en oma.

Pappa's ouders zijn overleden voordat ik geboren was. Ik heb zwart-witfoto's van hen gezien. Ze zien er oud uit, alsof ze in een geschiedenisboek thuishoren, naast president Lincoln. Pappa's oudere broer woont met zijn vrouw en kinderen in Canada. Mijn neven zijn al volwassen en studeren. Pappa zegt dat ik hen heb gezien toen ik twee was. Hij zegt dat we toen in de Volvo naar Toronto zijn gereisd, maar ik kan het me niet herinneren.

Alles is vanochtend zo aangenaam dat ik bijna vergeet dat er iets ontbreekt. Bijna, maar nooit helemaal vergeten is het gat dat mijn afwezige broer heeft achtergelaten. Hij is er nog in mamma's lege ogen en in de stilte die tussen pappa en mamma in hangt. Hij is hier, zij het zo subtiel als een knipoog. Michael vergeten is mamma's bestaan ontkennen. Wanneer ik gelukkig ben, schrik ik altijd van de herinnering aan mijn broer, alsof ik op het nippertje weet te voorkomen dat ik val.

'Vandaag is het een bijzondere dag, meisje,' zegt opa. 'Omdat we je verjaardag gemist hebben, nemen we je mee naar de bioscoop en daarna krijg je een ijsje.'

'Jippie,' zeg ik en ik kijk mamma aan om toestemming te vragen. Niets staat vast voordat ik het knikje krijg.

De bioscoop in Dartmouth ruikt naar oude stoelen en verse popcorn. Ze hebben in de weekends middagvoorstellingen en vertonen 's avonds films die kinderen alleen onder begeleiding mogen zien.

Vandaag lijkt het of alle kinderen van Dartmouth naar *The Muppet Movie* zijn gekomen. De bioscoop zit tjokvol met kinderen van alle leeftijden. Nadat we een grote beker popcorn en drie blikjes cola hebben gekocht moeten we ons langs een rij wriemelende benen dringen om bij de drie lege stoelen in het midden van de rij te komen. Ik zit tussen opa en oma in, met de popcorn die we delen op mijn schoot.

Ik vind de film leuk. Opa eet de meeste popcorn en lacht harder dan wie ook in de bioscoop. Wanneer een in een wit uniform geklede, jonge serveerster met een paardenstaart in de ijssalon onze bestelling komt opnemen, vraagt hij me met de stem van

Kermit de Kikker: 'Wil je aardbei, chocola of vanille?' Oma rolt met haar ogen en de serveerster glimlacht.

'Aardbei,' zeg ik, maar opa wil dat ik Miss Piggy ben, dus ga ik met een hogere stem praten en speel het spelletje mee.

'O, Kermie,' zeg ik zwijmelend en iedereen lacht.

Tegen de tijd dat we het wandelpad dat naar ons huis leidt op lopen, hebben opa en ik onze parodie geperfectioneerd.

Ik ben er klaar voor om pappa en pappa een demonstratie van onze grote talenten te geven, maar wanneer we de voordeur van het huis opendoen, hangt er iets drukkends in de lucht wat ons goede humeur bederft. Het is stil in het huis. Pappa is weg. Mamma zit in haar stoel bij het raam in een stemming die als een donkere wolk om haar heen lijkt te hangen. Het is alsof iemand met een fijn penseel haar ogen met roze verf omlijnd heeft. Ze wiegt met één hand in haar blouse hypnotiserend heen en weer en haar vingers bewegen gedachteloos onder het bovenste knoopje. Opa fluistert dat we later nog meer imitaties van Kermit en Miss Piggy zullen doen en hij vraagt me zacht of hij de pinguïnstempels in mijn kamer mag zien.

11

'Hallo, kom alsjeblieft binnen.' Ik sta voor het kantoor van mamma's door de staat toegewezen psycholoog. De commissaris heeft me informatie over dr. Kenneth Ashley gegeven en gezegd dat hij een van de besten was die er te vinden waren. Dat hij al zevenentwintig jaar in dit land woonde, had kennelijk weinig invloed op dr. Ashleys Liverpoolse accent gehad. Om de een of andere reden stelde dat me gerust omdat het de scherpe kantjes van de werkelijkheid haalde. Ik had het gevoel alsof ik met Ringo Starr praatte.

Hij droeg een saai antracietgrijs pak en een choquerend maagdenpalmblauwe stropdas. Voor een oude man was hij goedgebouwd en zijn forse lichaam torende boven me uit. Door zijn bassetogen en zijn verwrongen pindadop van een neus oogde hij zowel zonderling als treurig, maar toen hij glimlachte veranderde dat allemaal. Zijn glimlach deed voor zijn gezicht wat zijn stropdas voor zijn pak deed.

'Ga maar zitten,' zei hij hoffelijk. Hij gebaarde met zijn linkerhand naar de armleuningloze zwartleren stoel tegenover de enorme, houten draaistoel waarin hij zelf ging zitten. Het smalle, eikenhouten bureau tussen ons in glom als een spiegel en afgezien van een zwijgende telefoon waarvan het lampje knipperde, een stapel papieren en een ingelijste, naar hem toe gekeerde foto was het leeg. Aan de muren hingen een grote indiaanse prent van een eenzame gevleugelde figuur en zijn ingelijste diploma's, waaruit bleek dat hij jaren had gestudeerd, zowel in Groot-Brittannië als in Amerika.

'Speelt u voetbal?' vroeg ik toen ik naar de boekenplanken keek die vol stonden met handboeken en sporttrofeeën. Zijn gezicht lichtte weer op.

'Rugby, Bethany, rugby. De ruwere versie van jullie football, veronderstel ik. Ik heb het jaren gespeeld, tot de dag dat ik hier kwam. Ik heb mijn rugbyschoenen ingeruild voor een Amerikaanse schoonheid,' zei hij. Hij draaide de foto naar me toe. Ze was inderdaad een schoonheid met haar lange, sluike, pikzwarte haar, amandelvormige kattenogen en mokka teint. Dr. Ashley zei dat zijn vrouw lid van de Crows was, een indianenstam uit Zuidoost-Montana. Of het was een oude foto, of ze was minstens twintig jaar jonger dan hij.

'Zo te zien hebt u de juiste keus gemaakt,' zei ik. Ik vroeg me af wanneer we ter zake zouden komen, wanneer we over mamma en het doodknuppelen van TRF zouden gaan praten. Ik wist dat dr. Ashley vanuit zijn professie gezien eerst een soort band met me moest zien te krijgen, maar ik had daar geen geduld voor.

'Zeg dat wel. Twee volwassen kinderen in Engeland uit mijn eerste huwelijk, maar geen kinderen uit mijn tweede en we zijn ook niet van plan ze te nemen. Mijn vrouw is orthodontiste en ze heeft nog geen verlangen getoond om de moederrol te vervullen. Goed dan,' zei hij toegeeflijk, alsof hij mijn gedachten of mijn lichaamstaal had gelezen. 'Zullen we dan maar ter zake komen?'

'Ja, graag.'

'Ik heb de gelegenheid gehad om een klein beetje met je moeder te praten, maar zoals je weet, kan ze zich het incident niet herinneren. Ze lijdt aan gelokaliseerde amnesie, zoals we het noemen. Daarom is het mijn taak om haar door middel van therapie te helpen haar geheugen terug te krijgen zodat ze terecht kan staan. Ik heb begrepen dat we professioneel gezien gemeen hebben dat we mensen helpen hun verdrongen herinneringen terug te krijgen.'

'Ja, dat klopt,' zei ik.

'Dus je weet heel goed dat de herinnering er zeker is. Het is alleen een kwestie van tijd en de juiste prikkels om die naar boven te halen.'

Ik wist precies waar hij het over had en ook dat het proces weken tot jaren zou kunnen duren, afhankelijk van de koppigheid van het onderbewustzijn, de toegankelijkheid van de emoties en de ernst van het trauma.

'Wanneer mag ik haar zien?' vroeg ik. Dat was toch de reden waarom ik hier was? Om te horen hoe het er met haar voor stond en om toestemming te krijgen om haar te bezoeken.

'Daar wilde ik het met je over hebben. Niet alleen om je de bezoektijden door te geven, maar ook om te bepalen hoe je kunt helpen om resultaat te behalen.'

'Resultaat?'

'Ja, het terughalen van de herinnering.'

'Wat kan ik dan doen?'

'Je hulp kan van onschatbare waarde zijn. Gezien de onmiskenbare relatie tussen de ontvoering van je broer Michael en het doden van een kindermoordenaar kun je helpen met het opvullen van de leemten. Je moet enkele zeer interessante observaties hebben gedaan toen je opgroeide in een gezin met een vermiste broer. Je zou dingen kunnen vertellen waaraan je moeder niet noodzakelijkerwijs zal denken. Ik heb begrepen dat jij noch je moeder in therapie zijn geweest vanwege de verdwijning van je broer. Klopt dat?'

'Dat konden we niet betalen,' zei ik afwerend. 'Bovendien zou

61

mijn moeder nooit hulp gezocht hebben om Michaels verdwijning te verwerken, omdat ze altijd geloofde dat hij terug zou komen. En hoewel we er al enige tijd niet meer over gesproken hebben, gelooft ze dat waarschijnlijk nog steeds.'

Dr. Ashley krabbelde iets in een notitieboekje dat bij een dossier leek te horen, mamma's dossier. Hij keek op en glimlachte, waarbij hij zijn tanden ontblootte, die zo te zien waarschijnlijk door zijn vrouw geperfectioneerd waren.

'Het punt is dat we uiteindelijk zullen moeten uitzoeken of je moeder Thomas Freeman uit zelfverdediging heeft gedood,' zei hij. 'Dat zal tijdens het proces worden behandeld en ten slotte zal de jury erover beslissen, maar nu is het van cruciaal belang dat we uitvinden hoe het kwam dat je moeder in staat was om zo'n daad te begaan.'

'Dat heeft iedereen verbaasd,' zei ik. 'Mijn moeder is absoluut niet gewelddadig. Ze heeft zelfs nog nooit haar stem tegen me verheven. Ze heeft mij noch iemand anders ooit geslagen.' Zodra ik het gezegd had, wist ik dat het niet waar was. Mijn moeder had me één keer geslagen, maar wat ze daarna had gezegd was veel erger geweest.

'Dat zijn degenen voor wie je moet uitkijken. De stille mensen die vol woede zitten. Misschien had je moeder geen uitlaatklep voor al die woede.'

'Ze heeft haar leven gewijd aan het zoeken naar mijn broer. Ze heeft nooit de hoop verloren en het nooit opgegeven.'

'En dat is nu precies waar we jou bij nodig hebben. Ben je bereid om te helpen?'

'Natuurlijk. Op elke mogelijke manier.'

'Dat wilde ik horen.'

'Maar hoe dan? Wat wilt u dat ik doe?'

'Ten eerste is er iets wat ik per se niet wil dat je doet. Ik wil niet dat je met je moeder over het incident praat en tegen haar zegt dat je je om haar en om wat er bekend is geworden grote zorgen hebt gemaakt. Ik wil dat je de bezoeken lichtvoetig houdt. Vertel haar over de dingen die je onlangs hebt meegemaakt, over je dagelijkse bezigheden. Je vertelt haar bijvoorbeeld over de dingen die je thuis met je zoon hebt gedaan of over een interessant tv-programma dat je hebt gezien. Praat over alles, behalve over de kwestie waar het om gaat. Verder kun je luisteren naar alles waarover ze wil praten. Vel geen oordeel en geef geen mening. Luister alleen maar. Als ze uit zichzelf iets over het incident onthult, wil ik dat je me dat vertelt.'

'Ja, dat kan ik allemaal wel. Geen probleem.'

'Wat ik van je wil hebben, is informatie. Na elke therapiesessie die ik met je moeder heb, wil ik met je praten. Je kunt dan alles wat je moeder en ik besproken hebben bevestigen, ontkennen of er dingen aan toevoegen. Met andere woorden, ik wil twee keer per week minstens een uur met je praten. Is dat mogelijk?'

Ik nam in gedachten mijn wekelijkse bezigheden door. In elk geval had ik Vivian en Richard bij de hand om op Ryan te passen.

'Ja, dat zal wel lukken,' zei ik. 'Ik zal alles doen waarmee ik u kan helpen.'

Dr. Ashley grijnsde en zei tegen me dat ik mijn moeder vanmiddag al kon bezoeken. Hij pakte de telefoon op zijn bureau, belde even met het State Hill-ziekenhuis en regelde dat ik mijn moeder van kwart voor drie tot kwart voor vier kon bezoeken.

'Bedankt,' zei ik, 'maar ik heb nog een laatste vraag voor u.'

'Zeg het maar.'

'Als het nu eens geen zelfverdediging was? Als mijn moeder nu eens gewoon het huis van die man binnen is gegaan en hem doodgeslagen heeft?'

Dr. Ashley dacht er even over na. 'Er zijn meer redenen om jezelf te verdedigen. Soms vormt het gedrag van iemand anders niet de bedreiging, maar iets wat uit een veel krachtiger, innerlijke bron voortkomt. Die zullen we moeten vinden om haar te redden.'

12

Het is zondagochtend. Ik lig in bed en rechercheur Adams praat in de keuken zachtjes met mamma. Ik weet dat hij het is omdat ik, voordat ik het gerommel van zijn stem hoorde, gewekt werd door het onmiskenbare geronk van zijn motor die gas minderend de straat in kwam. Ik weet dat ze over Michael praten. Dat is de reden dat rechercheur Adams hier komt.

Ik weet ook dat rechercheur Adams mamma een nieuwe, door de computer aangepaste foto van Michael zal geven en dat ze die naast de andere zal hangen. We hebben Michael zien opgroeien aan de muur van zijn slaapkamer.

Ik weet ook dat mamma, wanneer rechercheur Adams vertrokken is, opgefleurd zal zijn, vervuld van hoop en vertrouwen als na een kracht gevende preek.

Ik lig in mijn slaapkamer en streel mijn nieuwe knuffelpinguïn. Het is een cadeautje van pappa omdat hij bij ons weggaat.

Hij gaat niet weg omdat hij niet meer van me houdt of omdat ik iets verkeerds heb gedaan. Hij gaat weg omdat hij en mamma *niet meer hetzelfde over de dingen denken*, maar dat geeft niet, want hij gaat in een huis verderop in de straat wonen en vanaf volgende maand ga ik twee keer per week naar hem toe. Woensdags en zondags, zijn vrije dagen van de papierfabriek.

We gaan samen dingen doen, zoals schaatsen of zwemmen of ik ga hem voorlezen. Ik mag hem altijd bellen. Ik heb zijn nieuwe telefoonnummer al uit mijn hoofd geleerd. Ik mag hem bellen wanneer ik hem nodig heb om mijn fiets te repareren of een huis te bouwen voor mijn pinguïn. Pappa is goed in dingen maken. Mamma noemt hem een echte klusjesman. Hij heeft helemaal alleen de hoge, houten schutting om ons huis gezet, de garage bijgebouwd die er vroeger niet was, stalen spijlen voor al onze ramen gezet en ons alarmsysteem geïnstalleerd.

Hij zegt dat ik hem, ook als ik niets nodig heb, mag bellen om gewoon gezellig te kletsen. Ik denk dat ik droevig zou moeten zijn, maar dat ben ik niet. Ik zal hier gewoon met mamma zijn en in plaats van in de garage te sleutelen, zal pappa verderop in de straat wonen, maar een telefoontje van ons vandaan.

Met mijn nieuwe pinguïn tegen mijn borst gedrukt loop ik de trap af en ga naar mamma en rechercheur Adams in de keuken. Wat de computerfoto betreft, heb ik gelijk, want hij ligt tussen hen in op het aanrecht, maar in mamma's stemming heb ik me vergist. In plaats van hoop, zie ik iets wat op treurigheid lijkt. De rechercheur laat een vreemde versie van zijn normale lach horen wanneer hij me ziet, alsof ik hem betrapt heb bij iets wat hij niet hoort te doen.

'Daar hebben we de kleine Bethany,' zegt hij.

Ik ga aan de keukentafel zitten en mamma vraagt of ik cereals en fruit wil hebben en ik zeg dat ik alleen cereals wil. Ze geeft me toch fruit bij mijn Shreddies met melk en veel suiker, maar dat vind ik niet erg omdat het bosbessen zijn.

'Hebt u al iets van Michael gehoord?' vraag ik de rechercheur alsof ik elke week met hem praat.

'Nog niet, schat,' zegt hij.

Ik vind rechercheur Adams aardig. Mamma zegt dat hij een

hart van goud heeft en ik weet wat ze bedoelt. Zijn stem klinkt krassend als iets waarmee mamma haar pannen schoon zou kunnen maken, maar hij praat toch langzaam en kalm. Hij lijkt te zachtaardig om handen zo groot als kolenschoppen te hebben en te bedachtzaam om op de ronkende, sputterende motor te rijden die me wakker maakt wanneer hij na bedtijd langskomt. Mamma zegt dat hij een motorpolitieman is zoals de hoofdpersonen in de herhalingen van *Chips*, maar zijn motor ziet eruit alsof hij vuur kan spuwen en kan opstijgen. En hij ziet er met zijn ruige, grijsbruine snor die over zijn bovenlip hangt meer uit als een Hell's Angel.

'Hoe is het met uw waardeloze aanwijzing?' vraag ik. Ik gebruik graag pappa's woorden omdat ik me er sterk en verstandig door voel, hoewel ik niet precies weet wat ze betekenen.

Rechercheur Adams kijkt mamma even aan en zij antwoordt voor hem.

'Het is niets geworden, Bethany. Het was een dode mus.'

Het bevalt me niet dat ze dat woord gebruikt en ik begin te huilen.

DEEL II

13

Wanneer je de niet-gestolene bent, moet je sterk zijn, veilig blijven en niet dwarsliggen, want dan gaat het mis. Mensen zijn van je afhankelijk, mensen die geen stress meer in hun leven kunnen verdragen, en je moet jezelf gelukkig prijzen, want tenslotte ben jij niet ontvoerd, jij bent er nog, en je moet dankbaar zijn voor alles wat je gegeven is, want je broer heeft niets gekregen.

Tijdens de rit naar het State Hill-ziekenhuis maakten mijn maagspieren radslagen en salto's, gymnastiek van olympische proporties.

Ik had mamma zes dagen niet gezien. Ik had haar niet meer gesproken sinds ze mijn huis uit liep om naar de winkel te gaan. Hoe zou ze eruitzien nadat ze steeds opnieuw was verhoord en van een gevangeniscel naar een gekkenhuis was overgebracht? Nadat ze iemand vermoord had? Had ze haar haar mogen dragen zoals ze het graag droeg, gekruld met een friseerijzer en daarna uitgekamd tot zachte slagen en opgebonden in een losse knot? Zou ze een olijfkleurig ziekenhuishemd dragen waarin haar billen uitstaken? Of misschien zelfs een dwangbuis? Vroeg ze zich af waar ze was? Waar ik was? Als ze me nu eens niet herkende? Als ik nu eens ook uit haar geheugen was verdwenen? Er was iets in mamma geknapt, dat was zeker, maar zou ze zich herstellen wanneer ze besefte wat ze had gedaan?

Het ziekenhuis was een betonnen gebouw van vier verdiepingen met kleine, rechthoekige tralieramen en gazons die zich naar alle kanten uitstrekten. Ik stopte op het parkeergedeelte voor bezoekers en ademde de frisse lentelucht een paar keer diep in voordat ik naar de zijingang liep.

Ik schreef me in bij de balie, liet een legitimatie achter en passeerde de beveiliging waar een humorloze bewaker me om mijn jas en tasje vroeg, die hij vervolgens door een röntgenapparaat haalde. Een jonge, zakelijke vrouw haalde een stokvormige metaaldetector langs mijn lichaam, net als op het vliegveld werd gedaan. Was het maar zo dat ik hierna in een vliegtuig met welke bestemming dan ook zou kunnen stappen, als ik hier maar weg kon.

Ik volgde een zwarte coassistent in een witte doktersjas door een paar deuren die zoemden en vervolgens achter ons automatisch op slot gingen. Daarna gaf hij me aan een bewaker door alsof ik een estafettestokje of de olympische fakkel was. De kleur van de muren veranderde van olijfkleurig in staalblauw: de kleur van een ellendige dag. Vervolgens werd ik door een grote, zware vrouw met touwhaar naar een balie met computers gebracht waarachter bewakers stonden. Weer schreef ik me in.

Mamma's zaal was een gemeenschappelijke ruimte waar patiënten naar een blèrende tv keken. Ik zag een gang met rijen gesloten deuren die verontrustend aan de buitenkant op slot zaten en een ruimte voor bezoekers waar ik door een andere geüniformeerde begeleider naartoe gebracht werd om op mamma te wachten. Tafels en stoelen waren in groepjes bij elkaar gezet. Er hing de geur van desinfecterend middel en zweetvoeten. Gelukkig was ik alleen in de grote ruimte. Ik wist niet of mijn zwakke zenuwen tegen nachtmerrieachtige taferelen met jammerende, raaskallende en tierende krankzinnigen bestand zouden zijn.

Ik ging in de verste stoel zitten, voor een van de tralieramen die ik vanaf de straat had gezien. Van dichtbij vormden de tralies een scherp omlijnd rooster van met vogelpoep bespikkeld zwart ijzer. Glanzende, donkere lenzen tuurden onopvallend vanuit alle hoeken van het plafond naar beneden. Alziende ogen die gereed waren om elk ongewoon gedrag te signaleren en vast te leggen.

Toen mamma arriveerde, zag ze er oud, klein en zwak uit. Ze had niet, zoals ik had verwacht, het meelijwekkende, rugloze ziekenhuishemd aan. Ze droeg een lichtroze pantalon, een kiel en witte, gebreide pantoffels met slappe pompons die op het ritme van haar voetstappen heen en weer zwaaiden. Ik stond op toen ze naar me toe kwam en de stoel waarop ik had gezeten verschoof echoënd in de lege ruimte. Mamma was niet iemand die van lichamelijk contact hield, maar toen ze haar armen om me heen had geslagen, hield ze me heel lang vast. Toen ze me eindelijk losliet, pakte ze mijn gezicht vast en ik voelde haar handen als kleine kussentjes op mijn wangen.

'Ik ben blij je te zien, schat,' zei ze. We gingen zitten.

'Ik zou eerder gekomen zijn, mamma, maar…'

'Dat weet ik, dat weet ik. Het is in orde, ze hebben het me verteld.' Ze maakte een wegwuivend gebaar. 'Beleid. Er zijn zo veel voorschriften, procedures en regels. Maar goed, hoe gaat het met je?'

'Met mij gaat het goed, maar hoe wordt u hier behandeld?'

'Zo goed als verwacht kon worden.' Mamma zuchtte. 'Het eten is verschrikkelijk. Alles wordt gepureerd. Het is babyvoeding. Ik denk dat ze niet willen dat je je ergens in verslikt.'

'Ik zal kijken of ik wat echt voedsel voor u kan meebrengen. Een casserole of misschien een taart.'

'Dat klinkt goed, schat.' Mamma keek verlangend door het tralieraam naar buiten. 'Maar wat ik echt zou willen,' zei ze, maar toen stierf haar stem weg en ze begon te mompelen.

'Wat is er, mamma? Wat is er?'

'Ik moet wel iets heel ergs gedaan hebben dat ik hier terecht ben gekomen. Was het erg, Bethany? Wat ik gedaan heb? Was het heel erg? Vertel het me, alsjeblieft. Vertel het me. Was het heel erg?'

Ik hoorde de stem van dr. Ashley in mijn hoofd.

Praat over alles, behalve over de kwestie waar het om gaat.

'Alsjeblieft, Bethany,' zei mamma smekend. 'Vertel het me.'

'Dat kan ik niet, mamma. U weet dat ik dat niet kan.'

'Ik weet dat ik iets verkeerds heb gedaan, Bethany.' Mamma leunde naar voren en liet haar stem tot een fluistertoon dalen. 'Maar niemand wil me vertellen wat het is. Wat heb ik gedaan? Waarom vertel *jij* het me niet? Alsjeblieft, Bethany. Vertel me waarom ik hier ben.'

'Dat kan ik niet, mamma. Dat kan ik niet doen en dat weet u. U moet zelf proberen het u te herinneren. Daarom bent u hier.' Ik moest moeite doen om standvastig te blijven.

'Misschien als jij het me vertelt.' Haar smekende stem werd luider, maar toen keek ze omhoog naar de ogen in het plafond. Ze beheerste zich en sprak weer fluisterend verder. 'Als jij het me vertelt, herinner ik het me misschien.'

'Zo werkt het niet, mamma.'

Ze leunde terneergeslagen achterover in haar stoel. 'Waarom kan ik het me niet herinneren?' vroeg ze zich hardop af. 'Waarom niet?'

Ik nam haar handen in de mijne en kneep er stevig in.

'Dat komt nog wel, mamma. U moet er de tijd voor nemen. Als u er klaar voor bent, zal het gebeuren.' Ik liet mijn hoofd zakken. Ik voelde me ook terneergeslagen.

Mamma's blik schoot weer naar het plafond. Tl-buizen hingen als lichtgevende, hangende banken boven ons. Ze schudde haar hoofd. 'Niet jij, Bethany. Niet jij. Ik kan bijna alles verdragen, behalve dat. Ik heb je nodig. Ik wil dat je aan mijn kant staat.'

'Natuurlijk sta ik aan uw kant, mamma. We staan allemaal aan uw kant. Richard, pappa, Lori, Will, de familie Zingler. We zijn er allemaal voor u.' Uit wanhoop riep ik versterking op, maar mijn ontoereikende woorden gleden van haar af zonder dat zij ze in zich opnam.

'Goed, mamma, luister. Het was erg, oké,' zei ik, waarmee ik mijn belofte aan dr. Ashley brak. 'Maar het was ook goed. U zult het begrijpen wanneer u het zich weer herinnert. Dat is alles wat ik kan zeggen, mamma. Laten we nu over iets anders praten. Kan ik iets voor u doen?'

'Ik heb al tegen de mensen die hier werken gezegd dat ze me, als ze me hier per se opgesloten willen houden, op zijn minst moeten toestaan om te breien of te haken om de tijd door te komen, maar natuurlijk zijn breinaalden verboden. Wat denken ze dat ik ga doen? Dat ik mensen ermee de ogen ga uitsteken? Kun je je dat voorstellen?' Mamma rolde met haar ogen.

Het punt was dat ik me dat inderdaad kon voorstellen. Ik kon me nu voorstellen dat mamma dingen deed die ik zes dagen geleden als volkomen onmogelijk beschouwd zou hebben.

14

Mamma had gelijk gehad toen ze zei dat die pestkoppen me niet meer lastig zouden vallen. Het is niet zo dat ze plotseling in aardige kinderen waren veranderd of als door een wonder verdwenen waren. Het komt eerder doordat juf Robart heeft gezegd dat Lucy en ik in de pauze in lokaal 201 mochten spelen en de lunchpauze mochten doorbrengen bij de lunchtoezichthouders van klas vijf en de klaar-overs.

Lucy en ik hebben achter in de klas twee lessenaars tegen elkaar gezet. Eerst eenentwintigen we en ze blijkt er veel beter in te zijn dan ik. Nadat we de sandwiches hebben opgegeten en allebei de appel uit ons lunchpakket hebben weggegooid, laat ik haar mijn stempelcollectie zien.

'Dit is een dansende pinguïn. Ze houdt van rock-'n-roll,' zeg ik. Lucy drukt het stempel op een koningsblauw inktkussen en kijkt toe wanneer de contouren op een vel wit papier zichtbaar worden.

'Waar houdt de zingende pinguïn van?' vraagt ze.

'Ze zingt alleen country-and-westernmuziek, zoals Tammy Wynette,' antwoord ik. 'De zwemmende pinguïn kan de hele oceaan over zwemmen,' vervolg ik. 'De rollerskatende pinguïn is wereldkampioen.'

'En de lezende pinguïn?' vraagt Lucy en ze drukt het stempel weer op het inktkussen.

'Ze leest alles. Ze heeft een bibliotheek zo groot als die hier op school en ze heeft overal verstand van. Ze kan Chinees koken, een auto repareren en Japans spreken.'

'Als ze alles weet, moet ze een bibliotheek hebben die zo groot is als die in New York.'

'Oké,' zeg ik. 'Haar bibliotheek is zo groot als die in New York.'

'Mijn moeder spreekt Frans,' zegt Lucy.

Ik weet niet zeker of ik haar geloof.

'Kun jij dat ook?'

'Een beetje. *Bonjour, Bethany. Comment ça va?*' zegt ze.

'Wauw.' Ik ben echt onder de indruk.

Na school wacht mamma voor de deur van de klas om me op te halen. Ik smeek haar of Lucy bij ons thuis mag komen spelen. Ik weet dat ze me nooit naar Lucy's huis zal laten gaan.

'Alstublieft,' krijs ik.

'Nee, Bethany, het spijt me. Ik heb te veel te doen. Mevrouw Marshall verwacht dat haar stoel morgen klaar is,' zegt mamma.

'We zullen heel stil zijn. Ik beloof dat we in mijn kamer gaan spelen.'

'Het antwoord is nee,' zegt mamma en ze glimlacht naar Lucy. Lucy vraagt zich duidelijk af of ze naar de schoolbus moet gaan of mee moet lopen naar het administratiekantoor, waar mamma haar moeder kan bellen. 'Misschien een andere keer.'

Ik prent die belofte in mijn geheugen.

Mamma begint pas na het avondeten aan mevrouw Marshalls stoel te werken en ik kan me niet voorstellen waarom Lucy zo'n last zou zijn geweest. Maar ik doe wat me gezegd wordt en loop met mamma mee naar de voorverwarmde garage, waar de helft van haar werkruimte in beslag genomen wordt door houten meubels die opgestapeld staan tot aan het plafond, dat hier twee keer zo hoog is als in het huis. Pappa heeft er een beschermend groen net over gespannen om te voorkomen dat de stoelen, ottomanes en tweezitsbankjes in een lawine naar beneden komen. Mamma zegt dat het haar stapel ruwe diamanten is. Ze heeft ze gevonden, tweedehands gekocht of gekregen en ze zegt dat ze ze eens zo zal opknappen dat ze beter dan nieuw zijn.

Ze werkt nu aan een reusachtige schommelstoel van glanzend esdoornhout waarin bloemen zijn uitgesneden. Ze vertelt me dat ze er alleen maar de zitting met een kussen aan hoeft te bevestigen.

'Zie je wel, Bethany, beter dan nieuw,' zegt ze en ze laat me de dicht geweven stof aanraken. Ze zet de enorme stoel eerst op zijn kant en dan ondersteboven. Als ik de familie Marshall niet had ontmoet, zou ik denken dat ze tweeënhalve meter lang waren.

Mamma zegt dat ik haar moet voorlezen terwijl ze dunne spijkertjes in het frame van het kussen slaat. Ik open *Kat in de hoed* en begin langzaam de woorden te vormen. Wanneer mamma begint te slaan, vergeet ik waar ik gebleven ben.

'Waarom is die stoel zo groot?' vraag ik.

'Omdat rijke mensen heel grote of heel kleine meubels hebben,' zegt ze. 'Niet zoals wij normale mensen, schat.' Maar ik denk helemaal niet dat wij normaal zijn.

15

Ik was sterk geweest voor mamma. Ik had naar elke bewaker geglimlacht en mijn legitimatie hoffelijk en dankbaar opgehaald, alsof het een grootmoedige daad van hen was om me mijn eigendom terug te geven. Ik had door de olijfgroene gangen van het ziekenhuis gelopen alsof het bezoeken van je moeder in een krankzinnigengesticht de gewoonste zaak van de wereld was. In de frisse lucht op het parkeerterrein glimlachte ik ten afscheid, maar toen ik bij mijn auto kwam en me op de bestuurdersstoel liet glijden, was er niemand meer om hoffelijk tegen te zijn, naar te glimlachen of sterk voor te zijn en ik liet alles van me afvallen, zelfs dingen waarvan ik niet eens wist dat ik me eraan vastklampte.

Ik pakte het stuur vast, liet mijn hoofd op de koele, zachte bekleding rusten en begon te janken. Het was het soort gehuil waarvan je borst op en neer gaat en je hijgend naar lucht hapt. Het soort gehuil dat je overrompelt als een stomp in je maag waardoor je buikspieren worden verwrongen als een handdoek in een mangel en waardoor je dubbelklapt, jammert, sputtert en schreeuwt van verdriet.

Ik liet het allemaal gaan tot ik beefde van uitputting. Mijn knokkels waren wit doordat ik het stuur zo stijf omklemd had en er zaten donkere vlekken van snot en tranen op mijn spijkerbroek.

Toen ik mijn hoofd ophief en mijn hand in het handschoenenkastje stak om een zakdoekje te pakken, voelde ik me, door datgene wat ik bij mijn motorkap zag, plotseling als een in het nauw gedreven dier dat verstijfd en met open bek terugdeinst. Er stond een vrouw in een bordeauxrood leren jasje die een camera met een lens zo groot als een telescoop op mijn voorruit richtte. Het duurde even voordat ik besefte dat de lens op mij gericht was, dat mijn rode, gezwollen gezicht dat op een uitgerekt masker van stopverf leek het stilzwijgende onderwerp was van een filmrolletje, een vel met contactafdrukken, een tijdschriftartikel, een kop van een lokale krant of de voorpagina van een roddelblad.

Grote publiciteit.

Vergrote foto's.

Verkocht aan alle kranten.

Ik raakte in paniek en rommelde in mijn tasje om mijn sleutels te zoeken (alstublieft, God, waar zijn mijn sleutels?) en draaide het contactsleuteltje om. Nu stond dezelfde verslaggeefster naast mijn raampje. Ze tikte met haar knokkels op de ruit, riep mijn volledige naam, Bethany Anne Fisher, en liet een spervuur van vragen op me los.

'Is alles in orde met uw moeder? Hoe is haar gezondheid? Zal ze terecht kunnen staan? Weet ze dat ze een heldin is?'

Haar woorden stierven weg toen ik met piepende banden wegreed.

16

Het is vrijdag en pauze. Lucy en ik spelen in het lokaal dat ons toegewezen is en doen eerst alsof mijn speelgoedpinguïn een dansende pinguïn en daarna een zingende pinguïn is.

's-c-h-e-i-d-i-n-g,' spel ik op de wijs van een nummer van Tammy Wynette dat ik mamma heb horen spelen.

'Hoe zeg je dat?' vraagt Lucy.

'Scheiding,' zeg ik alsof het volkomen duidelijk is.

'Wat is een scheiting?' vraagt Lucy.

'Scheiding!' verbeter ik haar met geveinsde ergernis. 'Het betekent dat je pappa en je mamma niet meer bij elkaar wonen.'

'Mijn pappa en mamma wonen niet meer bij elkaar,' verklaart Lucy.

'Zijn ze gescheiden?' vraag ik.

'Dat weet ik niet, misschien wel. Mijn vader is dood.'

Ik ken niemand die een dode vader heeft. Ik ben verbaasd.

'Hoe is hij overleden?'

'Hij heeft een auto-ongeluk gehad,' zegt ze en ze laat de dansende pinguïn kronkelen. 'Toen ik een baby was.'

Het is een verontrustende gedachte. Lucy zit zo dicht bij me dat ik haar zou kunnen aanraken en haar vader is dood.

'Mijn broer is ontvoerd toen ik een baby was,' zeg ik alsof we een morbide wedstrijd doen waarbij we elkaar moeten overtroeven.

'Dat weet ik, dat heb je me verteld,' zegt ze. 'Mijn jongere broer heeft spastische verlamming.'

'Wat is dat?'

'Dat weet ik niet. Het betekent dat hij in een rolstoel zit. Maar mijn oudere broer is normaal. Hij zit in de vijfde klas.'

De dansende pinguïn is een zwemmende pinguïn geworden en ze duikt in denkbeeldig water.

'Wie verzorgt je jongere broer met spastische verlamming?'

'Mijn moeder.'

'Werkt ze niet?'

'Nee. Ja. Niet echt.'

'Niet echt?'

'Ze werkt thuis, maar het geeft niet, want pappa heeft ons een heleboel geld nagelaten.'

Wanneer mamma me op komt halen, weet ik niet alleen dat het de laatste dag van de week is, maar ook dat het de laatste dag is dat ik naar school zal gaan. Ik beroep me op haar belofte en gebruik die als een wapen.

'Een andere keer, hebt u gezegd,' zeg ik pruilend. 'Mag Lucy alstublieft komen spelen?'

'Vandaag niet, Bethany. Ik heb veel te veel te doen en ik verwacht meneer Adams.'

Ik begin te huilen, maar mijn tranen worden genegeerd. Ik zwaai ten afscheid naar Lucy en mamma trekt me mee naar de auto. Het door mijn tranen vervaagde beeld van Lucy die in de hal naar me zwaait wordt steeds kleiner, tot ze een ver figuurtje is, alsof ik door de verkeerde kant van een verrekijker naar mijn beste vriendin kijk. Ik denk dat ik haar nooit meer zal zien.

Mamma toont geen medelijden wanneer ik onderweg naar huis blijf snikken. Wanneer we bij het tweede rode licht stoppen voordat we onze straat in draaien, haalt mamma zonder iets te zeggen uit en slaat me met de precisie van een vechtsportbeoefenaar op mijn achterhoofd.

'Zo is het genoeg, jongedame. Je werkt me op mijn zenuwen.'

Ik heb zin om harder te gaan huilen, maar ik ben zo geschokt door de klap op mijn achterhoofd waarvan de prikkende pijn bijna als een zichtbare echo tussen ons in hangt, dat ik alleen maar zwijgend naar haar opkijk.

'Het leven zit vol kleine en grote wreedheden en dit is geen van beide,' zegt ze. 'Onthoud dat en houd op met snotteren. Bewaar die tranen maar voor iets wat echt om te huilen is.'

We zitten aan de keukentafel, die tussen negen en drie mijn schoollessenaar wordt. Mijn thuisschoolleerboeken en alle spullen die kortgeleden nog in de lessenaar van juf Robarts klaslokaal bewaard werden, liggen nu op de twee kleine planken boven de tafel. Pappa is in het weekend speciaal hierheen gekomen om ze te maken. Potloden en pennen liggen keurig in het gelid in een blikje waarop BETHANY'S PENNEN staat. Viltstiften en kleurpotloden liggen naast elkaar in hun plastic hoezen.

'Alles moet een vaste plaats hebben,' had mamma gezegd toen ze de lesplek gereedmaakte.

Ze laat me weer op de kaart zien waar we wonen. Het is een vergrote kaart van Montana waarin onze stad een centrale plaats inneemt.

'In welk land wonen we?' vraagt mamma door.

'De VS,' zeg ik. Mamma fronst haar wenkbrauwen.

'De Verenigde Staten,' verduidelijk ik.

'Goed. In welke staat wonen we?'

'Montana.' Het geeft me een goed gevoel dat ik zeker weet dat het antwoord juist is.

'Waar ligt Dartmouth?'

'In het noordoosten van de staat.'

'Waarom heet de stad Dartmouth?'

'Omdat die aan de mond van de Dart River ligt.'

Dat weet ik net zo goed als dat ik op 2 maart jarig ben en dat Michael op 16 juli is ontvoerd. Ik weet dat de Dart River zich naar het noorden kronkelt en uitkomt in Bear Lake, vijfenzeventig kilometer verder aan de Canadese grens. Ik weet dat de spoorweg die door Dartmouth loopt mensen naar het zuiden brengt, naar de grotere steden Fleebeck en Warmish en ten slotte naar de grote stad Helena.

Terwijl we de kaart bestuderen, weet ik dat mamma en ik aan hetzelfde denken. We denken dat degene die Michael heeft ontvoerd het noordelijke pad van onze rivier naar Canada gevolgd kan hebben of anders de spoorwegroute naar het zuiden, naar de grote steden, en daarna naar Mexico kan zijn gegaan.

'En wat zijn dit?' Mamma wijst met trillende vingers naar de Rocky Mountains. Dat is mijn aanwijzing. Ik weet dat ze weet dat ik het antwoord weet.

'Vertel me het verhaal nog eens,' zeg ik en ik weet dat mamma dat direct zal doen. Ik kan het zien aan de manier waarop ze naar het plafond staart en aan het waas van woede dat over haar gezicht trekt.

Ik voel de onheilspellende bries en ik proef het stof in de lucht al voordat ze begint. Het verhaal over mijn broer lijkt op een achtsporenband die mamma steeds opnieuw afdraait en die ze niet kan terugspoelen en niet kan wissen. Hoe vaak ze het ook vertelt, het verhaal is altijd hetzelfde. Levendig. Rauw. Herbeleefd. Mamma's versie is de enige die ik ooit zal geloven.

'Het was het jaarfeest van Dartmouth. Mensen kwamen van kilometers in de omtrek om hun pasteien, hun jams en hun puddingen te brengen. Het was de eerste keer dat ik mijn braambessenjam had ingebracht.'

In mijn leven had mamma die verfoeilijke jam nooit gemaakt.

'Ik heb het alleen gedaan omdat je vader vond dat ik het moest doen. Hij zei dat niemand zo'n verdomd lekkere jam maakte.'

Ik wist dat dat pappa's woorden waren. Mamma gebruikte nooit grove taal.

'Jij was nog maar een baby van vier maanden. Je sliep bijna door de hele boel heen, ingestopt in je wieg.'

Ik hield van dit gedeelte, het gedeelte dat over mij ging. Ik was er op die historische dag bij geweest.

'Ik zette mijn tafel op en lepelde jam in proefschaaltjes. Jij sliep en Michael speelde onder de tafel met iemands hond. Je vader was ergens anders. Onder de mensen.'

Ik word nu helemaal meegesleept in mamma's tranceachtige toestand.

'De bries begint harder te worden. Het tafelkleed kwam omhoog en het zeildoek boven ons hoofd flapperde. De deelneemster naast me, Marcy Day, vroeg of ik haar wilde helpen om de touwen om de palen beter vast te maken. Net toen we het zeildoek straktrokken, blies een zware windvlaag alle plastic schaaltjes op de tafel omver. De jam liep eruit en bevlekte het tafelkleed. Plastic schaaltjes rolden over het gras. We holden erachteraan om ze op te rapen en we haalden het tafelkleed af.

'Ik stapelde de met jam bevlekte schaaltjes in mijn hand op en toen ik rondkeek om een afvalbak te zoeken, zag ik de hond, de kleine hond waar Michael mee gespeeld had. Hij was ver weg in het veld, een kleine, bruine stip. Toen begon ik rond te kijken om Michael te zoeken. Het waaide nu harder dan ooit. De mensen op het terrein renden alle kanten uit. Een plastic tas vloog in mijn gezicht. Zeildoeken kletterden als bladmetaal. Jij begon te huilen. Michael was nergens te zien.'

Terwijl mamma het verhaal in het scherpe middaglicht vertelt, zie ik mijn broer in haar gezicht op de plaatsen waar ze hem vasthoudt, in de plooien rondom haar ogen, haar strakke lippen, de afhangende rimpels in haar voorhoofd. Haar verdriet houdt mijn broer op zijn plaats als een vastgeschroefde lamp.

17

De media waren in steeds grotere aantallen aanwezig. Ik had Ryan tijdelijk van de kleuterschool gehaald. Ik zou mijn zoon niet blootstellen aan de aasgieren en hem niet door een of andere slijmbal tussen het waslokaal en het drinkfonteintje in het nauw laten drijven. Je wist nooit waar de grens lag bij de media. Hij bleef verschuiven.

Toen werklieden de vloer van TRF's bungalow openhakten en de zeven in stukken gesneden lichaampjes eronder gevonden werden, hadden we niet meer de mogelijkheid om de pers te ontlopen. We wachtten tot ze de namen bekend zouden maken, tot bevestigd zou worden dat de botten van mijn broer er niet bij zaten. Zeven ouderparen zouden zich zowel opgelucht als bedroefd voelen omdat ze nu wisten dat hun vermiste kind dood was. Mamma's publieke status werd verhoogd van heldin tot heilige.

Inmiddels hadden de verslaggevers hun huiswerk gedaan. Ze hadden de tv-opnamen van mamma's reis door het land te pakken gekregen en de interviews met *Newsline* en Oprah uit de kast gehaald. Ze legden verbanden en voorzagen die van commentaar en beeldmateriaal uit het verleden en het heden. De kijker zag mamma als een strijdvaardige heldin die haar hele leven had gewacht op de kans om een man als TRF naar de andere wereld te helpen. Misschien was dat niet ver bezijden de waarheid. Misschien had mamma er haar hele leven van gedroomd om Michaels ontvoerder te vermoorden en had ze hem in haar dromen steeds opnieuw gedood.

In de ogen van ouders en actiegroepen had mamma namens het volk gehandeld en de openbare veiligheid hersteld. Ze liepen op het parkeerterrein van het State Hill-ziekenhuis op en neer met spandoeken: LAAT DORIS VRIJ, HELDIN VAN HET VOLK, OOG OM OOG, RECHT VOOR ALLEN. Een rivier van vragen. Een vloedgolf van camera's.

Richard zei dat ze niet snel weg zouden gaan en dat ik misschien moest overwegen om een interview te geven als ik het normale leven dat ik leidde voordat mamma TRF's hersenen door zijn bungalow had geslagen weer min of meer terug wilde hebben. Op mijn voorwaarden. Op onze voorwaarden, van Richard en mij. We waren nu een team.

We werden het erover eens dat we de lokale nieuwsverslaggeefster Lindsay Sanders zouden nemen. Richard en ik bereidden ons tot in de nacht op het interview voor. We bespraken wat we wilden zeggen en wat we niet wilden onthullen, we liepen vooruit op de vragen en namen onze antwoorden erop door. We zouden het samen doen. We zouden onze krachten bundelen, net zoals hij en mamma hadden gedaan ten tijde van de interviews. Maar dit was anders. In plaats van het interview te benutten om mijn broer te vinden, staken we onze nek uit en stelden we onszelf bloot aan alle mogelijke kritiek omdat we zouden proberen mamma te beschermen, de media van haar spoor te brengen en onszelf tot doelwit te maken.

We zouden proberen haar neer te zetten als een normale vrouw die onder druk van buitengewone omstandigheden door het lint was gegaan. Gewapend met onze debuutantwoorden spraken we af dat het interview de volgende dag bij mij thuis gehouden zou worden. Vivian zou op Ryan passen. We konden niet uitleggen waarom mamma het had gedaan, maar we konden wel proberen de mensen te laten begrijpen dat dit iedereen kon overkomen die had doorgemaakt wat mijn moeder met haar enige zoon had doorgemaakt.

18

Je zou denken dat er in een niet zo'n grote stad als Dartmouth weinig vraag zou zijn naar iemand die meubels opknapt, maar dat zou je verbazen. Dat zegt mamma. Ze heeft me verteld dat de mensen steeds bij haar terugkomen omdat ze de enige in een straal van honderdvijftig kilometer is die dit talent heeft (ze benadrukt altijd dat het een talent is en geen vaardigheid). En niet alleen maar Jan Modaal met een meubelstuk dat een gescheurde naad in de bekleding heeft of wankel is geworden, hoewel ze er daar ook genoeg van heeft gehad. Mamma zegt dat haar reputatie is gebaseerd op haar exquise vakmanschap, waar de bewoners van Mansion Mountain om wedijveren.

Mansion Mountain bestaat uit ongeveer honderdvijftig herenhuizen met zes tot tien slaapkamers die als een half aureool om de middelste berg van Dartmouth liggen. 's Avonds glinsteren hun gele ramen als juwelen in een tiara en ze slagen er op de een of andere manier in om zowel onaantastbare schoonheid als een gevoel van grote veiligheid uit te stralen, net als de bergen zelf.

Mamma zegt dat de oorspronkelijke huizen (ongeveer twintig in totaal en al lang geleden gekocht en afbetaald) gebouwd zijn door hardwerkende lagere leden van koningshuizen die gevlucht waren voor de oorlog.

De huizen die later aan het hoefijzer werden toegevoegd, werden door goedkope arbeidskrachten gebouwd voor mensen die geluk hadden gehad op de aandelenmarkt, in het onroerend goed of in de loterij.

De mensen die daar woonden, kwamen niet vaak van de berg af, maar hun bedienden kun je in de stad grote hoeveelheden voedsel en alcohol zien kopen. Af en toe gaan hun kinderen naar onze scholen, duidelijk herkenbaar aan hun verzorgde haar en dure kleren, maar alleen de kinderen van de mensen die later zijn gekomen, nooit die van de oorspronkelijke bewoners. Hun kinderen krijgen les van de beste privéleraren en instructeurs die Dartmouth en de omringende steden te bieden hebben. Mamma zegt dat ze daarboven zelfs hun eigen meer hebben. Ze zegt dat het voor het publiek niet toegankelijk is, dat het beschermd wordt door de oorspronkelijke huizen. Ze zegt dat je dwars door een van de landgoederen moet banjeren om erbij te komen. Maar mamma heeft het gezien. Ze heeft het gezien omdat de politie in het meer gedregd heeft nadat Michael ontvoerd was en ze was er een week lang elke dag bij. Ze zegt dat ze het uiteindelijk opgegeven hadden omdat het meer op sommige plaatsen te diep was en omdat er in het midden een soort gevaarlijk vacuüm zat. Mamma zegt ook dat het de mooiste plek ter wereld is.

Dus mamma heeft een relatie met de mensen die daar wonen. Die relatie is ontstaan toen mijn broer was ontvoerd. Ze zegt dat de mensen daar een grote rol hebben gespeeld bij het organiseren van een snelle zoektocht. Ze zegt dat ze een jaar lang elke dag iets troostends had ontvangen nadat Michael vermist was en het duurde niet lang voordat ze haar persoonlijk kwamen bezoeken om haar te condoleren en uiting te geven aan hun bewondering voor haar werk.

Soms stel ik me voor dat mijn broer daar boven in een van die schitterende diamanten woont en dat hij thuis les krijgt, net als ik, zich er niet van bewust dat zijn wortels helemaal beneden liggen.

Mamma rijdt met het busje één keer per week de heuvel op om de meubels die klaar zijn af te leveren en andere op te halen. Ik ben twee keer op zo'n tochtje mee geweest. Eén keer naar de familie Marshall, die zo'n groot huis heeft dat het geen wonder is dat ze een stoel hebben waarin een reus comfortabel zou kunnen zitten. De tweede keer heb ik het echtpaar Cooper ontmoet, dat drie kinderen heeft: een eeneiige tweeling van zeven jaar, William en Henry, en de negenjarige Victoria. Ze hebben namen als hun huis, groot en indrukwekkend, namen waar ze in zullen moeten groeien.

Mamma zegt dat zij het soort werk doet dat direct voldoening geeft. Bij haar grote klussen maakt ze (vóór en na) foto's van de meubels en ze heeft een indrukwekkende portfolio verzameld die voor zichzelf spreekt. Mamma beweert dat het opknappen van meubels werk is dat je met gevoel moet doen.

'Geen wonder dat Jezus timmerman was,' zegt ze.

Mamma vertelt dat ze in een kantoorbaan nooit dat soort voldoening zou kunnen vinden. Ze zegt dat het bakje met inkomende stukken er om drie uur 's middags precies hetzelfde uitziet als om negen uur 's ochtends. Zij kan het weten. Ze heeft bij Makelaardij McGregor gewerkt voordat ik geboren was, voor mijn broer was ontvoerd, en in die tijd was het opknappen van meubels nog maar een hobby.

Ze zegt dat mijn broer haar vroeger hielp met het inslaan van kleine spijkertjes in zittingen of zitkussens voordat de lijm droog was. Mamma zou misschien nog steeds bij Makelaardij McGregor werken als Michael niet ontvoerd was. Wie weet?

Ons leven zou zeker heel anders zijn; normaal, denk ik.

Normaal, zoals het leven van de kinderen van het echtpaar

Cooper met hun koninklijke namen, of als dat van de Marshalls met hun grote stoel, die nog nooit zo'n tegenslag hebben gehad dat hun normale doen en laten en hun veilige toekomst erdoor bedreigd werden. Hun leven is zoals de meubels van mijn moeder wanneer ze er klaar mee is: perfect. Het onze is zoals de meubels voordat ze opgeknapt zijn. Ik denk dat ik daarom Lucy zo aardig vind. Met een dode vader en een broer met spastische verlamming lijkt ze meer op mij. Niet normaal.

Vandaag ga ik weer met mamma mee naar de herenhuizen op de berg. Nu ik thuis onderwijs krijg, zal het waarschijnlijk heel vaak gebeuren en ik ben er blij om.

'Vandaag gaan we niet naar de familie Marshall of de familie Cooper, maar naar de familie Bennett, waar mamma vier vleugel-eetkamerstoelen met hoge rugleuningen gaat ophalen.'

'Hebben ze echt vleugels?' vraag ik in het busje. Ik zit met een gordel om voorin en kan amper door de voorruit kijken.

'Nee, Bethany, ze lijken alleen op vleugels. Je zult het wel zien,' zegt mamma terwijl ze moeizaam de lange pook in de klimstand zet.

Ik laat mijn knuffelpinguïn op mijn schoot stuiteren.

'Waarom hebben pinguïns geen vleugels?' vraag ik.

'Die hebben ze wel. Kijk maar.' Mamma strekt haar hand uit en beweegt de flap op en neer waarvan ik altijd had gedacht dat het een vin was. 'Maar ze kunnen niet vliegen omdat hun dikke lichaampjes te zwaar zijn. Er zijn heel veel vogels die niet kunnen vliegen,' zegt ze. 'We zullen er een boek over uit de bibliotheek halen.'

Vogels die niet kunnen vliegen, denk ik. Waarom hebben vleermuizen dan vleugels terwijl het eigenlijk knaagdieren zijn? Het lijkt belachelijk en oneerlijk. Ik bekijk mijn mollige pinguïn, die meer op een vis dan op een vogel lijkt. Ik vraag me af of pinguïns willen vliegen en of ze zelfs maar weten dat ze niet kunnen vliegen. Misschien hadden ze vroeger grote adelaarsvleugels die uit hun rug groeiden en zijn die door een of andere gemene reuzenrat gestolen. Ik stel me oude kolonies voor van pinguïns die bij elkaar komen om een plan te verzinnen om hun vleugels terug te krijgen.

'Zijn er ook vissen die niet kunnen zwemmen?'

Mamma grinnikt. 'Ik denk het niet, schat, maar er zijn wel zoogdieren die in het water leven, zoals walvissen en zo.'

Mamma zucht. 'We zullen er een boek over lenen.'

'En paarden? Zijn er ook paarden die niet kunnen rennen?' vraag ik. Ik ben echt geïnteresseerd.

'Nee, Bethany, er zijn geen paarden die niet kunnen rennen. Nu is het wel genoeg. We lenen een bibliotheekboek over dat onderwerp.'

'Maar er zijn wel mensen die niet kunnen lopen,' zeg ik. 'Zoals Lucy's broer. Hij heeft pastische verlamming.'

'Je bedoelt spastische verlamming. Heeft Lucy je dat verteld?'

'Ja. En haar pappa is dood en haar mamma spreekt Frans en Lucy ook. Wat is spastische verlamming trouwens?' vraag ik.

'Dat is iets verschrikkelijks,' zegt mamma. 'Spastische verlamming is iets waarmee je geboren wordt. Een ziekte.'

Ik kijk door het zijraampje, waardoor ik nu over de hele stad beneden kan uitkijken. Als mamma plotseling rechts af zou slaan, zouden we zo van het klif vliegen. Beneden staan kleine groepjes lego-huizen tussen stukjes groen. Ik kan de rivier hiervandaan ook zien. Hij lijkt op een grijsbruine slang.

'Zijn er slangen die niet kunnen…?'

'Genoeg, Bethany!'

Ten slotte vlakt de weg af en zijn we omringd door mooie, grote huizen. De voortuinen zijn zo lang als het voetbalveld van de school. De bomen zijn hier ook groot. Het zijn oude altijdgroene bomen met stammen zo dik als de aquaducten van de Dart River. Ik vraag me af of er bomen zonder bladeren zijn, maar ik durf het niet te vragen.

19

De tv-ploeg kwam een uur vóór Lindsey Sanders. Twee camera's werden op statieven geschroefd en de ene werd gericht op de stoelen waarin Richard en ik zouden zitten en de andere op de stoel tegenover de onze, die voor Lindsey was. Er was zelfs een grimeur bij, een kleine, beweeglijke man in kleurige kleding die een nerveuze energie uitstraalde. Hij smeerde ons gezicht in met een angstaanjagend feloranje foundation en mijn lippen met een spul dat ze een zachtroze glans gaf.

Lindsey arriveerde met een lange, atletisch gebouwde assistent die zo uit *GQ-magazine* leek te zijn gestapt. Hij had donkere, treurige ogen en een gezicht dat verbazingwekkend symmetrisch was. Hij maakte aantekeningen op een vel papier op een klembord, waarnaar hij vaak keek, en hij sprak alleen met Lindsey.

Het was moeilijk om niet een beetje onder de indruk te raken bij de aanblik van een beroemdheid in mijn huiskamer. Ze was langer dan ik had gedacht en haar goed verzorgde, blonde haar viel in puntige krullen tot onder haar kin. Ze was elegant, zelfverzekerd en professioneel warm.

Ze vroeg of we wilden gaan zitten in de stoelen die ons toege-

93

wezen waren en vertelde ons, met hulp van haar aantrekkelijke assistent, wat we konden verwachten.

'Als jullie je op enig moment niet prettig voelen bij de vragen, zeggen jullie gewoon dat jullie even pauze willen nemen. Als je het goedvindt, Bethany, zou ik graag willen dat je ons de keuken laat zien waar je was vlak voordat je moeder vertrok.'

Ik keek Richard aan en hij haalde zijn schouders op. Hij leek niet onder de indruk van het gedoe. Hij was gewend aan de bombarie van de media.

'Dat is goed,' zei ik.

'De introducties worden in de studio gedaan, dus ik begin direct met het interview.'

'Oké,' zei ik en ik haalde diep adem.

'Wanneer jullie er klaar voor zijn,' zei Lindsey.

Ik keek even naar Richard, wiens gezicht van bepoederd terracotta leek te zijn, en daarna naar de camera die op me was gericht met erachter de knappe assistent die midden in een aantekening bevroren leek te zijn. Het was net een droom waaruit ik niet kon ontwaken en het gaf me een onwerkelijk gevoel dat deze beroemde verslaggeefster tegenover me zat als een bezorgde tante die ik al jaren niet had gezien. Ik voelde aan de druk in mijn buik dat ik moest lachen, maar ik kon niet verhinderen dat ik begon te giechelen als een kind in de kerk.

Iedereen staarde me zo ongelovig aan dat ik nog harder moest lachen tot ik me ten slotte moest excuseren. Ik ging naar het toilet en toen ik mijn pompoenachtige gezicht in de spiegel zag, bescheurde ik me helemaal.

Het duurde twintig minuten voordat ik mezelf weer onder controle had, de grimeur de schade had hersteld en ik naar een meelevende Lindsey knikte ten teken dat we konden beginnen.

'Kun je beschrijven hoe het was om in jullie gezin op te groeien nadat je broer was ontvoerd?'

Richard en ik wisten dat ze dit zou vragen en we hadden ons

antwoord op maat voor de tv gesneden.

'Zoals je weet, heb ik mijn broer nooit gekend, omdat hij ontvoerd is toen ik een baby was. Natuurlijk heb ik hem van de foto's en uit de verhalen leren kennen toen ik opgroeide. Soms voelde ik me bedroefd omdat hij weg was en omdat ik dacht dat het leuk zou zijn geweest om een oudere broer te hebben, andere keren voelde ik juist woede jegens hem omdat hij alle aandacht kreeg. Maar meestal vond ik het normaal. Ik bedoel, ik heb nooit een ander leven gekend, dus waarom zou ik het vreemd vinden? Het was gewoon een feit, zoals het feiten zijn dat ik Bethany Fisher heet en in Dartmouth woon. Mijn broer was gestolen.'

'Dat is een ongebruikelijk woord dat je gebruikt. Gestolen in plaats van ontvoerd. Waarom gebruik je dat woord?'

Deze vraag had ik niet verwacht. Ik voelde dat mijn gezicht warm werd. Ik keek Richard aan, maar ik wist dat hij me niet kon helpen om een antwoord te vinden.

'Dat weet ik niet,' zei ik ten slotte en ik haalde ongemakkelijk mijn schouders op. 'Zo zie ik het, denk ik – dat deed ik althans toen ik een kind was. Ik had het gevoel dat iemand iets had gestolen wat van ons was.'

Lindsey leek daar tevreden mee en ze ging verder.

'Hoe gedroeg je moeder zich toen je opgroeide? Hoe reageerde ze op Michaels verdwijning?'

'Zoals ik al zei, wist ik niet wat normaal gedrag was en wat niet. Mijn moeder bleef altijd geloven dat Michael op een dag zou terugkomen, aan ons teruggegeven zou worden, dus ging ze door met haar zoektocht naar hem en bleef ze zich op zijn terugkeer voorbereiden.'

'Wat bedoel je met "op zijn terugkeer voorbereiden"?'

Ik voelde me in het nauw gedreven. De vrouw overanalyseerde alles.

'Ik bedoel alleen dat ze verwachtte dat hij naar huis zou komen. Er bestonden voor haar geen andere mogelijkheden, dus zou ze van zijn slaapkamer geen naaikamer maken of verhuizen om hem te vergeten.'

Ik hoopte dat ze daar tevreden mee zou zijn, dat ze niet over mamma's gedrag zou doorzeuren en dat ik niets zou zeggen waarmee ik mamma als een gek zou afschilderen.

'Geloofde jij ook dat hij zou terugkomen?'

'Natuurlijk,' snauwde ik. 'Kinderen geloven wat hun verteld wordt.'

'En jou werd verteld dat je broer zou terugkomen?'

'Dat ik geloofde dat Michael terug zou komen, kwam meer door wat mijn moeder deed dan door wat ze zei. Het was meer een geloof bij ons thuis, een gegeven, zoals het geloof in God.'

'En nu? Gelooft je moeder nog steeds dat Michael zal terugkomen?'

'Dat weet ik niet. Misschien wel. Ik denk niet dat ze ooit de hoop zal laten varen. Mijn moeder heeft zich nooit erg druk gemaakt over tijd. Wanneer het tijd is, zal hij terugkomen.'

'En geloof jij dat ook nog?'

'Er is altijd hoop. Niemand geloofde dat Aaron Wetherall gevonden zou worden en dat is toch gebeurd. Veel vermiste kinderen zijn in de loop van de jaren teruggekomen. Misschien weet Michael niet dat hij vermist is en misschien zelfs niet eens dat hij Michael is. Er zijn nog steeds te veel mogelijkheden niet onderzocht om de hoop op te geven.'

Dit waren mamma's woorden die uit mijn mond kwamen. Ik had het gevoel dat mamma ze, omdat ze opgesloten zat, aan mij had doorgegeven om haar werk voort te zetten, als een uitgeputte uitvinder die de formule bijna had gevonden, maar te moe was om verder te gaan met het onderzoek. Lindsey schoof heen en weer in haar stoel en raadpleegde haar aantekeningen.

'En hoe zit het met woede? Uitte je moeder ooit gevoelens van woede jegens de ontvoerder?'

'Nooit.'

'Heeft ze ooit iemand geslagen?'

'Nooit.'

'Wat voor soort vrouw is ze?'

'Mijn moeder is een sterke, maar zachtaardige vrouw. Ze schreeuwt nooit, ze vloekt nooit, ze gaat nooit tekeer en ze toont zelden emotie. Ze bidt wel en ze onderneemt actie. Dat zijn de kwaliteiten die haar sterk maken en haar over het trauma heen geholpen hebben.'

'Dus toen je te horen kreeg wat je moeder had gedaan, was dat een complete verrassing voor je?'

'Natuurlijk. Ik kon het niet geloven en dat kan ik eigenlijk nog steeds niet. Het feit dat ze zich het incident niet herinnert, zegt me dat ze zelf niet kan geloven dat ze tot zoiets in staat is. Er is iets met haar gebeurd, iets heeft het heft in handen genomen en wat dat was, moeten de deskundigen nu uitmaken.'

'Wat zou je willen zeggen tegen de demonstranten die je moeder als een heldin beschouwen?' Lindseys stem was even zacht en warm als broodjes uit de oven.

'Ik weet niet wat ik tegen hen zou moeten zeggen,' zei ik. 'Ik veronderstel dat mijn moeder op dat afschuwelijke moment heeft gedaan wat ze dacht dat ze moest doen.'

Ogenschijnlijk tevreden richtte Lindsey haar aandacht op Richard. Ze beschreef hem als de rechercheur die altijd bij de zaak betrokken was geweest – eerst beroepsmatig en later persoonlijk.

'Waarom bleef u nog aan de zaak werken nadat die allang als onoplosbaar was bestempeld en op de plank was gezet.'

'Zoals Bethany al zei, haar moeder heeft het nooit opgegeven en ze was heel inspirerend. Hoe kon ik een vrouw in de steek laten die zo veel deed om haar zoon te vinden? Ik heb haar gewoon zo veel mogelijk geholpen.'

Ik probeerde te luisteren en geconcentreerd te blijven terwijl Richard vertelde dat hij en mijn moeder meer dan werkpartners en meer dan vrienden waren geworden, maar tegen mijn wil keerde ik in gedachten terug naar de keren dat mamma niet helemaal perfect was geweest.

20

Mamma is beneden aan het bellen. Ik hoor haar stem en omdat ze veel lacht, weet ik dat ze met rechercheur Adams praat. Ik sta boven aan de trap, maar in plaats van rechtsaf naar mijn kamer te gaan, ga ik linksaf naar de hare. Misschien komt het doordat het zonlicht in gouden strepen over het zalmkleurige tapijt valt of misschien doordat ik mamma's stem op een veilige afstand hoor mompelen. Ik weet het niet, maar ik moet naar binnen.

Ik ruik de vage seringengeur van de tapijtreiniger. Haar kamer is heel netjes en heel erg taboe. Ik zie duidelijke stofzuigersporen onder mijn voeten wanneer ik stiekem naar binnen ga. Mamma's bed is perfect opgemaakt. Ik speur de kamer af. Ik zie flesjes parfum op mamma's kaptafel staan en loop ernaartoe.

Mamma's hoge, houten juwelenkistje domineert de kaptafel. Het neemt een plaats precies in het midden in en doet de parfumflesjes eromheen klein lijken. Het zijn elegante druppelflacons die op sierlijke, witte onderleggertjes staan en ze zijn bijna tot aan de rand gevuld met vloeistof met diverse goudtinten. Ik vind het vreemd dat ze al die parfums heeft en dat ze de moeite heeft genomen om de flesjes in een halvemaanvorm om het ju-

99

welenkistje te zetten. Ze stoft ze regelmatig af zodat ze altijd glinsteren in het licht dat door het raam naar binnen valt. Toch ruikt ze nooit naar iets anders dan koekjesdeeg en kippenbouillon.

Ik heb haar ook nooit sieraden zien dragen, maar toch heb ik de keren dat ze me in het juwelenkistje liet kijken een grote verzameling kleurige edelstenen gezien: diamanten, smaragden en saffieren. Ze zegt dat de meeste erfstukken van haar moeder zijn en dat ik ze zal krijgen wanneer ik ouder ben. De dingen die ze wel gebruikt, liggen in de linkerlade van de kaptafel: een borstel, een kam en een paar perzikkleurige lippenstiften.

Aan de ene kant van het juwelenkistje staat een ingelijste foto van mij en aan de andere een van Michael. Die van Michael is een van de laatste foto's die van hem zijn genomen en hij is vergroot tot een formaat van twintig bij vijfentwintig centimeter. Michael staat buiten in de achtertuin. Hij heeft net een eikel opgeraapt en draait zich op het moment van de klik glimlachend en trots op zijn vondst naar mamma om.

Hij vond altijd van alles.

Mijn foto aan de andere kant van het dressoir is een studiofoto die vorig jaar bij Sears is gemaakt. Ik sta er stijf en grijnzend op in een jurk met kantjes waaraan ik een hekel heb. Ik kan mezelf en de keurige kamer achter me in mamma's ronde spiegel zien. Mijn haar is een massa chocoladewormen die niet op de gebeeldhouwde krulletjes op mijn foto lijkt. Ik pak een parfumflesje met een glazen zwaan als stop en trek de plastic kurk er met moeite uit. Hij komt met een plopje los en de hevig prikkende geur is een aanslag op mijn neus. Ik ga door met mijn geurenonderzoek. Ik til stoppen op en mors druppels White Velvet, Oscar de la Renta en Wild Musk op mezelf en op de onderleggertjes.

In de keuken begint mamma niet te schreeuwen als ze me ziet en de geur ruikt die ik verspreid. Ze stuurt me niet naar mijn kamer. Ze perst alleen haar lippen op elkaar zodat ze op een geplette framboos lijken, staart me aan zodat ik niets durf te zeggen, schudt langzaam haar hoofd en zegt dat ik andere kleren moet aantrekken.

Dat is het enige wat mamma hoeft te doen: me afkeurend aankijken. Mijn maag krimpt ineen. Waarom maak ik mamma van streek na alles wat ze meegemaakt heeft? Ze bouwt op me. Ik ben alles wat ze heeft. Ik ben alles wat haar rest.

We gaan naar Lucy's huis en ik ben zo opgewonden dat ik tegelijk wil lachen en huilen. Ik weet niet wat ik eerst moet doen: mijn schoenen aantrekken, mijn pinguïnstempels verzamelen of mijn knuffelpinguïns in mijn rugzak stoppen. Ik ben bang dat mamma van gedachten zal veranderen als ik tussen nu en het moment dat we vertrekken iets verkeerd doe.

Mamma heeft gezegd dat we weggaan wanneer ik klaar ben met leren, maar ik moet een uur wachten voordat Lucy uit school komt. Mamma heeft gezegd dat ze Lucy's moeder en broertjes wil ontmoeten en ik weet niet of het vanwege haar dode vader of haar broertje met spastische verlamming is, maar de reden kan me niet schelen. Ik mag bij Lucy gaan spelen.

Het verbaast me dat Lucy's huis zo dicht bij het onze is. We zitten maar een paar minuten in de Volvo voordat we enkele straten verder een oprit op rijden.

Lucy en haar moeder verschijnen na ons aanbellen allebei in de deuropening. Wanneer Lucy me ziet, springt ze op en neer en trekt me naar binnen, terwijl mijn moeder en Lucy's moeder zich met hun voornaam aan elkaar voorstellen.

'Doris,' zegt mamma.

'Aangenaam. Sylvie,' zegt Lucy's moeder en ze geven elkaar een hand.

Ik heb mijn jack en mijn schoenen al uitgetrokken en mijn rugzak afgedaan tegen de tijd dat mamma de huiskamer binnenkomt.

'Bethany, dit is mevrouw Zingler,' zegt mamma en Lucy's

moeder buigt zich voorover en zegt: 'Bonjour, Bethany.' Met een zwaar Frans accent zegt ze dat ze het leuk vindt om me te ontmoeten. Ze heeft Lucy's donkerbruine haar en een brede glimlach die veel tandvlees laat zien.

'Hallo, ja, ik vind het ook leuk u te ontmoeten,' zeg ik, maar in gedachten ben ik mijn stempels al in een rechte rij aan het leggen. Mevrouw Zingler zegt tegen Lucy dat ze mevrouw Fisher moet begroeten.

Met haar armen en benen verdraaid als garen, kijkt mamma vanaf een rookkleurige bank naar Lucy en mij terwijl we de stempels neerleggen. Mevrouw Zingler komt met een blad met koffie, sinaasappelsap en koekjes uit de keuken. Lucy en ik houden even op om een koekje te pakken wanneer ze het blad op de koffietafel zet.

Mevrouw Zingler gaat naast mamma zitten, verheft dan haar stem en roept in de richting van een lange, aangrenzende gang: 'Mon chéri, kom je eens aan onze gasten voorstellen.'

Even later zwaait een deur aan het eind van de gang open en ik zie eerst twee voeten die tegen de muur botsen. De voeten zitten vast aan een verschrompelde jongen met hetzelfde donkere haar als Lucy. Hij draait met zijn handen de wielen van een grote rolstoel rond en rijdt moeiteloos over de glanzende, houten vloer van de gang. Ik zie smalle, doffe sporen van rubberbanden die naar zijn kamer heen en weer lopen. Wanneer zijn wielen het ruwe tapijt bereiken, komt hij langzaam tot stilstand.

'Hallo,' zegt hij zoals mijn vader zou doen wanneer hij een paar biertjes opheeft, iets te hard en een beetje onduidelijk. Zijn hoofd is naar zijn linkerschouder gedraaid.

'Dit is Daniel,' zegt mevrouw Zingler. 'Daniel, mag ik je aan mevrouw Fisher en Bethany voorstellen?'

'Pinguïn,' zegt Daniel en hij wijst met een dunne vinger naar mijn knuffelbeest.

'Ja,' zeg ik. 'Wil je hem zien?'

Ik breng 'm bij hem en zet 'm op zijn schoot. Hij lacht luid gorgelend wanneer hij de donzige zwart met witte stof aanraakt. Zijn mond is nat van het speeksel. Ik zie voor het eerst zijn benige benen en verwrongen tenen.

'Hij kan niet vliegen, maar wel zwemmen,' zeg ik. Ik zet bij iedereen mijn beste beentje voor.

Lucy duikt op achter Daniels rolstoel, waaraan twee gehoekte plastic hendels zitten, en duwt hem over het tapijt dichter naar ons toe. Hij kijkt toe wanneer we verder spelen.

Mamma en mevrouw Zingler praten erover hoe lang ze in Dartmouth wonen, zoals volwassenen doen. Lucy verdwijnt in de gang en komt terug met een armvol barbiepoppen. Daniel lijkt er tevreden mee te zijn dat hij met de pinguïn op zijn schoot toe kan kijken, al maakt hij af en toe zonder duidelijke reden een rukbeweging zoals ik soms doe wanneer ik in slaap val. Ik ga op in het spel tot ik hen iets hoor zeggen wat op een plan lijkt dat op mij betrekking heeft.

'Hoeveel keer per week had je gedacht?' vraagt mevrouw Zingler.

'Twee keer maar,' zegt mamma.

'We zouden het aan het eind van de dag kunnen doen zodat ze hier is wanneer Lucy uit school komt. Als je daar geen bezwaar tegen hebt, natuurlijk.'

'Nee, dat lijkt me uitstekend. Als *jij* er tenminste geen bezwaar tegen hebt,' zegt mamma en de beide vrouwen grinniken beleefd.

'Bethany?' zegt mevrouw Zingler.

'Ja.'

'Zou je Franse les van me willen hebben?'

Ik kan mijn enthousiasme nauwelijks bedwingen. 'Ja, ja, heel graag. Mag dat, mamma?' Ik vraag het hoewel ik besef dat het om te beginnen mamma's idee was.

Ik hoor geluid achter in het huis. Een deur gaat open en dicht en ik hoor geschuifel van voeten. We draaien ons allemaal om naar de keuken en wachten zwijgend tot een lange vijfdeklasser in de deuropening tussen de keuken en de kamer verschijnt.

'Dit is mijn oudste zoon, Benjamin. Zeg eens gedag, Ben,' zegt zijn moeder.

'Hallo,' zegt Ben. Zijn haar heeft de kleur van zand waardoor het lijkt of hij bij een ander gezin hoort. Wanneer mamma niets zegt, kijk ik naar haar. Ze glimlacht, zoals je zou doen wanneer je echt bang bent en er zijn vreemde rode plekken op haar gezicht verschenen. Dan begrijp ik het. Ik weet waarom het is. Benjamin is exact even oud als Michael nu zou zijn en waarschijnlijk ook even lang en zwaar en met dat zandkleurige haar...

Mamma schraapt haar keel.

'We moeten maar eens gaan, Bethany,' zegt ze met een vreemde, lage stem en ik begin direct mijn stempels te verzamelen.

Lucy protesteert. 'Mag ze blijven eten, mamma?' Maar voordat mevrouw Zingler kan antwoorden, zeg ik: 'Het is goed, Lucy. Ik kom snel terug voor mijn Franse les.'

We stappen in de Volvo. Mamma's ogen puilen uit en ze zijn vochtig. Wanneer mamma het contactsleuteltje omdraait, is op de radio de stem van een dj te horen en haar hand schiet uit als de tong van een kikker om de radio uit te zetten. Ik zwaai verlegen naar Lucy en haar moeder, die in de deuropening staan. Ik zit voorin en luister naar het geronk van de motor. Ik ben bang, niet voor wat mamma zal zeggen, maar voor wat ze niet zal zeggen. Voor het gat dat ze mij zal laten vullen.

21

Je wist nooit wie er belde wanneer de telefoon ging. Het zou de politie kunnen zijn die nog meer vragen had of dr. Ashley die een afspraak wilde verzetten, maar het was waarschijnlijker dat het een of andere verslaggever was die een nieuwe draai wilde geven aan een verhaal dat al helemaal was uitgemolken. Dus toen Richard de telefoon in de gang had opgenomen en naar me riep dat het Lucy was, voelde ik me zowel opgelucht als verheugd.

Nadat ik haar vanuit het politiebureau even had gebeld, had ik haar uit mijn hoofd gezet. Ze was het soort vriendin bij wie je dat kon doen. Het maakte geen verschil of we elkaar maanden niet spraken of elke dag. Als er iemand was op wie ik, buiten mijn naaste familie, kon bouwen, was het Lucy wel. Onze vriendschap was een gegeven en Ryan was dol op haar.

'Hé, hallo, hoe gaat het?' vroeg ze. Ik had de stekker van de telefoon in de gang eruit getrokken en hem in mijn kamer weer in het stopcontact gestopt om wat privacy te hebben. Om acht uur 's avonds sliep Ryan al. Richard zat voor de tv zonder aandacht naar een of ander overgedramatiseerd realityprogramma te luisteren terwijl hij over motortijdschriften gebogen zat. Ik was net in mijn kamerjas na een lange, warme douche de badkamer uit gekomen en schrobde nog de laatste tv-make-up van mijn gezicht toen hij me aan de telefoon geroepen had.

'Lindsey Sanders was hier vandaag,' zei ik en ik rekte de eerste lettergreep van haar achternaam uit om haar koninklijke status te benadrukken.

'Hemel. Je hebt het helemaal gemaakt. Wanneer wordt het uitgezonden, schat?' vroeg Lucy, die het meespeelde. Ik had haar humor gemist. Het leven was zo donker en somber door alles wat er was gebeurd, maar als je Lucy nog geen twee minuten aan de lijn had, was het leven een komedie.

'Volgende week, denk ik. Donderdag,' zei ik.

'Ik zal zeker kijken, schat. Ik heb altijd geweten dat je het eens zou maken. Maar vergeet de kleine mensen niet.'

'Het was niet alleen maar mijn verdienste. Het zou me nooit gelukt zijn zonder Thomas Freeman en natuurlijk mijn moeder.'

'Dat zeg je alleen maar uit bescheidenheid, maar ik ben blij dat het je niet naar het hoofd gestegen is. Hoe gaat het met haar?' vroeg Lucy, nog steeds in haar rol, maar ik wist dat de vraag oprecht was.

'Ja, goed, denk ik. Ze herinnert zich de gebeurtenis nog steeds niet. Verder herinnert ze zich alles, maar niet…'

'Dat komt wel,' zei Lucy geruststellend.

'Ja, we kijken er allemaal naar uit.'

'Over de kleine mensen gesproken, hoe gaat het met mijn mannetje?'

'Ja, met Ryan gaat het goed. Hij houdt zich taai, zoals wij allemaal, denk ik. En hoe gaat het met jou? Vertel me iets banaals of belachelijks. Geef me wat lichte kost om mijn gedachten te verzetten.'

'Als je lichte kost wilt hebben, krijg je lichte kost. Mijn meringue heeft bij een presentatie een negen gekregen en mijn soufflé een acht.'

'Goed zo, Julia Child.'

'Ja, misschien kan ik een keer de catering doen voor een van je privégala's met Lindsey en haar ploeg.'

'Natuurlijk, schat. Je staat boven aan mijn lijst. Wanneer kun je je eierkloppers en je ovens eens in de steek laten?' vroeg ik.

Lucy vertelde me dat ze met Kerstmis vier weken vakantie had en dat ze dan naar Helena zou komen. Ik hoopte dat ik zo lang zou kunnen wachten.

Richard was met de motortijdschriften op zijn schoot op de bank in slaap gevallen en het weerkanaal kirde weerberichten. Ik zette de tv met de afstandsbediening uit en door de plotselinge stilte werd hij wakker.

'Het is tijd om naar bed te gaan. Welterusten,' zei hij moeizaam.

Ik nam Richards plek op de bank in en strekte me als een kat in zijn warmte uit. Ik hoorde eerst het geluid van stromend water in de badkamer, daarna de zachte klik waarmee de deur van de logeerkamer gesloten werd en vervolgens de stilte. De gezegende stilte. Geen rinkelende telefoons, geen veeleisende vierjarige, geen achtergrondgeluid van de tv, alleen maar stilte. Het gaf me een beetje het gevoel dat het de stilte voor de storm was.

Ik meende een licht briesje in mijn haar te voelen toen ik indommelde.

22

Mamma bladert een boek over dieren door tot een hoofdstuk dat 'Vogels die niet kunnen vliegen' heet en ze wijst naar een struisvogel. Er zijn heel veel vogels die niet kunnen vliegen en die waren er lang geleden ook al, zoals de dodo, die inmiddels uitgestorven is.

'Wil dat zeggen dat pinguïns ook zullen uitsterven?' vraag ik mamma oprecht bezorgd.

'Dat weet ik niet, Bethany,' antwoordt ze. 'Het zou kunnen, maar het kan nog heel lang duren. Het heeft honderden jaren geduurd voor de dodo verdwenen was.'

Ik stel me een wereld voor waarin alle vogels die niet kunnen vliegen samenleven, zelfs de dodo. Een wereld voor de struisvogel, de emoe en de nandoe, een wereld waar niemand het bestaan van kent, behalve de dieren die door de evolutie zijn bedrogen. Het is een wereld met bomen zonder bladeren, vissen die niet kunnen zwemmen, paarden die niet kunnen rennen en slangen die niet kunnen kronkelen.

'Heb je me niet verstaan? Let op, Bethany. Ik heb je een vraag gesteld. Wat is dit?'

'Hè?'

Mamma wees naar een andere uitgestorven vogel.

'Dat is een dinornis,' zeg ik. 'Uit Nieuw-Zeeland.'

'Dat klopt. Oké, ik zie dat je moe wordt, dus nemen we pauze en gaan daarna verder met astronomie.'

Nadat ik een bakje aardbeienyoghurt heb gegeten, haalt mamma een breed, ingebonden boek uit de kast dat *The Planets* heet. Mamma begint het me voor te lezen en ze wijst naar de foto's.

'Kijk eens, mamma. Deze heet Pluto, net als Goofy's hond.'

'Dat is waar. Pluto is de planeet die het verst van de zon staat, dus het is de koudste planeet.'

'Hoe koud?' vraag ik en mamma kijkt in de index om Pluto op te zoeken. Wanneer ze de informatie heeft, vertelt ze me hoe koud het daar is.

'Op Pluto komen temperaturen van tweehonderdtwintig graden onder nul voor.'

Ik stel me voor dat mijn pinguïnwereld Pluto is, maar dan aan onze planeet vastzit als een kiezelsteentje aan een voetbal. De planeet ligt in het midden van de oceaan en de bodem ervan is bijna tot aan de andere kant door de aarde heen gegroeid. Je kunt er niet met het vliegtuig of de boot komen omdat de lucht erboven en het water eromheen zo snel bewegen als een tornado en als je erbij in de buurt komt, word je erin gezogen, in kleine stukjes gebroken en weer uitgespuwd. Het is de plek vlak voorbij mijn dromen over de wind.

Ik zwaai naar mevrouw Brown, die uit een klein raam met een gordijn ervoor kijkt wanneer we langskomen. Mamma zwaait niet wanneer mevrouw Brown terugzwaait. Mamma kijkt zelfs niet in haar richting, maar ik weet dat ze haar gezien heeft omdat ze me harder en sneller door de straat meetrekt.

Ik besef pas hoe erg ik hem mis wanneer ik hem in de deuropening van zijn nieuwe huis zie staan. Wanneer ik bij mamma ben, denk ik bijna nooit aan pappa, maar nu ik hier ben en zijn been met mijn pinguïnvrije hand omklem en de houtachtige, in mijn neus kietelende geur van zaagsel op zijn broek ruik, zijn mamma en Michael ver weg.

'Ik kom om drie uur terug,' zegt mamma tegen pappa en ik ga zijn nieuwe huiskamer binnen, waarin een paar van mamma's niet-afgemaakte meubels staan. Ik heb plotseling medelijden met pappa omdat hij helemaal alleen woont in een rijtjeshuis met oude, gehavende tafels en stoelen.

Het is zondag en de eerste keer dat ik pappa bezoek. Ik heb gewacht tot hij *geïnstalleerd* was en ik zie nu dat dat gebeurd is. Hij heeft zelfs in de gang een kamer met een bed en alles voor mij ingericht voor het geval ik blijf logeren.

'En kijk eens wat ik voor je heb, lieve schat,' zegt hij en zijn twee identieke rimpels vormen kleine holten in zijn dikke wangen. Holten waarin ik mijn vingers stak toen ik een peuter was. Als de grote doos in cadeaupapier niet op mijn eenpersoonsbed zonder dekens zou staan, zou de kamer volkomen leeg zijn geweest.

Ik loop ernaartoe en til de doos op. Hij is veel lichter dan ik had gedacht.

'Maak hem maar open,' zegt pappa.

Ik scheur het papier eraf en als ik het deksel van de slappe, witte doos haal, zie ik een Rainbow Brite-personage.

'White Sprite,' zeg ik terwijl ik het sneeuwwitte, donzige wezen met de bungelende regenboogbenen bekijk.

'Nu heeft juffrouw pinguïn tenminste een vriendin,' zegt pappa. Ik realiseer me dat ik haar juffrouw pinguïn zal moeten blijven noemen of een echte naam voor haar zal moeten bedenken. Ik omhels mijn vader.

'Dank u.'

Pappa haalt een doos met overgebleven pizza uit de koelkast

en verwarmt die in de oven voor onze lunch. Het is er een met bacon en ananas, zonder meer mijn lievelingspizza, maar als er inktvis en spinazie op had gezeten, zou ik hem even lekker hebben gevonden omdat het zo fijn is om samen met pappa te eten. Ik drink melk uit een omgespoeld glas en pappa drinkt bier uit een bruin flesje. Er zijn vuile borden opgestapeld in de gootsteen en er staan er nog meer verspreid over het aanrecht.

Na de lunch ruimt pappa de glazen keukentafel die ik nog nooit heb gezien af en stelt het scrabblespel op. Juffrouw pinguïn en White Sprite kijken vanuit de stoel naast de mijne toe. We spelen niet echt scrabble omdat ik niet veel woorden ken, maar pappa vraagt wat ik wil spellen en legt dan de woorden op het bord uit. We spelen een spel waarbij we kijken hoeveel woorden we uit één woord kunnen maken.

'Kijk, Bethany, met de letters van het woord "trekken", kun je ook de twee worden "trek" en "ken" maken…'

'En "rek"', roep ik.

'Ja, heel goed, schat. Laten we nu een ander woord proberen. Wat vind je van…?'

'Pinguïn,' zeg ik.

'O ja, natuurlijk, pinguïn.'

Wanneer pappa de juiste letters begint te zoeken uit de steentjes die in het deksel van de doos zijn uitgelegd – hij heeft alleen nog maar GINPU – wordt er op de deur geklopt. We kijken op de klok boven de tafel en daarna kijken we elkaar aan alsof we zijn betrapt op het eten van ijs voor de maaltijd.

Mamma.

Mevrouw Zingler leert me niet alleen Frans, maar ze vertelt me ook over Canada, waar ze vandaan komt. Ik houd van de manier waarop ze Frans door haar Engelse zinnen mengt, zodat ik het Frans hoor, maar toch begrijp wat ze bedoelt.

Mevrouw Zingler is zo knap als een filmster. Ze glimlacht de hele tijd.

'Oké, Bethany, hoe heet je?'

'*Je m'appelle Bethany*,' zeg ik langzaam en zorgvuldig. Ik pik het gemakkelijk op omdat mevrouw Zingler leuke woordspelletjes met me speelt. Ze vraagt me bijvoorbeeld of ik alle vruchten in de mand kan opnoemen en geeft me dan een citroenzuurtje. Ik kom hier graag, maar ik begrijp niet waarom mamma in de huiskamer op ons blijft wachten. De eerste twee keer zat mamma daar gewoon niets te doen, maar vandaag heeft ze haar wol en breinaalden meegebracht. Ze heeft Michaels deken weken geleden afgemaakt en ze werkt nu aan een paar bordeauxrood met witte pantoffels voor haarzelf.

Wanneer Lucy thuiskomt, gaat mijn moeder bij mevrouw Zingler zitten en praat met haar over mijn *spreek- en luistervaardigheid* terwijl Lucy en ik in de wereld waarover ik haar heb verteld pinguïns tekenen en kleuren. Lucy's Cabbage Pack-kinderen Sophie en Olivia houden juffrouw pinguïn en White Sprite gezelschap op de rugleuning van de bank. Ze zijn gemakkelijk te tekenen wanneer ze poseren.

Ik ben dankbaar voor deze tijd want Benjamin kan elk moment binnenkomen. Ik weet dat mamma het risico omwille van mij neemt.

Als het bedtijd is, ben ik erg moe. Ik lig in het schijnsel van de ganglamp met juffrouw pinguïn in mijn armen, en met White Sprite naast me op het kussen. Ik stop juffrouw pinguïn onder de dekens en draai me naar haar toe tot mijn neus haar snavel raakt.

'Welterusten, juffrouw pinguïn. Ik houd van je.'

Plotseling stel ik me de letters voor die pappa op het letterbalkje verzameld had voordat mamma arriveerde.

'Wat zou je ervan vinden als we je een echte naam gaven? Ginpu?'

'Die naam bevalt me. Dan heet ik van nu af aan Ginpu. Hé, wil je ergens met me naartoe gaan?'

'Waar naartoe?'

'Naar de plek waar ik vandaan kom. Mijn wereld.'

'Oké, maar het is daar toch erg koud? Ik zal mijn winterjas nodig hebben.'

'Je zult meer nodig hebben. Als je zo meegaat naar mijn wereld, zul je in tweeën breken. Je hebt het speciale schild nodig. Het is een onzichtbare laag huid die je tegen alle elementen beschermt, vooral tegen de kou. Ik zal het je geven.'

'Maar hoe kun je me meenemen?'

'In je dromen, natuurlijk, net voorbij de wind. We kunnen in je dromen alles doen wat we willen.'

'Maar ik droom niet echt. Ik ben nog steeds een beetje wakker.'

'Dat geeft niet, je geest is vrij. We krijgen heel veel bezoekers.'

'Zijn er ook kinderen zoals ik bij?'

'O ja, een heleboel, alle kinderen die meer van hun dieren houden dan van wat ook. Als je zo veel van dieren houdt, word je ook deel van hun wereld.'

Mijn oogleden worden zwaar. Ik druk Ginpu en White Sprite in mijn armen tegen elkaar. Ik voel de wind komen en ik proef het droge stof. Ik zie in de verte mijn huis. Ik loop ernaartoe. Het gaat harder waaien. Daar is het stopbord. Ik klem me eraan vast tot ik een menselijke vlag ben, maar ik wacht niet tot de wind me meeneemt. Deze keer laat ik gewoon los.

Ik zie de ijsbergen in de verte, allemaal gekleurd door regenbogen als veelkleurige sneeuwkegels. Hoge, bladerloze ijsbomen groeien in groepjes en hun lange takken verstrengelen zich als vingers en vormen ijsforten waarin pinguïns verstoppertje spelen. Regenboogvissen koesteren zich in de zon op ijsbergen. Struisvogels staan als hoofdloze standbeelden met hun lange nek begraven in sneeuwhopen. Paarden schaatsen op het ijs met dodo's op hun rug. IJsslangen zwemmen in rustig violet water. In de verte hoor ik gezang. De stemmen van ijsengelen weergalmen achter de bergen.

Ginpu brengt me naar het dorp waar de andere kinderen zijn; heel veel kinderen die allemaal hun eigen pinguïn hebben. Sommigen van hen glijden op een slee de heuvel af en anderen spelen openluchtscrabble met grote ijsblokken met een letter erop, die ze op hun plek schuiven. Sommige kinderen zitten voor ijshuizen op ijsbanken en drinken ijskoud sinaasappelsap uit ijshoorns.

Ginpu kondigt mijn aankomst aan en iedereen verzamelt zich lachend om me heen en trekt me naar voren. Ze roepen de vleugeleetkamerstoel en hij vliegt naar ons toe, schept me op zoals een schep een klomp sneeuw opschept en zet me aan het hoofd van een lange tafel. Een ijsprinses over wie Ginpu me vertelt dat ze, afhankelijk van het weer, van kleur verandert, glijdt naar voren met een doorzichtige gelatinetaart in haar handen. Erin zit gekleurd fruit in de vorm van boeddha's met een dikke buik. Twee bongospelers beginnen op hun instrument te trommelen. Door de muziek gaan de boeddha's dansen en begint de taart te schommelen. De prinses, die een prachtige perzikkleur heeft, heet me welkom in IJsboogland.

Het is zaterdag en ik ben in klaslokaal 105 van de lagere school in Dartmouth om een test te doen. Ik moet hier eens in de maand komen als onderdeel van mijn thuisschoolprogramma. Mamma zegt dat mijn test nagekeken wordt en dan naar de onderwijsinspectie wordt gestuurd voordat wij hem terugkrijgen.

Het lokaal ziet er zonder kinderen vreemd groot uit. Ik zit op de eerste rij aan de lessenaar van een andere eersteklasser. De letter M is met blauwe inkt langs de rand gekerfd en vlekken bedekken het lichte hout op de plekken waar potloodafdrukken uitgegomd zijn. Ik kijk naar de kunstwerkjes die links van me aan de muur geplakt zijn. Er hangen tientallen tekeningen van herfstbladeren en bomen die in heldere rode, gele en oranje kleuren zijn getekend met wasco. Mamma staat bij het raam dat op het parkeerterrein uitkijkt.

'Ben je hier klaar voor, Bethany? Herinner je je nog alles wat we gisteravond doorgenomen hebben?' Ze praat tegen me zonder zich om te draaien.

'Ja, mamma, ik ben er klaar voor.'

Een lange vrouw in een marineblauw mantelpakje komt glimlachend de klas in en redt me van meer vragen, die mamma zeker zou gaan stellen.

'Hallo, ik ben juf Rimby, een van de onderwijzeressen van de eerste klas hier. Ik ga je vandaag je test afnemen, Bethany.'

Ze legt de papieren die ze bij zich had vóór me op de lessenaar van de onderwijzeres.

'U moet Bethany's moeder zijn,' zegt ze en mamma knikt.

'Oké, wanneer je zover bent, kunnen we beginnen, Bethany. Mevrouw Fisher, u kunt achter in de klas gaan zitten of buiten wachten.'

Mamma gaat achterin zitten. Juf Rimby overhandigt me het eerste van vijf testvellen.

Het duurt twee uur voor ik met de opgaven wiskunde, natuurkunde, Engels en Frans klaar ben. Ik ben erg moe, maar ik weet dat ik ze goed gemaakt heb.

Daarna neemt mamma me mee en krijg ik een aardbeienmilkshake. Vanaf ons zitje in de ijssalon zien we IJzerwarenwinkel Dartmouth waar mamma de zogenaamd onbreekbare tumblers heeft gekocht, Kapper Ed waar pappa zijn haar laat knippen en Betty's Boetiek waar ik nog nooit ben geweest.

'Het is belangrijk dat je je best doet, Bethany,' zegt mamma. Ik slurp en knik.

'Onderwijs is belangrijk als je het in het leven goed wilt doen. Ik heb nooit de kans gehad om te gaan studeren. Dat kost geld en we waren veel te arm. Maar ik zou het gekund hebben. Ik was slim genoeg,' zegt mamma. 'Michael kende de namen van alle presidenten toen hij vier was,' voegt ze eraan toe.

Ik denk daarover na.

'Ik héb het goed gedaan,' zeg ik, maar mamma luistert niet. Ze kijkt door het raam en richt haar blik op een punt boven het pand van de ijzerwarenwinkel.

'Hij kon de meeste van zijn boeken lezen en hij kende alle namen van de dinosaurussen.'

'Wist hij ook veel van pinguïns, mamma?' vraag ik.

'O ja,' zegt ze, maar ik kan haar niet bij het onderwerp houden. Ze glijdt weg in een wereld die alleen van haar is.

'Hij kon tot over de honderd tellen. Hij telde altijd de streken wanneer ik zijn haar borstelde. *Doorgaan*, zei hij altijd. Hij vond het heerlijk wanneer zijn haar geborsteld werd.'

Mamma strijkt door de lucht met een onzichtbare borstel. Het lijkt of de borstel echt is en ik niet.

23

'Hoe is het met mamma?' vroeg ik dr. Ashley al voordat ik ging zitten. Hij liet me op antwoord wachten tot we allebei zaten en hij de uitwaaierende papieren op zijn bureau geordend had.

'Het lijkt goed met haar te gaan.' Hij droeg hetzelfde donker-grijze pak, maar een andere stropdas, deze keer een botergele. 'Eigenlijk bijzonder goed. Ze is levendig, geanimeerd in haar ge-baren, ze beantwoordt al mijn vragen en vraagt zich af wanneer al deze onzin achter de rug zal zijn. En dat het allemaal zo goed gaat, is juist reden tot zorg.'

'Hoe bedoelt u?'

Dr. Ashley leunde achterover in zijn stoel en vormde een tent met zijn wijsvingers en duimen.

'Ze heeft zich zo diep in haar ontkenning ingegraven dat ik denk dat ze hier tot lang na de vastgestelde datum van het proces zal moeten blijven. Als je moeder zich het incident niet enigszins kan herinneren, als haar geheugen niet door een droom, een geur of een beeld wordt gestimuleerd, zullen de rechters eisen dat ze in het State Hill blijft tot dat gebeurt. Als we eind februari niet klaar zijn, zou het nog wel zes maanden tot een jaar kunnen duren voordat er een andere datum voor het proces vastgesteld is. Tijdelijke krankzinnigheid is niet tijdelijk wanneer ze zich niets herinnert. Maar het goede nieuws is dat het nog vroeg is en dat je kunt helpen.'

'Ik help toch door hier te komen? Ik heb u gezegd dat ik zal doen wat ik kan.'

'Ja, dat is ook goed. Dank je, Bethany. Zoals ik al zei, hebben we een prikkel nodig die haar herinnering stimuleert. Ik wil weten wat ik haar moet vragen of wat ik haar moet laten zien. Daarbij heb ik jouw hulp nodig.'

'Wat kan ik dan doen?'

Dr. Ashley pakte een paarsbruine dossiermap uit de rechterbovenla van zijn bureau en keek hem snel door.

'Op dit moment nemen we aan dat de woede die je moeder jegens Thomas Freeman voelde verband houdt met de woede die ze voelde jegens degene die je broer heeft ontvoerd. Aangenomen dat dit verband bestaat, moet ik meer over je moeder weten. Hoe ze zich gedroeg toen je opgroeide. Wat voor bezigheden ze had. Dingen die je haar hebt horen zeggen. Ik wil dat je elke keer dat je je iets over je moeder herinnert, bijvoorbeeld iets wat ze gezegd heeft wat je nu als volwassene een beetje vreemd of opmerkelijk vindt, een aantekening maakt zodat we erover kunnen praten. Oké?'

Dr. Ashley wachtte op mijn antwoord. 'Ja, dat kan ik wel doen,' antwoordde ik ten slotte, maar ik wilde meer weten over zijn theorie. 'Dus momenteel neemt u aan dat dit allemaal te maken heeft met ontkende woede. Ik weet niet of ik het daarmee eens ben. Ik bedoel, ik weet dat mijn moeder woedend op de ontvoerder moet zijn geweest, maar…'

'Wees voorzichtig met de manier waarop je het woord ontkenning gebruikt,' onderbrak hij me en hij zwaaide met een dikke, knobbelige vinger. 'Ontkenning betekent niet dat je je woede verbergt voor degene die hem gewekt heeft, maar dat je hem voor jezelf verbergt. Ontkenning is een zeer noodzakelijk middel dat dient om woede te beheersen die te angstaanjagend is om onder ogen te zien. Stel je voor dat je in jezelf kijkt naar de moordzuchtige woede die opgesloten zit in de uithoeken van je diepste zelf. Als je die woede erkent, geef je ook toe dat je tot moord in staat bent en toch zijn we dat allemaal. Het probleem met mensen met opgekropte emoties is niet dat ze die niet kunnen uiten, maar dat ze het vermogen hebben om ze te genereren. Je moeder heeft jaren de tijd gehad om haar schuldgevoel te laten groeien. Het is in haar gegroeid als een tumor, tot het te groot was om te kunnen beheersen.'

Dr. Ashley keek nog meer aantekeningen in mamma's dossier door. Hij sorteerde kleine velletjes papier waarop met de hand gekrabbeld was. Mamma's dossier begon eruit te zien alsof het bij nader inzien samengesteld was en details waren bij elkaar gegooid als de spullen in een haastig gepakte koffer. Toen hij iets had gevonden wat hem de moeite van het vermelden waard leek, keek dr. Ashley me met glinsterende ogen aan.

'Valt het je niet op dat je moeder, wanneer ze over je broer praat, in een soort droomtoestand komt en hem op een voetstuk plaatst alsof hij een koning of een heilige is?'

'Ze houdt van hem,' zei ik en ik schoof op mijn stoel heen en weer. 'Ze voelt zich sterk met hem verbonden.'

'Ja, en de intensiteit van die verbondenheid dient over het algemeen om het schuldgevoel te temperen of de daad te vergoelijken. De grootste woede over verlies van liefde ontstaat wanneer de liefde eerder symbolisch dan reëel is.'

'Haar liefde voor Michael ís reëel,' kaatste ik ongelovig terug. Wie was deze man dat hij een of andere theorie uit een handboek op mijn moeder toe wilde passen terwijl hij haar pas een paar weken kende?

'Ik zeg niet dat haar liefde niet reëel is, maar in de loop van de jaren is ze iets anders geworden, iets anders dan wat ze eens was.

Ze heeft jarenlang een relatie onderhouden met iemand die er eenvoudigweg niet was.'

'Dat klinkt alsof u haar ziet als een soort stalker die verliefd is op een foto.' Ik kneep in een spier in mijn nek die begon te trekken. Ik vond dr. Ashleys ideeën verontrustend.

'Er zijn inderdaad overeenkomsten in het psychologische proces,' zei hij. 'Waar we het hier over hebben is in principe vervorming van de werkelijkheid. Ik vind het opmerkelijk dat je moeder nooit in therapie is gegaan na de verdwijning van haar kind en dat ze het verlies heeft verwerkt door te ontkennen dat het een verlies is en door naar je broer te blijven zoeken.'

'Hoe wilt u er dan voor zorgen dat ze zich van deze woede bewust wordt zodat ze zich het incident herinnert en ze nooit meer zoiets zal doen?'

'Een goede vraag, Bethany. Wat heel gevoelig ligt, is hoe ze de informatie zal verwerken wanneer ze die eenmaal aangeboden krijgt. Omdat het onbewuste woede was die je moeder ertoe gebracht heeft Thomas Freeman te vermoorden, moeten we die woede weer opwekken in de hoop dat we de herinnering zullen terughalen. Met jouw toestemming zou ik haar daarom graag een stootzak en een plastic honkbalknuppel willen laten gebruiken. Deze sessies zullen gefilmd en door een doorkijkspiegel geobserveerd worden.'

'Sessies?'

'Ik ga je moeder ondervragen en haar aanmoedigen om eventuele woede die ze in de loop van ons gesprek voelt op de stootzak af te reageren. Het is een veel gebruikte en effectieve methode.'

Ik kon mijn lachen niet inhouden. Het beeld van mijn beheerste en gesloten moeder die met een plastic honkbalknuppel op een stootzak beukte terwijl dr. Ashley toekeek en ze door een doorkijkspiegel werd geobserveerd, had op zichzelf al iets onwerkelijks en krankzinnigs. Ik stelde me mijn moeder plotseling voor als de gekke grootmoeder uit een Sylvester en Tweety-te-kenfilm die in haar nachtjapon door het huis rent en met haar knuppel tegen lampen en muren slaat. Pats. Boem.

'Het spijt me, het spijt me,' zei ik snuivend terwijl dr. Ashley me verbijsterd aankeek. Ten slotte schraapte ik mijn keel en probeerde de draad van het gesprek weer op te pakken.

'Wie observeert de ondervragingen?' vroeg ik.

'Dr. Nancy Sloan, de adjunct-directeur van het ziekenhuis, en twee coassistenten die gereedstaan om de kamer binnen te gaan voor het geval dat je moeder zich tegen mij zou keren.'

'U bedoelt als ze probeert uw hoofd eraf te slaan?' Ik had mezelf nog steeds niet helemaal in de hand en ik giechelde zwakjes.

'Ja, dat ook,' zei hij.

'En ik? Mag ik ook kijken?'

'Ik dacht wel dat je dat zou vragen. Ik heb toestemming van dr. Sloan nodig, maar ik denk niet dat ze er bezwaar tegen zal hebben wanneer ik haar eenmaal verteld heb dat we samenwerken en dat jouw hulp in dit geval cruciaal is. Het zou dan jouw taak zijn om aantekeningen te maken en bepaalde gedragingen van je moeder te verklaren.'

'En hoe zit het met Richard, mamma's echtgenoot?'

'Wat is er met hem?'

'Mag hij ook naar de sessies kijken?'

'Waarom vind je dat belangrijk?'

'Ik wil dat hij erbij is.' Ik voelde me plotseling wanhopig. Ik kon me niet voorstellen dat ik dit in mijn eentje zou doen, dat ik naar mamma zou luisteren terwijl ze in een glazen kooi van alles over ons leven vertelde. Ik wist niet wat ik kon verwachten, maar ik wist wel dat het niet gemakkelijk zou zijn. 'Ik heb hem erbij nodig,' zei ik.

Dr. Ashley maakte een aantekening.

'Ik zal het met dr. Sloan opnemen.'

'Wat bedoelt u met bepaalde gedragingen?' vroeg ik.

'Bijvoorbeeld dat je moeder, terwijl je naar ons gesprek luistert, iets amusant of verontrustend vindt of weigert over een bepaald onderwerp te praten. Jij zou daar dan je licht over kunnen laten schijnen. Het zou ook tijd besparen. Ik hoef dan bij jou geen verslag uit te brengen over wat je moeder over bepaalde dingen heeft gezegd en daarvoor wekelijks een afspraak met je te maken, maar je kunt met me praten zodra ik met je moeder heb gesproken en haar daarna bezoeken, als je dat zou willen. Het is een beter hanteerbare optie. Ik weet zeker dat ze ermee akkoord zullen gaan.'

'Laten we het dan maar eens proberen,' zei ik. Het klonk redelijk. Dr. Ashley draaide met zijn vinger een reeks onzichtbare s'jes boven een bladzijde met aantekeningen en stopte ergens halverwege.

'Je moeder heeft me verteld dat je een serie kinderboeken hebt geschreven,' zei dr. Ashley.

'Ja,' zei ik. 'Maar dat was niet gepland. Het waren gewoon verhalen die ik heb verzonnen voor de Engelse les. Het was niet mijn idee om ze te publiceren.'

'Van wie dan wel?'

'Van Will en zijn moeder.'

'En hoe zat het met jouw moeder?'

'Ze stemde ermee in. Dat is alles.'

'Tegen mij raakte ze niet uitgepraat over je boeken,' zei dr. Ashley.

'Ja, dat zal wel.'

'Wat bedoel je daarmee?' vroeg dr. Ashley.

'Niets.' Ik probeerde mijn gevoelsmatige reactie te bagatelliseren. 'Ik wil alleen maar zeggen dat ik het me zo niet herinner.'

'Hoe herinner je je het dan wel, Bethany?'

Ik schoof in mijn stoel heen en weer als een meisje dat bij het schoolhoofd haar mond voorbijgepraat heeft waardoor ze een goede vriendin heeft verklikt.

'Ik begrijp echt niet wat dit te maken heeft met…'

'Ik probeer alleen eventuele discrepanties op te sporen. Ik wil een compleet beeld krijgen zodat ik weet waar ik moet beginnen om je moeder te helpen. Maar als je dat niet prettig vindt…'

'Ze was alleen niet zo geïnteresseerd, dat is alles. Ze was er meer op gebrand dat ik mijn school afmaakte.'

Mamma's woorden schoten me te binnen.

Ik wil niet dat je je laat afleiden door pinguïns en alles van wis- en natuurkunde vergeet.

'En wat vind je er zelf van? Je moet er toch heel trots op zijn.'

'Het stelt niet veel voor. Ik kende toevallig iemand die een uitgever kende. Het is niet zo dat ik een groot schrijfster ben, zoals J.K. Rowling of zo. Ik heb er niets voor hoeven op te offeren. Het zijn gewoon verhalen die ik heb verzonnen. Iedereen zou het kunnen.'

'Zijn dat jouw woorden of die van je moeder?'

Ik had het gevoel dat dr. Ashley me systematisch in het nauw dreef. Toen ik niet antwoordde, formuleerde hij de vraag anders en stapte op een zachtere aanpak over.

'Vond je het leuk om ze te schrijven of was het iets wat je moest doen?'

'Nee, ik vond het heerlijk. Engels was mijn lievelingsvak en daarna kwam tekenen, dus ik had veel plezier in het schrijven van de verhalen en het tekenen van de bijbehorende illustraties. Ik kon alles om me heen vergeten wanneer ik schreef.'

'Wat bijvoorbeeld?

'Alles. Wat dan ook.'

'Heb je er bezwaar tegen dat ik ze lees?'

'Helemaal niet. Ik breng ze volgende week wel mee naar het ziekenhuis.'

'Schrijf je nog steeds?'

'Niet meer sinds ik naar de universiteit ging. In elk geval niet dat soort dingen. Op de universiteit schrijf je essays en verslagen.

Daarna kreeg ik direct de baan bij de politie en had ik het te druk.'

'Mis je het?' vroeg hij.

Ik raakte geïrriteerd door zijn vragen. Wat hadden mijn boeken met mamma's geestelijke toestand te maken?

'Ik denk er nooit over na. Ik heb u al gezegd dat het niet veel voorstelt. Iedereen zou het kunnen.'

'Ik ben zo vrij daar anders over te denken.' Dr. Ashley lachte. 'Ik weet zeker dat ik nooit van mijn leven een behoorlijk kinderboek zou kunnen schrijven. Ik denk niet dat iedereen een kinderboek zou kunnen schrijven en de meeste mensen die het wel zouden kunnen, doen het nooit.'

'Zo is het niet gegaan,' zei ik. 'Het was gewoon iets wat gebeurde.'

'Gewoon gebeurde?'

'Ik bedoel dat ze uitgegeven werden. Ik kende iemand die iemand anders kende. Het was mijn idee niet.'

'Ik weet niet veel van de uitgeverswereld, maar ik zou denken dat het niet zo gemakkelijk gaat.'

'Nou, bij mij wel.'

'Het lijkt me dat je heel wat gepresteerd hebt voor een meisje van negentien.'

'Ik heb veel hulp gehad.'

'Hoofdzakelijk van je moeder?'

'Ja, ik heb alles aan mijn moeder te danken.'

Dr. Ashley raadpleegde zijn aantekeningen weer. 'Hoe verwerkt je zoon dit allemaal?' Ik had het gevoel dat ik samen met dr. Ashley in een auto zat die door hem bestuurd werd. Hij voerde me over heuvels en door dalen en besliste waar en wanneer we zouden afslaan.

'Het lijkt goed met hem te gaan,' zei ik. 'Hij mist zijn grootmoeder,' voegde ik eraan toe.

'Ja, dat geloof ik graag. Zij heeft hem opgevoed, hè?'

'Ik moest mijn studie afmaken,' zei ik afwerend. 'Ik kwam de weekends thuis.'

'Ja, ja,' zei dr. Ashley en hij knikte geïnteresseerd. 'Dus je moeder zorgde grotendeels voor hem in de jaren dat je studeerde?'

'Alleen het laatste jaar,' corrigeerde ik hem nadrukkelijk. 'Ik heb in het begin internetcursussen gevolgd.'

'En je moeder zorgde voor hem wanneer je studeerde?'

Ik kon de insinuatie dat ik als moeder tekortgeschoten was niet waarderen.

'Mijn moeder was er altijd voor Ryan,' zei ik op vlakke toon. 'Daarom vond ik het belangrijk dat ik hiernaartoe verhuisde voor die baan bij de politie. Ik vond dat het tijd was dat Ryan en ik een normaal leven als moeder en zoon gingen leiden.'

Dat was niet helemaal waar. Ik had gemakkelijk nog een paar jaar in Dartmouth kunnen blijven.

'En hoe reageerde Ryan daarop?' vroeg dr. Ashley.

'Het kleinkind van mijn moeder was in het begin niet gelukkig,' zei ik voorzichtig. Ik vertelde dr. Ashley dat hij in zijn bed ging plassen toen we pas in Helena woonden, maar dat mijn moeder heel vaak op bezoek was gekomen en dat hij zich na verloop van tijd had aangepast.

'Hij vindt het nu leuk op de kleuterschool en hij lijkt gelukkig te zijn. We proberen die hele kwestie met mamma voor hem af te schermen. Ik denk dat het met hem allemaal wel in orde komt.'

'En hoe zit het met Ryans vader?'

'Wat is er met hem?'

'Is hij betrokken bij de opvoeding van Ryan?'

'Hij is er in zekere zin bij betrokken.'

'Hoe bedoel je dat precies?'

'Ik bedoel dat hij geen vreemde voor hem is. Hij is op de achtergrond altijd aanwezig geweest. Nu we naar Helena verhuisd zijn, ziet Ryan zijn vader wanneer we naar Dartmouth gaan. Ik bedoel dat hij weet wie zijn vader is en hij brengt tijd met hem door wanneer hij kan.'

'Komt hij ook naar Helena om Ryan te bezoeken?'

'Dat heeft hij nog niet gedaan. Ik denk dat hij in de loop van de tijd wel in het vaderschap zal groeien, maar ik heb veel steun aan zijn familie. Bovendien is het niet zo dat Ryan hier geen vaderfiguur heeft. Mijn vriend Will is zeer nauw bij zijn opvoeding betrokken.' Ik had het zo warm dat de zweetdruppels op mijn bovenlip stonden. Ik had het gevoel dat ik er op een listige manier toe overgehaald was om te veel te zeggen. 'Ik denk dat we van het onderwerp afdwalen,' zei ik.

'Ik probeer alleen een compleet beeld te krijgen, Bethany,' zei dr. Ashley. Zijn stem klonk plotseling streng. 'Hoe meer ik over jou en de dynamiek in de familie weet, hoe beter ik je moeder kan helpen. Je volledige medewerking is daarvoor van cruciaal belang. Hoe eerder we een manier vinden om het geheugen van je moeder op te frissen, hoe beter het is, dat hoef ik je niet te vertellen. Het lijkt nu misschien nog ver weg, maar voor je het weet, is het zover dat het proces begint. Wanneer die gelegenheid zich voordoet, moeten we er gebruik van kunnen maken.'

Het klonk als een dreigement, hoewel dr. Ashley naar me glimlachte alsof we over het weer hadden gepraat.

'Oké,' zei hij met een blik op de klok op zijn bureau. 'Onze tijd zit erop.' Hij schoof de bladzijden van het dossier recht. 'Goed. Ik verheug me erop om je kinderboeken te lezen.'

24

1992

Mamma is Michael Fishers moeder. Pappa is Michael Fishers vader. Ik ben Michael Fishers zuster.

Samen zijn we *dat zielige gezin.*

Zielig vanwege ons verdriet.

Zielig vanwege de onbeantwoorde vragen.

'Doe een wens, Bethany.'

Ik concentreer me op de negen brandende kaarsjes boven op bergen aardbeienglazuur, adem diep in en knijp mijn ogen stijf dicht.

Wacht even, wacht even. Doe eerst een wens en blaas dan pas.

Rook kringelt omhoog terwijl mamma, Lucy, mevrouw Zingler, pappa en rechercheur Adams applaudisseren.

Ik weet nooit wat ik moet vragen wanneer ik een wens moet doen. Ik moet dan snel verzinnen wat ik altijd al heb willen hebben, maar ik kan alleen maar kleine dingen bedenken, bijvoorbeeld dat ik bij Lucy mag logeren, of een nieuw tapedeck krijg, hoewel het tapedeck dat ik met Kerstmis heb gekregen het nog prima doet. Ten slotte wens ik hetzelfde wat ik elk jaar wens. Niet dat het iets kleins is. Het is iets heel groots om te wensen dat mijn broer naar huis zal komen, maar het lijkt of ik een wens verspil omdat hij nooit in vervulling gaat.

'Onze jarige krijgt het grootste stuk,' zegt pappa en hij drukt een groot kartelmes door het glazuur. Eronder zit witte taart met diepe, rode krullen. Lucy en ik gaan met onze stukken taart aan de keukentafel zitten en mamma schept met een ijslepel volmaakt ronde ballen vanille-ijs op onze borden. Lucy verslindt haar taart en ijs, maar ik kan al die zoetigheid niet op. Wanneer de tafel afgeruimd is, is het tijd voor de cadeautjes.

'Mag ik het grote als eerste openmaken, mamma?'

Het is van pappa, die vanaf de achterste rij mensen glimlachend toekijkt. Ik ben de ster van de show, de eregast. Mamma zet het cadeau met moeite voor me op tafel.

'Hemeltje,' zegt ze. 'Wat zou dat zijn? Het voelt aan als een berg stenen.'

'Er is maar één manier om erachter te komen,' zegt pappa en hij knikt om me aan te sporen het open te maken. Ik krijg het papier er gemakkelijk af en ik zie een soort poppenhuis, gemaakt van kleine glazen blokken.

'Ik heb het voor je pinguïns gemaakt, schat,' zegt pappa, maar dat hoeft hij me niet te vertellen, want ik weet het zodra ik het zie. Het heeft vier verdiepingen en een paneel met een scharnier dat twee keer zo groot wordt als het openzwaait. Ik weet zeker dat iedereen aan mijn opgetogen gezicht kan zien dat ik het een prachtig cadeau vind. Pappa zigzagt tussen de mensen door om me te omhelzen en daarna draagt hij mijn torenhoge iglo naar boven, naar mijn kamer.

Nadat ik de verpakking opengescheurd heb van badschuim en een borstelset van Lucy, een pinguïnvideo van National Geographic van rechercheur Adams, negen dollar in een kaart van opa en oma en schaatsen van mamma en Michael, klimmen Lucy en ik de trap op naar mijn kamer om met mijn ijsfort te gaan spelen.

Ik heb in de loop van de jaren achttien rubberen miniatuurpinguïns verzameld, die bij elkaar op een plank boven mijn bureau staan. Lucy en ik pakken ze met handenvol op. Ze passen perfect in mijn ijskasteel, alsof pappa midden in de nacht terwijl ik sliep in mijn kamer is geweest om ze op te meten. Ik heb alle pinguïns een naam gegeven en ze zijn van de kinderen in IJsboogland, die ik ook een naam heb gegeven.

Pan, de zangeres, is van Not, de jongen die met kanker in het ziekenhuis ligt.

Gin, de danseres, is van Dury, het meisje wier ouders overleden zijn.

Nig, de schaatser, is van Lace, het meisje dat in een rolstoel zit.

Pig, de kunstenaar, is van Vin, de jongen wiens ouders nooit thuis zijn.

Guen, de taekwondomeester, is van Raly, de jongen die door zijn vader geslagen wordt.

Nin, de zwemmer, is van Fity, het meisje dat niet kan slapen omdat ze bang is dat ze in bed zal plassen.

Mox, de ruiter, is van Yam, het meisje wier moeder de hele tijd scheldt.

Pug, de kok, is van Gelan, het dikke meisje.

Bip, de bokser, is van Nek, de boze jongen.

Genn, de fotograaf, is van Shine, het albinomeisje dat door iedereen uitgelachen wordt.

Enu, de kledingontwerper, is van San, het verbrande meisje.

Egu, de bergbeklimmer, is van Daw, de jongen die door een auto overreden is.

Pegi, de ridder, is van Lap, de jongen wiens geslacht door zijn oom betast wordt.

Imp, de pianist, is van Stree, het meisje dat nachtmerries heeft.

Igu, de wielrenner, is van Raine, het meisje met twee gebroken benen.

Ipen, de leraar, is van Mase, de jongen met hersenletsel.

Ug, de tuinman, is van Lib, de jongen wiens familie vaak verhuist.

Upin, de visser, is van Treb, de jongen met het grote hoofd.

En natuurlijk zijn er Ginpu en White Sprite, die vanaf hun vaste plaats op het bed toekijken.

Ginpu leest en White Sprite schrijft. Mamma zegt dat iedereen ergens goed in is.

Pappa heeft een nieuwe vriendin en nu is bij hem thuis de afwas altijd gedaan. Ze woont daar niet, maar elke keer dat ik op bezoek kom, is ze er.

Pappa heeft Lori ontmoet in restaurant de Traveller's Inn aan de rand van Dartmouth, waar ze als serveerster werkt en waar pappa vaak eet wanneer hij van zijn werk op weg naar huis is. Ze is zo anders dan mamma dat je zou denken dat ze niets gemeen hebben, laat staan een wederzijdse partner. Het komt niet alleen doordat Lori jonger is dan mamma en doordat ze altijd lange gekreukelde rokken draagt die eruitzien alsof ze een eeuwigheid in een bak onder een zwaar gewicht hebben gelegen. Het komt eerder door de manier waarop Lori *zich op de stroom laat meedrijven* zoals ze het noemt, en afhankelijk van haar stemming of van wat er gebeurt, het een of het ander doet. Dat ze van gedachten verandert, van vaste plannen afwijkt en op suggesties of bemoeienis van anderen ingaat, hoort allemaal bij Lori's beminnelijke, grillige manier van doen, al houdt ze wel rekening met wat ze die avond zal eten en met de man met wie ze haar leven deelt.

Vandaag draagt ze niet een van haar lange, golvende, gekreukelde rokken. Omdat we vandaag gaan schaatsen loopt ze door pappa's huis in een wijde spijkerbroek die onder aan de pijpen en op de knieën gerafeld en gescheurd is en een te grote mosterdkleurige trui waarover zich een dikke, roestkleurige vlecht kronkelt. Wanneer mamma me bij de deur onder pappa's hoede achterlaat, waarschuwt ze hem nogal streng dat hij goed op mij, in plaats van op Lori, moet letten. Ze zegt het zo hard dat Lori, die in de huiskamer zit, het kan horen.

'Ga je maar omkleden,' zegt pappa en ik ben blij dat ik snel weg kan, omdat er een boosaardige staarwedstrijd tussen mijn vader en mijn moeder ontstaat. Ik loop door de gang naar mijn kamer om mijn handschoenen, muts en sjaal te pakken. Ik heb nu een heleboel kleren in mijn slaapkamerkast bij pappa thuis. Er ligt een kleurig pinguïndekbed op mijn bed en er hangen bijpassende gordijnen voor het raam. Er staan boeken op de planken.

Lori helpt me om mijn winterkleren te zoeken in een doos op de vloer van mijn kast. We kunnen geen sjaal vinden, dus leent ze me een van de hare, een dikke, gebreide, regenboogkleurige das.

Pappa, Lori en ik persen ons op de voorbank van zijn pick-up en mijn nieuwe schaatsen met de fluorescerende, oranje ijzerbeschermers hangen om mijn nek. Ik zit in het midden met mijn schouders tegen die van pappa en Lori aan gedrukt. Mamma zou boos zijn als ze zag dat ik geen gordel om heb.

De ijsbaan is een deel van de Dart River dat zwart lijkt tot je erop staat, want dan verandert de kleur in doorzichtig moddergroen. Pappa zegt dat dit een van de laatste weekends is dat we kunnen schaatsen voordat het begint te dooien en het ijs gaat breken. Het glinstert al nat in de zon. Ik zie bevroren, bruine bladeren die omgekruld of plat op onregelmatige afstanden van het oppervlak zitten. Ik vraag me af of de vissen beneden ook bevroren zijn en wachten tot ze door de dooi bevrijd worden.

Pappa en Lori pakken me allebei bij een hand en we rijden wankel op het glimmende ijs rond, eerst steeds sneller en vervolgens langzamer om om te keren. Behalve wij zijn er alleen tienerjongens op het ijs, die aan de andere kant met de vlakke kant van hun schaatsen een steen naar elkaar toe schoppen. Pappa vangt mijn gewicht grotendeels op wanneer ik bijna val over een bobbel in het ijs. Wanneer we naar het midden van de ijsbaan glijden, draait pappa Lori en mij samen rond tot Lori, die aan de buitenkant is en het snelst beweegt 'stop!' schreeuwt. Mijn neus begint te lopen en wolkjes damp ontsnappen aan mijn mond.

Ik trek me van hen los om vrij te schaatsen, maar ik heb te veel snelheid en val bij de eerste bobbel op mijn billen. Ik sta waggelend op, sla mijn handschoenen tegen elkaar om de rijp eraf te krijgen en hoor dan roepen: 'Hé, Bethany,' maar het is niet de stem van pappa of Lori. Ik kijk rond en zie Lucy's broer, Benjamin, zonder muts en met rode oren te midden van de jongens staan die tegen de stenen schoppen. Ik weet niet wat ik moet doen. Ik kan in elk geval niet met hun spel meedoen, maar als ik terugga naar pappa en Lori zou ik op een klein kind lijken dat naar zijn moeder rent. Ik zwaai met mijn gehandschoende hand en rijd langzaam in een neutrale richting weg. Benjamin rijdt snel naar me toe en stopt dan abrupt, zodat de onderkant van mijn spijkerbroek met afgeschraapt ijs bespat wordt. Hij steekt zijn hand uit en wipt de regenboogkleurige das in mijn gezicht. 'Mooie das,' zegt hij plagerig en hij rijdt met het gemak van een professionele ijshockeyspeler terug naar het groepje jongens. Mijn gezicht gloeit van de warmte in de ijskoude lucht.

Ik hoor mamma in Michaels slaapkamer bidden. Ik kan door de ontluchtingsbuis die onze kamers verbindt bijna elk woord verstaan. Ik stel me haar voor terwijl ze voor Michaels foto staat: de laatste door de computer aangepaste foto, waarop hij als veertienjarige te zien is en waarop hij er net zo leuk uitziet als Benjamin.

'Mamma wacht hier op je, schat. Kom naar huis, lieveling. Kom alsjeblieft naar huis. Hier hoor je thuis en hier heb je altijd thuisgehoord. Waar je ook bent en wat je ook doorgemaakt hebt, kom alsjeblieft bij me terug.'

Ik stel me voor dat mijn broer de voordeur opent en ons leven binnenkomt. Mamma zou niet verbaasd zijn, alleen maar dolblij. Haar gezicht zou oplichten als een lamp die aangeknipt wordt en al haar rimpels zouden verdwijnen als op een foto die met een flitslicht is gemaakt. Met haar strakke, jonge gezicht zou ze zich naar mijn broer toe buigen en hem op de wang kussen. Hij zou er precies zo uitzien als op zijn foto. Het is moeilijk om me hem anders voor te stellen dan lichtelijk vervaagd, in zijn groen met witte poloshirt en met die grijns op zijn gezicht alsof hij de hele tijd overal van geweten heeft.

Ik stel me voor dat mijn moeder zelfs geen vragen zou stellen als mijn broer vandaag thuiskwam. Ze zou gewoon met het helingsproces beginnen. Wie kan het wat schelen waar hij geweest is en wat voor gruwelijke dingen hij meegemaakt heeft? Hij zou nu thuis zijn en ze zou hem met haar liefde genezen.

Het is zaterdagavond en we hebben net kip met aardappelen gegeten. Ik leun verzadigd en lethargisch tegen de kussens op mijn bed en maak mijn huiswerk. Ik heb een week om een verhaal voor de Engelse les te schrijven voordat mamma en ik naar de lagere school van Dartmouth gaan voor mijn toetsen. Het verhaal hoort daar ook bij, maar ik mag het thuis schrijven en het samen met mijn andere toetspapieren inleveren.

Het enige verhaal dat ik kan bedenken, gaat over pinguïns en IJsboogland, dus dat schrijf ik. Na een eindeloze beschrijving van regenboogkleurige ijsbergen en bladerloze bomen doen Raine, het meisje met de gebroken benen, en haar pinguïn, Igu, de wielrenner, hun intrede in het verhaal. Ik installeer me in het rijk van maagdenpalmblauwe luchten en ijstorens die zo hoog zijn dat je de top ervan niet meer kunt zien. In deze wereld, waar ijsananassen in ijsvelden groeien en sneeuwinsecten boven je hoofd zwermen en ronddraaien als kleine helikopters, ben ik machtig en vrij.

'Het is bijna bedtijd, Bethany,' zegt mamma. Ze staat in de deuropening met haar armen voor haar borst gekruist.

'Ja, mamma, ik maak alleen mijn huiswerk.'

'Je verhaal voor Engels?'

'Ja, ik ben bijna klaar. Wilt u het horen?'

'Je kunt het me morgen voorlezen. Doe het licht gauw uit.'

'Mamma?'

'Ja.'

'Weet God waar Michael is?'

Mamma zwijgt even en zegt dan: 'Waarom vraag je dat?'

'Ik weet niet,' zeg ik. 'Ik dacht dat ik u hoorde…'

Mamma komt mijn kamer binnen en gaat op de rand van mijn bed zitten. Ze kijkt me recht aan.

'Ik was niet aan het bidden. Ik praatte met Michael.'

'O,' zeg ik. 'Praat hij ooit terug?'

Mamma denkt over haar antwoord na en knikt dan. 'Soms,' zegt ze. 'Ik hoor zijn stem 's ochtends vlak voordat ik wakker word.'

Ik ga rechtop zitten.

'Wat zegt hij dan?'

'Hij zegt alleen "ik houd van u" of "ik mis u" en soms zegt hij alleen "het is in orde".'

'Vraagt hij naar mij?'

Mamma glimlacht en houdt haar hoofd schuin naar rechts.

'Hij denkt de hele tijd aan je,' zegt ze. Ze strekt haar arm uit en stopt een streng haar achter mijn oor.

'Misschien als ik bad,' opper ik.

'Ja, dat zou kunnen helpen.' Mamma kijkt naar haar schoot. 'Het kan in elk geval geen kwaad, denk ik.'

'Waarom geeft God Michael niet gewoon terug?'

'Op die vraag weet ik het antwoord niet, Bethany. Hij zal zijn redenen wel hebben. Misschien kan Hij daar niet over beslissen. Misschien is er geen…' Mamma zwijgt even en formuleert het dan anders. 'Soms vraag ik me af of ik kan geloven in een God die Michael heeft weggehaald.'

'Pappa zegt dat ons geloof in tijden van nood sterker moet worden.'

'Nu, dan kun je tegen pappa zeggen…' Maar mamma houdt zich in en legt haar lange vingers over haar mond om de giftige woorden tegen te houden die eruit zouden kunnen ontsnappen.

Sinds pappa Lori heeft leren kennen, bid ik zondags in de kerk. Het is een verenigde kerk waar volgens pappa iedereen kan komen, wat zijn of haar religie ook is.

Ik ga niet met de andere kinderen naar het souterrain, maar blijf bij pappa en Lori op de harde houten banken zitten om naar de dominee te luisteren. Pappa laat me in zijn psalmenboek meekijken en wijst bij wanneer we opstaan om te zingen.

'U zij de glorie. O, U zij de glorie.'

Ik luister naar de dominee met het dunne snorretje die zegt dat de dingen niet zijn wat ze lijken, dat een vuile sneeuwklomp vanbinnen zacht en zuiver is en snel smelt wanneer hij opengemaakt wordt. Het beeld van het zachte binnenste van een reusachtige sneeuwbal dat naar buiten stroomt, bevalt me. Wanneer we ons hoofd buigen om te bidden, hoor ik mamma's woorden *het kan in elk geval geen kwaad*, dus vraag ik God om Michael naar haar terug te brengen.

Na de kerkdienst gaan we naar pappa's huis en Lori maakt kaas en komkommersandwiches voor ons. Wanneer Lori en ik de tafel hebben afgeruimd, vraagt ze of ik wil tekenen. Wanneer ik ja zeg, brengt ze me een groot schetsboek en een paar houtskoolstiften. Ik zeg tegen haar dat ik pinguïns wil tekenen, dus zetten we de vijf vogels die ik heb meegebracht in een rij op de tafel.

Lori helpt me met de lijnen en de arcering. We tekenen de ene na de andere pinguïn tot de hele bladzijde gevuld is met mijn vrienden die niet kunnen vliegen: Bip, Enu, Pegi, Guen en Igu, van voren, van achteren, van opzij en alleen de kop.

135

'Kunnen we Igu op een fiets tekenen met een meisje met gebroken benen achterop?' vraag ik. Ik haal Igu uit de rij en houd hem voor Lori omhoog, zodat ze hem kan bekijken.

'Duidelijker kun je niet zijn, Bethany?' Ze lacht om mijn verzoek en gooit haar hoofd naar achteren zodat haar lange, melkwitte nek strakgetrokken wordt.

'Kijk eens wat ik getekend heb.' Ik laat de bladzijde bij de deur aan mamma zien.

'Goed gedaan, Bethany. Kom mee, we gaan.'

'Mag ik het schetsboek mee naar huis nemen?' schreeuw ik naar de keuken, waar Lori aan de tafel is blijven zitten. Ze komt de huiskamer in met een houtskoolstift.

'Natuurlijk, en die kun je ook meenemen.' Ze overhandigt me de houtskoolstift en gaat dan terug naar de keuken zonder mamma te begroeten. Ik heb het gevoel dat ik iets verkeerds heb gedaan.

De motor van rechercheur Adams staat op de oprit wanneer mamma en ik bij ons huis stoppen. Voordat we uit de auto stappen zegt ze dat ze hem voor het eten heeft uitgenodigd.

'We eten alleen kippensoep, niets bijzonders. Rechercheur Adams is tegenwoordig alleen. Zijn vrouw ligt in het ziekenhuis en ze is heel erg ziek, dus we moeten de rechercheur het gevoel geven dat hij welkom is. Hij heeft ons in de loop van de jaren zo geholpen,' zegt mamma.

'Wat heeft ze?' vraag ik.

'Dat weten de dokters niet precies. Ze is met hoge koorts naar het ziekenhuis gebracht en een paar dagen later in een coma geraakt.'

'Wat is een coma?'

'Dat is een soort diepe slaap die heel erg lang duurt.'

'Hoe lang?'

'Dat weet ik niet, Bethany, maar vraag rechercheur Adams er

niet naar. We willen dat hij vanavond zijn problemen vergeet. Oké?'

'Oké, mamma.'

Rechercheur Adams staat met zijn grote, massieve gestalte over het fornuis gebogen in een dampende pan met soep te roeren wanneer we de keuken binnenkomen. De tafel is gedekt. Uitwaaierende boterhammen van zelfgebakken brood liggen verleidelijk op een bord in het midden van de tafel. Het water loopt me in de mond.

'Jeetje,' zegt mamma. 'Dat had je allemaal niet hoeven doen. Ga nu maar lekker zitten.'

'Hallo, kleintje,' zegt hij en hij aait me over mijn bol wanneer ik langs hem loop.

'Ga je handen maar wassen,' zegt mamma en ik doe wat ze zegt.

Onder het eten let ik erop dat ik niets over mevrouw rechercheur Adams zeg. Ik denk dat ik ook niets moet zeggen over de kerk of God, of pappa of Lori of zelfs Michael, want mamma ziet er zo gelukkig uit wanneer ze het brood aan de rechercheur geeft of zijn kom volschept met de vleesrijke soep. Mamma ziet er ongewoon mooi uit wanneer ze glimlacht. Ik eet stilletjes en luister beleefd naar hun volwassenengepraat over de uitbreiding van de Openbare Bibliotheek van Dartmouth.

Wanneer mamma toestemming heeft gegeven, ga ik naar mijn kamer, haal het schetsboek en de houtskoolstift uit mijn tas en perfectioneer de gearceerde tekening van Igu en Raine. Ik ga die bij mijn verhaal voor mijn toetsen doen.

Wanneer ik mijn toetsen terugkrijg, lijkt mamma tevreden. Ik had voor elk vak een score van boven de tachtig procent, maar mijn verhaal is het beste. Ze zegt dat ik aan de keukentafel moet gaan zitten en ze leest me het commentaar voor.

Goed werk, Bethany. Je verhaal zit goed in elkaar, je hebt weinig grammaticale fouten gemaakt en de spelling is onberispelijk.

'Zie je wel.' Mamma houdt even op met voorlezen. 'Al dat controleren heeft geholpen.'

Ze leest verder.

Je hebt een geweldige fantasie. Bedankt voor de bijgesloten tekening. Het was een leuke toevoeging aan het verhaal. Ik hoop in de toekomst nog meer IJsbooglandverhalen te lezen.

Daarna volgt een PS. *Als je er geen bezwaar tegen hebt, zou ik je verhaal willen insturen voor de jaarlijkse Korteverhalenwedstrijd van de lagere school van Dartmouth.*

'Mag dat, mamma?' vraag ik smekend. 'Mag ik mijn verhaal insturen voor de wedstrijd?'

'We zullen zien,' zegt mamma. 'Als je het op school goed doet, is de beloning dat je het in het leven goed doet, dat je gaat studeren en een goede baan krijgt. Ik wil niet dat je afgeleid wordt door pinguïns en dat je je wis- en natuurkunde vergeet.'

'Dat doe ik niet, dat doe ik niet.' Ik beloof dat ik heel hard zal werken, maar ze beantwoordt mijn vraag nog steeds niet.

Op de voorpagina van mijn verhaal staat een grote, met rode inkt geschreven negen. Mamma bevestigt de bladzijde en mijn tekening met magneetjes aan de koelkast.

'Ze hebben me verteld dat je door ons harde werken op het niveau van de achtste klas zit,' zegt ze. 'Als je in dit tempo doorgaat, kom je op je veertiende van de middelbare school af. Daarna kunnen we de stof van de universiteit gaan bestuderen.'

Dat kan me niet veel schelen. Ik ben alleen maar blij dat mijn verhaal de koelkast heeft gehaald.

25

Mamma was niet de enige in Helena die beroemd was. Toen XYI TV ons interview met Lindsey Sanders uitgezonden had, konden Richard en ik niet verder komen dan het voetpad voor mijn huis zonder dat de pers ons bestookte met vragen en er ongewenst foto's van ons werden genomen. Ik had gedacht dat de enorme honger naar informatie van de media wel gestild zou zijn nadat we ons verhaal openbaar hadden gemaakt, maar ik werd me er al snel terdege van bewust dat je niet een biefstuk voor één uitgehongerde leeuw kunt gooien zonder dat de andere op je afkomen om hun deel op te eisen.

Niet alleen de luidruchtige verzameling mensen van de media stonden voor mijn rijtjeshuizencomplex maar ook de bezorgde burgers van Helena, die schreeuwden, juichten en met borden en spandoeken zwaaiden. Ze hadden ons verhaal met de felheid van uitgehongerde aasgieren verslonden en het gevoel gekregen dat het op de een of andere manier hun verantwoordelijkheid was om een van hun eigen mensen te steunen. Hun trots op mamma's daad was bijna tastbaar. Ze had niet een Kennedy of een filmster in een menigte opgespoord. Ze was op haar intuïtie afgegaan, had naar elke vezel in haar lichaam geluisterd en een niet te negeren gevoel gevolgd om een monster te kunnen vellen. Natuurlijk was het de taak van de media om de advocaat van de duivel te spelen, maar ik werd boos om de vragen en suggesties die ze, elke keer dat ik mijn huis verliet, door het raam van mijn auto naar me blaften.

'Hoe wist je moeder dat het TRF was? Als het nu eens iemand anders was geweest?'

Als ik jullie nu eens overreed, ongedierte? wilde ik uit mijn autoraam terugroepen, maar eigenlijk was het een goede vraag die ze stelden. *Als dat nu eens zo geweest was?* Het was een vraag die de rechters uiteindelijk ook zouden stellen. Hoe overtuig je een rechter ervan dat ze het diep vanbinnen absoluut zeker wist?

Richard, Ryan en ik werden belegerde gijzelaars in mijn huis, dat met de dag kleiner werd. We stuurden Vivian erop uit om boodschappen te doen. Ik vond het vreselijk dat ik het haar moest vragen na alles wat ze al voor me had gedaan en nadat ze plotseling voor Ryan had moeten zorgen. Maar Vivian, de geweldige Viv, leek echt blij om te kunnen helpen, alsof ze had gewacht op een reden om onmisbaar te zijn. Dit dametje liep zelfverzekerd en met de onschuldige geloofwaardigheid van een professionele actrice tussen de drommen mensen voor de deur door en ze loog met een uitgestreken gezicht tegen iedereen die haar vroeg of ze iets over mijn moeder wist. De media verloren al snel hun interesse in haar en ze lieten haar door hun barricade van lichamen wanneer ze brood, bananen en koffie voor ons ging halen.

Ik was de beheerders van het complex ook dankbaar. Zij hadden de media gewaarschuwd dat ze iedereen die betrapt werd op het binnenglippen van het complex voor de rechter zouden slepen. Ze duwden elk gretig gezicht een schriftelijke waarschuwing van hun advocaten onder de neus waarin stond dat ze dat zouden doen. Hoewel Richard en ik gezien zouden worden zodra we de voordeur openden, konden we daardoor gemakkelijk door de achterdeur naar buiten glippen, waar we voor de media afgeschermd werden door het vierkante blok huizen dat de gemeenschappelijke binnentuin omringt. In het midden van de tuin was een klein speelterrein met een schommel en een klimrek, waar Richard en ik Ryan naartoe konden brengen. We konden dus in elk geval de besloten binnenhof op gaan om een frisse neus te halen.

Vandaag was het Richard die buiten Ryan bezighield en deed of alles normaal was. Ik kon hen door het raam van mijn slaapkamer zien spelen. Ryan, die dik ingepakt was in zijn knalrode parka, reed zijn speelgoedautootjes over de koude grond. Richard, die een zwartleren jas droeg, wees glimlachend vanaf een houten bank. Ryan leek daar in het vierkant van zand nog kleiner met de reusachtige Richard vlak bij hem.

Will zat in kleermakerszit op het bed achter me over de bladzijden van mamma's politierapport gebogen, dat we op Richards aandringen hadden mogen kopiëren. De commissaris deed alles voor Richard, omdat hun paden elkaar in het verleden menigmaal hadden gekruist. Ik was blij dat ik even met Will samen kon zijn. Het was een kleine verademing in onze verder krankzinnig drukke dagen. Doordat hij binnenkort zijn examens moest doen en ik mijn tijd moest verdelen tussen Ryan, dr. Ashley, mamma en de media, betekenden deze momenten heel veel voor ons. Ze hielden ons op de been. Ik draaide me naar hem om en zijn haar leek op ijs in het licht dat door het raam naar binnen viel.

'Dr. Ashley wil mijn kinderboeken lezen,' zei ik. Hij keek van de uitgespreide vellen papier op.

'Waarom?'

'Dat weet ik niet precies. Ik denk dat hij ervan overtuigd is dat hij mamma beter zal kunnen helpen wanneer hij mij beter begrijpt. Maar ik heb het gevoel dat ik degene ben die in therapie is.'

Hij strekte zijn hand naar me uit. 'Kom eens hier,' zei hij op een toon alsof hij iemand in de regen een paraplu aanbood. Ik liep van mijn uitkijkpost bij het raam vandaan en ging op de rand van het bed zitten. Hij trok me naar zich toe en de ritselende papieren onder ons gleden op de vloer. Ik had het gevoel alsof ik hem in geen eeuwigheid meer had gezien, althans niet echt. Alsof ik heel lang niet in die prachtige lichtblauwe ogen had gekeken en me niet herinnerd had hoeveel ik van hem hield, hoeveel hij voor me betekende. Het leek lang geleden sinds ik met mijn vingers door die krullen had gestreken die zo fijn en zacht waren als die van mijn vier jaar oude zoon. We spreidden het dekbed uit. Onze benen verstrengelden zich, ik trok zijn lichaam tegen me aan en voelde dat het zijn warmte aan me overdroeg. Ik besefte nu pas dat ik het koud had en mijn handen waren ijzig op zijn huid. Hij kwam met een ruk overeind en liet zijn hoofd op zijn gebogen arm rusten. Hij bestudeerde mijn gezicht en streek mijn haar glad.

'Je moet je ontspannen. Neem een adempauze van dit alles,' zei hij.

'Dat is gemakkelijker gezegd dan gedaan,' zei ik klaaglijk. Hij boog zich naar me toe en kuste me met zijn babyachtig zachte lippen. Ik voelde zijn tong heel even zachtjes tegen de mijne. Toen Will zijn hand onder mijn T-shirt stak, ging de achterdeur open. We hoorden Ryans drukke gebabbel, het geschuifel van schoenen en het geruis van jassen die uitgetrokken werden. Het zat er voorlopig niet in dat ik me zou kunnen ontspannen.

Toen Will en ik naar Ryan en Richard toe gingen, waren ze in de keuken. Richard sneed kant-en-klaar koekjesdeeg op een snijplank en Ryan legde de perfecte rondjes op een vel aluminiumfolie.

'Hallo, mamma, hallo, Will,' gilde Ryan.

'Hé, deugniet.' Will aaide Ryan over zijn bol.

Ik boog me voorover en omhelsde mijn zoon tot hij zich loswrong.

'Mmm, chocoladekoekjes,' zei ik toen ik naar het platte bord met geschaafde chocola keek. Will liep naar de boogdeur en keek glimlachend naar het vriendelijk hectische tafereel.

'Ja, mamma, en weet u wat erbij zit?' Ryan hield met grote ogen het pakje met wit glazuur omhoog dat bij de instantkoekjes hoorde.

'Maar we moeten wachten tot ze afgekoeld zijn, hè opa?'

Richard grijnsde en knikte naar mijn zoon.

'Kunnen we een paar koekjes naar oma sturen?' vroeg Ryan.

'Misschien wel,' zei ik.

Ik zag verse bagels en groene bananen naast Richard op het aanrecht liggen. Vivian had in de loop van de dag weer boodschappen voor ons gedaan.

'Bedankt, pappa,' zei ik en ik kneep Richard even in zijn arm toen ik naar de koelkast liep. Er zaten nog meer nicuwe boodschappen in: een kan ijsthee, een potje zure bommen, een pak melk en aardbeien zo groot als vuisten.

'Ik ben Vivian buiten tegemoet gelopen,' zei Richard, die mijn gedachten las. 'Ze had een paar tassen boodschappen voor ons gehaald.'

'En zal ik u nog eens wat vertellen, mamma?' vroeg Ryan, die alles even leuk vond.

'Zeg het maar, schat.'

'Opa zegt dat we voor de lunch pizza eten.'

Ik zou er heel wat voor over hebben om even in Ryans vredige vijver van simpele genoegens te kunnen duiken. Wat moest het leven fantastisch zijn, dacht ik, wanneer je compleet gelukkig was als je pizza en koekjes kreeg. Ik wou dat ik als Ryan kon denken, al was het maar voor een paar uur, en dat het leven bij mij ook zo veel verwondering zou wekken. Toen ik naar mijn vier jaar oude zoon keek die met grote precisie rondjes koekjesdeeg in de ovenschaal liet ploffen, leek het bijna mogelijk.

26

Ik kan niet kiezen tussen het met de hand beschilderde minia-
tuurtheeservies en de glazen fruitschaal met veelkleurige spi-
raalvormige oren. Het cadeau voor pappa was een gemakkelijke
keus geweest: een minikoelbox voor picknicks of een paar koude
biertjes bij de rivier. Het was Lori's idee, maar ik was het er van
harte mee eens.

'Wat vind je ervan?' vraag ik haar, terwijl ik de twee mogelijkheden afweeg die ik me van mijn zakgeld kan veroorloven.

'Ik weet het niet. De fruitschaal is heel mooi, maar het theeservies is uniek,' zegt ze. Een dame met een blauwe hoed op zwenkt
met haar volgeladen winkelwagentje opzij wanneer ze dichterbij
komt om een botsing met het tegemoetkomende verkeer te ver-
mijden. Ik heb het in de K-mart nog nooit zo druk meegemaakt.

Uniek. Dat vind ik mooi. Het wordt het theeservies.

We brengen het naar de servicebalie en Lori lapt de extra twee
dollar die nodig zijn om het in cadeaupapier te laten inpakken.
Ik heb nog nooit iets in cadeaupapier laten inpakken. Mamma
zal weten dat dit een speciaal cadeau is. Uniek.

Ik bedenk dat ik de fruitschaal voor Lori zal kopen. Ze heeft tenslotte gezegd dat hij echt mooi is. Ik heb nog twee weken voor het Kerstmis is, dus met mijn zakgeld en het geld voor de extra klusjes die ik voor pappa doe, kan ik het redden. Ik heb voor Lucy al een poster van New Kids on the Block gekocht en voor mevrouw Zingler een beker waarop DE BESTE LERARES staat.

Wanneer we de winkel verlaten, draagt Lori de verpakte doos. Ik word afgeleid door een rij glazen ballen met wintertaferelen erin die op volle planken liggen. Ik strek mijn hand naar een ervan uit en wip hem ondersteboven zodat het gaat sneeuwen.

'Kom mee, Bethany. Je moeder verwacht ons terug,' zegt Lori.

Ik herinner me wat mamma door het raampje aan de passagierskant van Lori's Datsun heeft gezegd toen ik mijn gordel omdeed.

Breng haar direct terug en houd haar alsjeblieft goed in de gaten, want dit is hét seizoen voor kinderlokkers.

Mamma staat voor het raam wanneer we de oprit op rijden. Ik ruik de heerlijke geur van dennennaalden wanneer ik het huis binnenloop.

'O, wat is dit?' vraagt mamma en ze pakt de verpakte doos uit mijn handen.

'In cadeaupapier en alles. Wat luxe,' zegt ze. 'Wiens idee was dat?' Haar toon is beschuldigend. Ik weet dat ze weet dat het niet mijn idee was. Ik pak het zonder te antwoorden terug en zet het onder de boom. Misschien was het cadeaupapier toch niet zo'n goed idee.

Omdat we geen haard hebben, worden de kousen op kerstavond aan muurhaken naast de boom gehangen. Mamma zegt dat het niets uitmaakt, dat de Kerstman gewoon door de deur binnen zal komen, maar in geloof niet meer in de Kerstman en zelfs als ik dat wel deed, zou ik haar niet geloven. Mamma zou nooit de hele nacht de deur van het slot laten.

Mijn kous is een reusachtige, elastische, rode sok met een mollige, feestelijke pinguïn op het been, waarvoor mamma's breikunst verantwoordelijk is. Michaels groene kous bungelt ernaast. Hij is korter, maar breder en het blad van een rode kerst-ster krult om het midden ervan.

Er zijn steeds meer nieuwe cadeaus onder de boom gezet sinds hij op 1 december in een geurige wolk is bezorgd. Vanavond zijn ze naar boven en naar opzij uitgedijd en dan zijn de cadeaus die de Kerstman (althans, als er een Kerstman bestaat) vannacht zal brengen er nog niet eens bij. Achterin tegen de muur staat een plat rond cadeau dat bijna net zo groot is als ik. Het is van rechercheur Adams en ik weet dat het een slee is, maar dat ik dat weet, maakt het niet minder opwindend.

Niemand hoeft me vanochtend uit bed te halen. Ik ben klaar-wakker en het is pas halfzes. Ik blijf hier gewoon wachten tot mamma wakker wordt. Ik zal mijn radio aanzetten om gezel-schap te hebben. Ik zal de deur van mijn slaapkamer een beetje wijder opendoen en de radio wat harder zetten. Ik zal gewoon bij mamma op bed springen.

Mama zegt dat we eerst moeten ontbijten voordat we de ca-deaus uitpakken, maar ik heb niet eens honger.

'Dan heeft je vader tijd om hiernaartoe te komen,' zegt ze.

'We moeten ook nog op hem wachten.

Wanneer ik na een martelend halfuur met een volle maag op de vloer voor pappa's voeten zit, overhandigt mamma me mijn eerste cadeau en zegt: 'Oké, we kunnen als beschaafde mensen beginnen.'

Wanneer de storm van rondvliegend papier tot rust gekomen is, word ik getroffen door de aanblik van de boom. Zijn uiterlijk is sinds een uur geleden drastisch veranderd. Er zijn alleen nog een paar ongeopende cadeaus en één opgehangen kous te zien die nog steeds barstensvol zit, compleet met een Japanse sinaasappel en een uitstekende doos Toblerone-chocola.

Misschien komt het doordat ik dit jaar een beetje ouder ben of doordat ik me meer bewust ben van pappa's aanwezigheid en van wat hij denkt, maar hier voor me zie ik duidelijker dan ooit het zichtbare stoffelijk overschot van mijn onzichtbare broer.

Pappa zegt dat hij naar huis moet. Hij heeft een kerstdiner met Lori en haar familie. Ik kus en omhels hem bij de deur. Mamma roept een afscheidsgroet vanuit de keuken. Ik ga naar mamma toe wanneer pappa weg is. Ze staat aan het aanrecht selderij en uien te snijden voor de vulling van de kalkoen.

Ze zet me aan de keukentafel met een grote lichtgroene Tupperware-schaal en een zak sperziebonen. Ik moet de puntjes eraf halen en ze in tweeën breken en in de schaal leggen. Ik vind dit leuk werk vanwege het knapperige geluid bij het breken en de frisse geur die dan opstijgt.

Mamma neuriet zachtjes mee met kerstliedjes op de radio. Nadat hij zijn vrouw in het ziekenhuis heeft bezocht, komt rechercheur Adams bij ons eten. Ik denk aan zijn vrouw, die in diepe slaap verzonken aan een infuus ligt terwijl verpleegsters haar met naalden prikken.

'Denkt u dat ze weet dat het Kerstmis is?' vraag ik.

'Wie? Wie weet wat?'

'Mevrouw Adams.'

'Kom nou toch, Bethany. Dat weet ik niet. Misschien wel, misschien niet. Het is beter dat ze het niet weet.'

'Omdat ze zich dan verdrietig zou voelen?'

'Dat zou zeker zo zijn.'

'Mensen horen met Kerstmis niet verdrietig te zijn,' zeg ik.

'Nee, daar heb je gelijk in,' zegt mamma. ' Maar niet alle mensen zijn met Kerstmis bij degenen bij wie ze willen zijn. We zullen het moeten doen met wat we hebben.'

'Zal ze ooit wakker worden?' vraag ik.

'Natuurlijk wordt ze wakker. We weten alleen niet wanneer. Niemand weet dat.'

'Zelfs de dokters niet?'

'Nee, zelfs zij niet. Sommige dingen zijn gewoon een mysterie. Het is niet aan ons om te proberen het op te lossen.'

'Denkt u dat rechercheur Adams verdrietig is?'

'Natuurlijk is hij verdrietig,' snauwt ze. 'Wat denk je anders? Iemand van wie hij houdt, is er niet en alles wat hij nu nog heeft...'

Maar mamma kan haar zin niet afmaken, omdat ze zich met het mes in haar vinger gesneden heeft.

'O jee, potverdikkie!' roept mamma. Ze wipt van haar ene voet op de andere en knijpt in haar bloedende wijsvinger.

'Ik ben alles wat er over is,' fluister ik tegen de bonen.

Ik breng tweede kerstdag bij Lori en pappa door. Lori en ik pakken de cadeautjes uit die we van elkaar gekregen hebben en wanneer we dat doen, barsten we allebei in lachen uit, want zij heeft de glazen fruitschaal in haar handen en ik de glazen water-bol waarin het met zilverkleurige vlokken sneeuwt, allebei dingen die we die dag in de K-mart hebben gezien. We brengen de middag door met het natekenen van het wintertafereel in de bol op het tekenpapier dat Lori opgerold in pappa's kast bewaart.

'Wil je het nu schilderen?' vraagt ze. Natuurlijk wil ik dat. Ze brengt haar acrylverf naar de keukentafel en ik zie direct de zil-verkleur.

'Ik wil alles in de zilverkleur schilderen,' zeg ik.

Het is moeilijker dan ik denk. Als ik *alles* zilverkleurig schilder, dan levert dat alleen maar één grote zilverkleurige klodder op die overal hetzelfde is, dus meng ik, onder Lori's deskundige leiding, de zilverkleur met verschillende hoeveelheden wit en daarna met paars en een beetje zwart om schaduw en lichtere delen te creëren. Ik vind het prettig bij Lori. Ze leert me leuke dingen.

Mamma wacht tot na nieuwjaarsdag voor ze Michaels cadeaus naar zijn slaapkamer boven brengt, waar ze, Kerstmis na Kerstmis en verjaardag na verjaardag, op de vloer worden opgestapeld. Ik help haar.

Wanneer ik de kamer van mijn broer binnenkom, word ik herinnerd aan zijn passie voor verzamelen.

Hij vond altijd van alles.

Hij was een kleine snuffelaar wanneer hij met mamma ging wandelen. Mamma heeft me verteld dat Michael een scherp reukvermogen had. Dat hij alles wat hij van de grond opraapte eerst onder zijn neus hield om eraan te ruiken. Het was een gewoonte die ze hem niet wilde afleren omdat ze het zo vertederend vond. Hij kwam thuis met gladde, neuswaardige stenen, reusachtige eikels, aangevreten stuiterballen en vreemd gevormde takken. Mamma heeft al zijn schatten bewaard. Ik laat mijn blik door de kamer dwalen terwijl ze zijn cadeaus wegzet. De dingen die hij buiten gevonden heeft, staan op de vensterbank en op zijn dressoir.

Mamma hangt al Michaels foto's op de muur tegenover het raam. Ik vind het raar dat ze hem elk jaar een ander, door de computer gemaakt gezicht geven, maar hem steeds hetzelfde groen met witte poloshirt laten dragen. Ik hoop dat hij het mooi vond. Hij moet het misschien altijd blijven dragen.

'Bethany, geef me eens een paar van de kleinere cadeaus aan,' beveelt mamma. Haar achterwerk steekt uit de kast uit wanneer ze zich vooroverbuigt om de stapel recht te trekken.

Ik pers me naast haar met mijn armen vol nieuwe cadeautjes. De verpakking van de oude geschenken is hier en daar langs de randen van het harde plastic eronder gescheurd. Het vervaalde papier wordt naar boven toe steeds helderder van kleur.

Stof dat mijn neus doet jeuken, stijgt op wanneer we de bijdrage van deze kerst aan de stapel toevoegen. Boven ons hoofd hangen Michaels kleren, met de prijskaartjes er nog aan. Paren nieuwe hardloopschoenen staan op planken. Ik weet dat er broeken, sokken, ondergoed en pyjama's in de laden liggen. Ik heb gezien dat mamma ze in de K-mart kocht.

Mamma neuriet 'Amazing Grace' terwijl ze de knaapjes van ijzerdraad aan de horizontale houten roede in de kast met gelijke tussenruimten uit elkaar schuift zodat er een kleurige mengeling van overhemden met lange mouwen en de T-shirts van deze zomer ontstaat die twee vingerbreedten van elkaar vandaan hangen. Terwijl ik achter haar sta toe te kijken, vraag ik me af of Michael er ooit een van zal dragen.

'Mamma, als Michael nu eens…' begin ik, maar voor ik verder kan gaan, draait ze zich naar me om en haar gezicht straalt haar afkeuring zo duidelijk uit als een baken dat voor gevaar waarschuwt. Ze kijkt door me heen alsof ze zich tot iemand richt die recht achter me staat. Ik zie het wit van haar ogen en ze is opgehouden met neuriën. Ze wijst met een sterke, vaste wijsvinger naar me wanneer ze begint te spreken.

'Denk dat nooit,' zegt ze.

Ik slik.

'Nooit! Begrepen!'

'Ja, mamma.' Mijn keel wordt droog en verschrompelt.

'Wanneer het voor Michael tijd is om thuis te komen, zal hij dat doen.'

27

Wanneer ik de volgende ochtend koffie drink, word ik begroet door mijn eigen gezicht. Het gezicht van een gekwelde figuur uit een wassenbeeldenmuseum stond op de voorpagina van de *Helena Chronicle*, een tweewekelijks krantje dat zijn weinig frequente verschijning probeert goed te maken door grote sensationele kleurenfoto's op het omslag te plaatsen. Onder mijn obsceen vergrote, rode gezicht dat op het parkeerterrein van het State Hill onverhoeds gefotografeerd is, staat de tekst DOCHTER FISHER BESCHAAMD.

'God, wat vervelend,' zei Richard toen hij slaperig de keuken binnenschuifelde en zag wat ik las. 'Ik had eerder op moeten staan om je dit te besparen.'

De grote, zachtaardige, heroïsche Richard die altijd onze familie voor iets probeert te behoeden. De donkere kringen onder zijn ogen vertelden me dat hij de laatste tijd bij lange na niet genoeg slaap kreeg.

'Het geeft niet,' zei ik.

Richard en ik zouden mamma vandaag gaan bezoeken. Eerst zouden we achter de doorkijkspiegel naar dr. Ashleys gesprek met haar kijken. Dr. Ashley had me gisteren gebeld om te zeggen dat we toestemming hadden gekregen om tijdens het gesprek toe te kijken, maar ik wist niet of ik dat voorrecht eigenlijk wel waardeerde. Zoals gewoonlijk zou Vivian op Ryan passen wanneer we weg waren. Het leek alsof hij tegenwoordig twee huizen had en hij voelde zich in allebei even goed op zijn gemak.

Ik keerde de krant om toen Ryan de keuken binnenkwam. Zijn slaperige gezicht had een speciaal soort molligheid dat voor de vroege ochtend gereserveerd was en zijn haar zat warrig en vormde zandkleurige pluimen. Ik gooide de krant in de vuilniszak die onder het aanrecht hing toen ik zijn ontbijt ging klaarmaken.

Toen we allemaal gegeten hadden, stond Vivian voor de achterdeur om Ryan op te halen. Ze had een tas met een krop sla, appelen en een paar wortelen bij zich.

'Deze bederven toch alleen maar in mijn koelkast,' loog ze en ze overhandigde me de uitpuilende plastic tas, terwijl ze zich automatisch vooroverboog om Ryans gympen uit de berg schoenen naast de deur te pakken. Ryan rende eerst naar haar toe om haar routinematig te omhelzen en vervolgens naar zijn slaapkamer. Even later kwam hij terug met mijn oude pinguïn Ginpu. Pas toen herinnerde ik me dat dr. Ashley me had gevraagd de boeken voor hem mee te brengen.

Ryan was zo opgewonden dat hij de dag bij Vivian zou doorbrengen dat hij er niet moeilijk over deed dat ik hem achterliet. Ze had hem beloofd dat ze een kersentaart zou maken en dat hij naar de laatste Scooby-Doo-video mocht kijken.

'De hersenen van mijn oma zijn ziek,' zei hij nuchter toen hij zijn voeten in zijn gympen stak. 'Ze is in het ziekenhuis, maar mamma zegt dat ik haar een keer mag bezoeken.'

Ik kreeg maar een magere knuffel voordat hij met Vivian door de deur naar buiten schoot en met zijn iele stemmetje om het exclusieve recht op het gebruik van de deegrol vroeg.

'Ik mag rollen, ik mag rollen,' zei hij smekend terwijl hij de hand van mijn buurvrouw vastgreep en haar tussen onze huizen in naar voren trok.

Ik pak mijn boeken van de boekenplank in Ryans slaapkamer, twintig dunne, kleurige ingebonden boeken, en stop ze in mijn rugzak. Richard was al klaar en wachtte in zijn leren pak en laarzen op me toen ik door de achterdeur naar buiten kwam.

Dit zou Richards eerste bezoek aan het State Hill worden. Als hij nerveus of bang was, dan liet hij het niet merken toen we door lange gangen liepen waarvan de deuren met een klap achter ons dichtvielen. We gingen deze keer niet naar mamma's zaal, maar we werden naar de oostvleugel gebracht, waar de behandelkamers waren. In de vleugel stonden twee rijen stoelen voor een grote glazen wand. Dr. Ashley stond op toen we binnenkwamen en hij gaf eerst Richard en toen mij een hand.

'Dit is dr. Nancy Sloan, de adjunct-directeur van het State Hill,' zei hij en hij gebaarde naar de vrouw die glimlachend achter hem binnen was gekomen.

'Ik ben blij u beiden te ontmoeten,' zei ze en ze gaf ons allebei een hand.

Haar keurige ivoorkleurige mantelpak paste goed bij de diverse bruintinten in haar platte bobkapsel.

'We doen ons uiterste best om het verblijf van uw moeder hier in het State Hill zo comfortabel en veilig mogelijk te maken,' zei ze tegen mij. Maar ik keek haar niet aan, want over haar linkerschouder heen zag ik een personeelslid in een witte jas die mijn moeder de aangrenzende kamer binnenleidde. Dr. Sloan en dr. Ashley draaiden zich om en volgden mijn blik.

'Dat is mooi,' zei dr. Ashley. 'Ik moet beginnen. Ga zitten, dan zie ik jullie na het gesprek.'

Richard en ik gingen naast dr. Sloan op de voorste rij stoelen zitten toen dr. Ashley vertrok. Twee jonge coassistenten kwamen binnen en namen hun positie bij de deur in als boekensteunen in een witte jas. Ik haalde schrijfpapier en een pen uit mijn rugzak. Ik had plotseling het gevoel dat we hier waren om mamma's executie bij te wonen.

Mamma droeg hetzelfde tenue waarin ik haar een aantal dagen geleden had gezien. Ze had waarschijnlijk een hele kast vol roze kielen van het ziekenhuis. Haar haar was glad achterovergekamd en eindigde in een losse knot op haar achterhoofd. Ze stond op toen dr. Ashley binnenkwam. Hij nam haar handen vriendelijk in de zijne en daarna gingen ze aan een kleine tafel aan de andere kant van het glas zitten.

'Wat is dat verdorie voor een monsterlijk ding?' vroeg ze en ze keek naar de leren stootzak die nu rechtop in de hoek van de kale kamer stond. 'Behandelt u hier ook bokskampioenen?'

Mamma leek vandaag in een goed humeur te zijn.

'Eigenlijk is hij hier ten behoeve van u op mijn verzoek,' zei dr. Ashley.

'Ten behoeve van mij? Goeie hemel! Hoezo?'

'Maakt u zich geen zorgen,' zei dr. Ashley vriendelijk. 'We zullen hem vandaag niet nodig hebben. Hij is er alleen als een hulpmiddel dat later misschien van nut zal zijn.'

Mama verplaatste haar aandacht naar de glazen wand. 'Voor wie treden we vandaag op? Voor een groepje psychologiestudenten?' Ze zwaaide sarcastisch naar de spiegel. 'Ik moet echt een fantastisch studieobject zijn.'

Ik hoopte dat dr. Ashley onze aanwezigheid niet zou onthullen.

'Het is belangrijk dat we u vanuit alle gezichtspunten observeren,' zei hij. 'Deskundigen kunnen dingen zien die ik gemist heb.' Een diplomatiek antwoord, dacht ik. We wisten allemaal dat mamma's optreden, zoals ze het noemde, anders zou zijn als ze wist dat Richard en ik er waren.

'Goed,' zei dr. Ashley. 'Als u er klaar voor bent, dan wil ik graag beginnen.'

Mamma schoof heen en weer op haar stoel en rechtte haar rug. 'Ja, ik ben klaar,' zei ze.

'U weet dat er iets is gebeurd en dat u zich het incident niet kunt herinneren. Klopt dat?'

'Ja,' zei mamma, de modelpatiënte, beleefd. 'Dat klopt.'

'Ik ben hier om te putten uit de herinneringen die u wél hebt in de hoop op die manier enkele van de vergeten herinneringen terug te kunnen halen.'

'Dat begrijp ik.' Mamma knikte.

'Dan zou ik met uw zoon, Michael, willen beginnen. Zou u enkele van de dierbaarste herinneringen die u aan hem hebt met me willen delen?'

'Hebt u specifieke herinneringen op het oog?'

'Nee, gewoon willekeurige herinneringen,' zei dr. Ashley vriendelijk.

Mamma's ogen schoten heen en weer als die van een in het nauw gedreven dier. De stilte in de ruimte waarin Richard, dr. Sloan en ik zaten en de twee coassistenten bij de deur stonden, was plotseling oorverdovend en de spanning was te snijden toen we op mamma's antwoord wachtten.

'Het maakt niet uit wat,' moedigde dr. Ashley haar aan. 'Verjaardagen, Kerstmissen, iets wat u een goed gevoel geeft.'

Welke van de vele herinneringen aan Michael die ze opgeslagen had in de vier jaar dat hij bij haar was geweest, zou mamma noemen, vroeg ik me af.

'Kerstmis,' zei ze. 'Het mooiste cadeau dat ik ooit gekregen heb.'

'Ja, gaat u verder,' zei dr. Ashley.

'Het was kerstochtend en Michael was drie jaar.' Met mamma's ogen gebeurde hetzelfde als altijd wanneer ze over Michael praatte; ze werden glazig en er leek een ondoordringbaar vlies overheen te glijden.

155

'Hij was zo opgewonden omdat hij zijn cadeaus zou gaan uitpakken en ik kon amper uit bed komen. Ik had de vorige avond koorts gekregen en op kerstochtend voelde ik het volle effect van de griep. Toen Michael onze kamer binnenkwam, zei ik tegen hem dat hij nog even bij mamma moest komen liggen voordat we naar beneden gingen.'

Mamma kon altijd goed verhalen vertellen. Ze schetste eerst een solide achtergrond en leidde daarna haar gefascineerde luisteraars handig door een serie deuren en pas wanneer ze naar binnen gelokt waren, onthulde ze de clou.

'Ik hoopte dat hij nog een paar uur zou gaan slapen. Toen we in bed lagen, viel mijn pyjamajasje een stukje open. Ik voelde zijn vingertjes op mijn huid en toen zei hij: "Mamma, ik houd van een babywafeltje." Hoe hij daar in 's hemelsnaam bij kwam, zal ik nooit weten, maar toen ik naar beneden keek, zag ik dat hij met zijn vinger de contouren van een grote moedervlek volgde. Ik had altijd een hekel aan die moedervlek gehad en ik hield hem koste wat kost bedekt, maar nu zei die lieve jongen dat hij ervan hield en hij noemde hem een wafeltje. Het veranderde niet alleen mijn gevoel over die moedervlek, maar ook de manier waarop ik naar al mijn gebreken keek.'

Mamma had me dat verhaal lang geleden verteld. Ik had niet begrepen dat het kerstochtend was toen Michael mamma's moedervlek een wafeltje noemde, maar ik vond het interessant dat mamma's herinneringen aan Kerstmis zo van de mijne verschilden. Zij herinnerde zich hoe hij haar wereld vulde. Ik herinnerde me hoe ze zijn kous vulde.

Richard bezocht mamma terwijl ik met dr. Ashley praatte. We zaten niet in zijn eigen spreekkamer, maar in een kamer die hij hier in het ziekenhuis met dr. Sloan deelde, vertelde hij me. Het waren dr. Sloans diploma's die aan de muur hingen en de boekenplanken stonden vol met haar boeken en foto's van haar volwassen, glimlachende kinderen.

'Goed, Bethany,' zei hij. 'Wat zijn je gedachten en je observaties bij het gesprek van vandaag geweest?'

Er stond deze keer geen bureau tussen ons in; er was alleen lege ruimte tussen onze harde, houten stoelen. Ik had hem niet veel te vertellen en ik had tijdens de hele sessie maar één zin opgeschreven. Ik besloot hem af te leiden.

'Ik vroeg me af hoe het hier met haar gaat. Ik bedoel, ze lijkt goedgehumeurd te zijn en ik vroeg me af hoe ze met de hele situatie hier en met de andere patiënten omgaat.

Ze leek zo normaal tijdens het interview,' vervolgde ik nerveus. 'U bent vast met me eens dat ze hier niet echt past. O, ik wilde u nog vragen of ik wat eten voor haar mee mag brengen. Ik wil u niet beledigen, maar ze zegt dat de maaltijden hier verschrikkelijk zijn. En ik wil u ook vragen wanneer haar kleinzoon haar mag komen bezoeken. Ik weet zeker dat ze dat allebei fijn zullen vinden.'

Terwijl ik sprak, schreef dr. Ashley gehaast op de bladzijden van mamma's dossier.

Ten slotte zei hij: 'Je zult dr. Sloan over het eten en het bezoek moeten vragen en voor zover ik weet, gaat het prima met haar. Ze heeft niet veel contact met de andere patiënten en volgens dr. Sloan leest ze veel. Zolang je moeder hier verblijft, zal dr. Sloan je op de hoogte houden van haar gedrag en haar activiteiten.' Door dr. Ashleys formulering leek het alsof ze mamma's vakantiecoördinator bij Club Med was.

'Wat ik graag wil weten, is wat je tijdens het gesprek hebt geobserveerd en gevoeld.'

Ik had het gevoel dat ik een standje had gekregen. Ik raadpleegde mijn spaarzame aantekeningen en keek toen dr. Ashley aan.

'Het was allemaal nogal voorspelbaar, dr. Ashley,' zei ik. 'De verhalen hadden niets nieuws. Ik heb in de loop van de jaren diverse michaelismen te horen gekregen.'

'Michaelismen?'

'Ja, u weet wel, al de ontroerende dingen die hij in zijn korte leven heeft gezegd en gedaan. Ik heb ze in de loop van de jaren steeds opnieuw te horen gekregen. In het begin dacht ik dat mijn moeder ze vertelde omdat ze niet wilde dat ze vergeten zouden worden, maar nu begin ik te denken dat ze ze vertelt om ze zelf niet te vergeten. U bent voor haar een nieuw gehoor, dat is alles.' Michael mag rusten, maar het is hem streng verboden om te sterven.

'Wat vind je ervan dat je ze steeds opnieuw te horen krijgt?'

'O, dat vind ik niet erg. Als het mijn moeder gelukkig maakt, dan is het mij best.'

'Irriteert het je niet?'

'Misschien toen ik jonger was, maar nu niet meer.'

'Toen je jonger was?'

'Ja, u weet wel, toen ik een tiener vol woede was.'

'Dat weet ik niet.'

'Tieners. Ze zitten allemaal vol woede.'

'Dus jij zat vol woede?'

Hoe konden mijn woorden zo gemakkelijk verdraaid worden?

'Wacht even. Ik zei alleen maar dat ik niet veel van andere tieners verschilde.'

'Maar we hebben het niet over andere tieners. We hebben het over jou, Bethany. Werd je boos toen ze me vandaag over Michael begon te vertellen?'

'Eerlijk gezegd maakt het niet veel uit of ik mijn moeder een michaelisme door een spiegel hoor vertellen of dat ik daar bij haar in de kamer had gezeten. In beide gevallen ziet ze me niet.'

Dr. Ashleys pen kraste in een verontrustend tempo over het papier.

'Wat doe je tegenwoordig wanneer je boos bent?' vroeg hij.

'Dat weet ik niet. Dat hangt ervan af op wie ik boos ben, denk ik.'

'Voel je woede jegens degene die je broer ontvoerd heeft?'

Natuurlijk voelde ik woede jegens Michaels ontvoerder, zei ik tegen dr. Ashley, maar het was een afstandelijke woede.

'Het is moeilijk om echt woedend te worden op een anonieme misdadiger omdat hij iemand ontvoerd heeft die ik me niet eens herinner,' zei ik.

'Maar je broer was niet de enige die je afgenomen is,' zei dr. Ashley.

'Hoe bedoelt u?'

'Is het niet zo dat degene die je je broer afgenomen heeft je ook in veel opzichten je moeder heeft afgenomen?'

Ik stelde me mamma voor wanneer ze met die lege ogen aan Michael denkt.

'Op die manier had ik er nog niet over nagedacht,' zei ik. 'Maar inderdaad, ik denk dat hij dat in veel opzichten gedaan heeft.'

'Is er nog iets anders wat je over het gesprek wilt zeggen?' vroeg hij vriendelijk.

'Het is moeilijk om commentaar te leveren op het beeld dat ze geschetst heeft, een beeld waarin ik geen rol speel. De Kerstmissen die ik me herinner, waren heel anders.'

'Hoezo?'

Ik vertelde dr. Ashley over mijn eigen herinneringen, over Michaels volgestopte kous die nog lang nadat de feestdagen voorbij waren, bleef hangen. Ik vertelde hem over Michaels kamer, de steeds hoger wordende berg cadeaus in de kast, zijn schatten op de vensterbank en de muur vol foto's waar mamma soms tegen praatte. Ik vertelde hem over Michaels verjaardagen en over de keren dat we spullen voor hem gingen kopen. Ik vertelde dr. Ashley zelfs dat mamma me in de auto een keer geslagen had omdat ik huilde.

Elk woord dat uit mijn mond kwam, voelde aan als bedrog. Mamma zou het vreselijk vinden dat ik deze dingen zei, dat ik haar afschilderde als een gekkin, als een slechte moeder, maar iets in me kon niet meer ophouden.

Dr. Ashley onderbrak me ten slotte. 'Wanneer heb je voor het laatst flink gehuild? Huil je wel eens?'

Ik lachte. Het was een kakelende, wrokkige lach.

'En óf ik huil. Hebt u de voorpagina van *Helena's Chronicle* van vandaag niet gezien? De hele stad weet hoe ik me voel.'

'Iedereen behalve je moeder,' zei dr. Ashley. 'Wanneer wist ze voor het laatst hoe je je voelde?'

'Nou, het laatste waar ze nu behoefte aan heeft, is wel dat ze mijn afgetobde gezicht op de voorpagina van dat blad ziet. Dat kan ze missen als kiespijn.'

'Je hebt mijn vraag niet beantwoord.'

'Dat heb ik wel gedaan,' snauwde ik.

'Jáááá.' Dr. Ashley rekte het woord uit tot zijn verwrongen versie ervan niet meer op een bevestiging leek. 'Misschien wel.'

Ik zag Richard en mamma, die aan een tafel in het midden zaten bijna over het hoofd in de drukke, lawaaiige bezoekersruimte. Hun stoelen stonden tegenover elkaar, ze zaten knie aan knie. Richards omvangrijke lichaam was naar voren gebogen zodat zijn ogen op gelijke hoogte met die van mamma waren. Haar kleine handen verdwenen in de zijne.

Ik liep naar hen toe en schoof een stoel bij, zodat onze lichamen een klaverblad met drie blaadjes vormden.

'Daar is ze,' zei Richard toen ik zat. Hij liet mamma's ene hand los en pakte de mijne vast. Met mijn andere hand kneep ik in mamma's vrije hand. Een cirkel van handen en knieën die elkaar aanraakten.

'Hoe gaat het, mamma?' vroeg ik. Ze leek vandaag een kracht te hebben die er de eerste keer dat ik haar in het State Hill had gezien niet was geweest. Richard kon dat bewerkstelligen. Wanneer je bij hem was, kreeg je het gevoel dat je alles aankon. Ik vroeg me vaak af wat er van ons geworden zou zijn als Richard er niet was geweest.

'Al met al en in aanmerking genomen waar ik ben, niet slecht, zou ik zeggen,' antwoordde mamma kalm. 'Richard heeft me verteld dat je een gesprek met dr. Ashley hebt gehad.'

'Ja, ik kom net van hem vandaan.'

'Hoe ging het?' vroeg Richard, maar voordat ik vlot met een neutraal 'prima' kon antwoorden, stelde mamma me zelf een vraag.

'Je hebt hem, hoop ik, toch niet verteld wat een vreselijke moeder ik was?' vroeg ze.

'Jee, mamma, natuurlijk niet,' bracht ik met onhandige nadrukkelijkheid uit. Het was angstaanjagend dat ze dat kon, dat ze dingen kon zeggen die ze onmogelijk kon weten. Het was ironisch dat mamma altijd wist wat ik in mijn schild voerde, maar dat ze in het gekkenhuis zat omdat ze niet wist wat ze zelf had gedaan.

'Dat ik vanaf het begin al gek was,' drong ze aan.

'Houd op,' zei ik. Ik keek Richard aan, maar hij haalde zijn schouders op. 'Hoe komt u daarbij? Waarom zegt u dat?'

'Die therapeuten hebben er een handje van om je van alles te laten vertellen,' zei ze.

'Nou, ik weet zelf ook het een en ander van psychologie, mamma. Bovendien heeft dr. Ashley me alleen maar vragen over mezelf gesteld,' loog ik.

'O, kom nou toch. Wat dan in vredesnaam?'

'Hij wil mijn boeken lezen om te kijken of er verband is tussen mij en mijn personages, vermoed ik.'

'Nou, dat is wel het toppunt. Dat slaat toch helemaal nergens op.'

'Maakt u zich maar geen zorgen,' stelde ik haar gerust. 'Ik denk dat hij via een achterdeur probeert een duidelijker beeld te krijgen. Hij probeert alleen alles op een rijtje te zetten.'

'Met wie heb je nog meer gepraat?' vroeg mamma. 'Met de media? Niemand vertelt me hier iets. Ik mag niet eens een krant lezen.'

161

Ik keek Richard aan. Mamma wist kennelijk niet dat we door Lindsey Sanders geïnterviewd waren en dat mijn aangeslagen gezicht vandaag op het omslag van een blad stond.

'Er is een goede reden voor dat ze u de kranten niet laten lezen, mamma. Maar om uw vraag te beantwoorden, Richard en ik praten zo weinig mogelijk met de media.'

Ik moest extra voorzichtig zijn met wat ik prijsgaf. Ik wilde mamma vertellen dat ze als een heldin beschouwd werd, dat de mensen van Helena achter haar stonden, maar dat zou niet veel betekenen voor een vrouw die niet wist wat ze gedaan had om het martelaarschap te verdienen.

'Dit zou een goede gelegenheid kunnen zijn om de zoektocht naar Michael weer te openen,' zei ze. 'Als de media honger hebben, kun je ze de foto's van Michael voeren.'

Ik wist niet wat ik moest zeggen. De nooit eindigende zoektocht bleef doorgaan. Mamma had weer een manier gevonden om haar zoon tot leven te brengen. Vanuit de krochten van een gekkenhuis, vanuit de spelonken van een geest die niet goed meer functioneerde, liet ze hem weer met onverflauwde hoop verrijzen.

Zoals ze de borstel waarmee ze zijn haar borstelde en eenzelfde groen met wit poloshirt als hij op die afschuwelijke dag had gedragen, bleef bewaren, bleef mamma in het onmogelijke geloven. Hoe kon ik haar vertellen dat de media daar helemaal niet in geïnteresseerd waren? Richard kwam tussenbeide.

'Dat is een goed idee,' zei hij en hij knikte bemoedigend naar mijn moeder. Ze glimlachte omdat zijn woorden haar geruststelden. Richard zei altijd precies het juiste. Wanneer mamma en ik een onderwerp vanuit volkomen tegengestelde gezichtspunten benaderden en Richard zich ermee bemoeide, kregen we allebei het gevoel dat hij aan onze kant stond.

'Dit heeft kennelijk iets met Michael te maken,' vervolgde mamma. 'Het lijkt alsof ze me de hele tijd alleen maar daar vragen over stellen.'

162

Richard en ik zwegen.

'Goed, jullie kunnen er wel over praten, hè? Dan zal ik er maar op moeten vertrouwen dat ik alles te zijner tijd zal weten, zoals jullie zeggen.'

'En dat zal ook gebeuren,' zei Richard. 'Dat beloof ik je.'

Mamma knikte. Een belofte van Richard was als een gewaarmerkte cheque. Gegarandeerd.

28

Als we onze benen intrekken, passen Lucy en ik in mijn fantastische vliegmachine. In mijn fluorescerend oranje slee kunnen we in haar afhellende achtertuin hoogten bereiken waardoor onze wangen roze kleuren, onze lippen barsten en de wind ons verkilt.

Het is 11 maart en de opnieuw bevroren, oneffen sneeuwbrij waarop we spelen, is de laatste sneeuw van dit jaar. We profiteren van wat mamma 'de koudeperiode die de lente opwekt' noemt, alsof de winter een koorts was die verdreven moest worden. Ze is ervan overtuigd dat er nu elke dag krokussen en narcissen kunnen opbloeien in weer dat een mengeling is van zonneschijn en lichte motregen.

Alles aan deze dag voelt bijzonder en vluchtig aan. Mamma heeft me hier op een zondag bij Lucy, mevrouw Zingler, Daniel en Benjamin achtergelaten. Voor het eerst in mijn leven ben ik een hele dag zonder haar. Rechercheur Adams en zij hebben iets belangrijks te bespreken met een journalist die helemaal uit Helena hiernaartoe is gekomen om met hen te praten.

De vreugde om mijn vrijheid wordt versterkt door de het

noodlot tartende snelheid waarmee de slee ons naar het laagste deel van de tuin voert. Het duurt niet lang voordat Benjamin met een geïmproviseerde kartonnen slee op de heuvel verschijnt. Hij doet een wedstrijdje met ons om wie het snelst beneden is, maar hij merkt algauw dat niemand van de beroemde, vlammende vuurbal kan winnen.

Daarna verschijnt mevrouw Zingler met Daniel. Hij zit warm aangekleed in zijn rolstoel en hij heeft een fietshelm op die met een riempje onder zijn kin vastgemaakt is. Wanneer Lucy en ik beneden aankomen, schreeuw ik: 'Daniel, wil je een ritje maken?'

Mevrouw Zingler laat Daniel op mijn slee zakken en al snel sputtert en gorgelt hij van plezier wanneer Lucy en ik hem over een vlak deel van de tuin rondtrekken.

Na een halfuur barsten we van de honger en mevrouw Zingler zegt dat het tijd is voor hotdogs en patat.

Ik eet drie hotdogs, net als Benjamin, en ik zit te vol om weer naar buiten te gaan. Lucy en ik gaan naar haar kamer en schudden een spel kaarten om te gaan eenentwintigen. Ondanks Lucy's protesten komt Benjamin erbij om een spelletje mee te doen. Dus zo zou het zijn om een oudere broer te hebben, denk ik. Zo zou mijn leven eruitzien, alleen zou ik het zijn die zegt: Michael, ga mijn kamer uit. Blijf daarvan af viezerik, en: Hou je kop, engerd. Ik stel me voor dat Benjamin en Michael elkaars beste vriend zijn en dat ze de boel vernielen, tegen Lucy en mij samenspannen en ons om genade laten gillen.

Mamma komt me vlak voor het avondeten ophalen. Ze bedankt Sylvie voor haar goede zorgen. In de auto vraag ik wat de journalist uit Helena wilde.

'We hebben hem alleen het laatste nieuws over Michael verteld,' zegt mamma.

'Wat is er dan voor nieuws over Michael?'

'Eigenlijk niets, maar tegelijkertijd een heleboel. Het is moeilijk uit te leggen.'

'O.'

'Tussen twee haakjes, ik heb je verhaal ingestuurd voor die wedstrijd.' Mamma rijdt onze oprit op. Ze zet de motor uit en stilte vult de auto. Ze kijkt me aan.

'En je hebt gewonnen.'

Mamma had gelijk wat de lente betrof. In een oogwenk was de lente er met haar krokussen en narcissen, haar zon en haar motregen. Vandaag is het een bijzonder druilerige dag. Het is zondag en ik zou eigenlijk bij pappa moeten zijn, maar hij moet naar de bruiloft van Lori's broer, dus ben ik thuis met mamma.

We zijn in de garage en ze maakt een tafel af, deze keer voor onzelf. Ik herinner me deze tafel van de rommelmarkt aan de andere kant van de stad, waar we hem hebben gekocht met een gebroken poot en vier lange, treurige groeven in zijn blad.

Mamma heeft me gezegd dat ik een boek moet gaan lezen of in mijn schetsblok moet gaan tekenen terwijl ik haar gezelschap houd, maar in plaats daarvan heb ik in mijn blocnote twee alinea's geschreven van het tweede IJsbooglandverhaal, waarin Genn en Shine de hoofdrol spelen. Ginpu en White Sprite zitten op de plank waar mamma haar gereedschap en penselen bewaart. Ze houden toezicht op ons en schenken ons hun ijskoude, veelkleurige inspiratie.

Mamma roert in een geurig mengsel van componenten terwijl ik met een stomp potlood een beschrijving van Shine neerkrabbel: haar ivoorkleurige teint, haar waterval van botergele krullen, het delicate roze van haar ogen, die beschermd worden door wimpers en wenkbrauwen die door ijsfeeën zijn aangeraakt, haar vanillekleurige, glinsterende lippenstift en haar diamantblauwe nagellak. Ik denk na over meer vergelijkingen voor de kleur wit wanneer ik opkijk en weer terug ben in de werkelijkheid, waar ik tegen mamma's creatie aan kijk. Uitgeknipte foto's van mamma, Michael en mij bloeien op in het midden van de tafel en vormen een driedimensionale rozencollage.

'Hoe spel je parel, mamma?'

'P-a-r-e-l.' Ze duwt hard met haar roerstok en draait het glanzende mengsel met moeite rond wanneer ik het woord opschrijf.

'Bethany, wil je de roerstok voor me vasthouden terwijl ik giet?' vraagt ze. 'Als ik hem neerleg, blijft hij aan de krant vastplakken.'

Mamma schraapt de stok schoon tegen de rand van het blik vol doorzichtige lak en overhandigt me hem dan. Ze giet de inhoud van het blik zorgvuldig in lijnen over het tafelblad. Ze vult het ondiepe ovaal, zodat de foto's in het midden bedekt zijn.

Ik kijk gefascineerd toe en haal oppervlakkig en puffend adem vanwege de sterke geur die lijkt op die van de benzine die pappa in zijn grasmaaier gooit. Wanneer ze klaar is met het uitgieten van het stollende mengsel pakt ze de stok uit mijn hand en begint de dikke, glasachtige, vloeibare smurrie glad te strijken tot hij over de hele tafel gelijkmatig verdeeld is waardoor het middenstuk er heel erg driedimensionaal uitziet, alsof je door water kijkt.

Ik kijk naar de foto's van ons, van mamma, Michael en mij. Ons leven ontbloeit in de bladeren van een bloem en elk gezicht straalt geluk uit. Als je ons niet zou kennen, als je het verhaal van ons gezin niet zou kennen en je alleen het tafelblad zou zien, zou je nooit kunnen raden dat Michael zo veel jaren geleden gestolen is. Je zou nooit raden dat er iets ontbrak aan dit perfecte gezin dat zo normaal overkomt. Je zou denken dat Michael hier bij ons was, zo veilig ingekapseld in dit gezin als zijn foto in de tafel.

29

Dr. Sloan gaf me toestemming om tonijncasserole en Moskovisch gebak voor mamma mee te brengen en ze zei dat ik haar door de bewakers moest laten bellen als ze er moeilijk over deden.

Ze had Ryan ook toestemming gegeven om zijn grootmoeder te bezoeken.

Hij was zo opgewonden dat hij haar zou gaan bezoeken dat hij zijn kleine Scooby-Doo-rugzak volstopte met genoeg speeltjes uit zijn slaapkamer om zich een week mee te kunnen vermaken. Ergens in de diepe zakken van zijn rugzak zaten diverse speelgoedauto's en de mat waarover ze vaak reden, en de hele Scooby-clan: plastic poppetjes van Shaggy, Daphne, Velma, Fred en natuurlijk Scooby zelf. Hij had ook de drie schilderijtjes bij zich die hij gisteren voor oma had geschilderd, nadat ik hem verteld had dat hij bij haar op bezoek mocht.

'Je hebt je grote vrachtwagen *niet* nodig,' zei ik nu om mijn zoon met de lange wimpers de wet te stellen toen hij met zijn enorme voertuig tegen zijn borst geklemd in de slaapkamer stond. Hij trok een pruilgezicht, blies zijn wangen bol, zette de aanstootgevende vrachtwagen terug op een lage plank en verving hem toen zonder aarzelen voor zijn plastic ziekenauto, alsof dat de hele tijd al zijn bedoeling was geweest.

'Oké, mannetje,' zwichtte ik, 'maar dat is dan ook alles.'

Richard hielp me de spullen naar de auto te brengen en Ryan en ik vertrokken om zijn grootmoeder in het gekkenhuis te gaan bezoeken.

Het aantal journalisten en fotografen bij de poort was aanmerkelijk kleiner geworden. Ik was er zeker van dat ik weggekomen was toen iemand op het parkeerterrein van het State Hill door het raam van een wit busje mijn naam schreeuwde. Toen ik met Ryan in mijn kielzog over het asfalt naar de zijdeur van het ziekenhuis liep, hoorde ik het snelvuur van een automatische sluiter. De rotzakken waren me gevolgd.

Ik had geen problemen met de controle van de beveiliging over het voedsel dat ik meegebracht had en het kwam samen met de rest van onze spullen zó langs de apparaten. De altijd serieuze bewakers glimlachten zelfs toen ze de kleine bezoeker zagen die mijn hand vastklemde. Ryan en ik werden deze keer niet naar de bezoekersruimte gebracht, maar naar mamma's kamer.

Het was een kleine ruimte die bijna helemaal in beslag genomen werd door een eenpersoonsbed, een smalle commode en een bijzettafeltje met een paddenstoelvormige lamp uit de jaren tachtig. Twee ingelijste foto's waren onder de lamp gezet. De ene was van mij met Ryan op mijn knie aan mamma's keukentafel en de ander was de meest recente, door de computer aangepaste foto van Michael, die er als jongeman op stond. Richard moest hem voor mamma meegebracht hebben. Ondanks de verwarring en de drukte had hij aan de belangrijke dingen gedacht.

In de hoek zat vlak bij het plafond een zwarte lens. Arme mamma. Ze had zelfs in haar eigen kamer geen privacy.

Ryan rende met gespreide armen op haar af.

'Oma, oma,' gilde hij. Hij dook op haar af voor een achterstallige omhelzing, ritste daarna onmiddellijk zijn rugzak open en zette de inhoud op het vlekkeloze linoleum. Mamma pakte de casserole van me aan, tilde het deksel op om de geur op te snuiven en zei: 'O, lekker, dank je.' We zetten het voedsel op het bijzettafeltje naast de foto's en ik omhelsde haar.

Ryan had inmiddels een enorme verkeersopstopping op zijn katoenen weg veroorzaakt en de grote ziekenwagen torende boven een groepje andere speelgoedautootjes uit. Mamma ging ook op de vloer zitten. Ze maakte bewonderende geluidjes voor zijn autopark en stak af en toe een hand uit om zijn weerbarstige haar glad te strijken. Ik keek toe terwijl ze speelden, zich ogenschijnlijk niet van mijn aanwezigheid bewust. Terwijl Ryan de auto's onder luide 'vroems' liet rijden en wilde botsingen veroorzaakte, keek mama met onverklaarbaar genoegen toe.

Toen ik aankondigde dat ik even met dr. Sloan zou gaan praten, maar dat ik zo terug was, keken ze amper op.

Ik kende inmiddels de weg door de gangen die in de uitgestrekte oostvleugel naar dr. Sloans spreekkamer leidden. Ik was een beetje te vroeg voor onze afspraak, maar toen ik aanklopte, leek ze blij me te zien.

Ik ging in de enige andere stoel in de kamer tegenover haar zitten en sloeg mijn benen over elkaar. Dr. Sloan was vandaag informeler gekleed in een flatteuze avocadokleurige trui met hoge hals en een donkere pantalon.

'Heb je je zoon meegebracht?' vroeg ze.

'Ja, hij is bij mijn moeder. Ze gaan op het ogenblik helemaal op in hun spel met een verzameling speelgoedauto's.'

Dr. Sloan grijnsde breed. 'Mooi zo,' zei ze. 'Er gaat niets boven de relatie tussen een grootmoeder en haar kleinkind.' Ze keek omhoog naar de planken waarop haar ingelijste foto's stonden.

'U bent toch geen grootmoeder?' vroeg ik. Ik kon me haar niet voorstellen in die rol. Ze leek zo veel jonger dan mamma.

'Nog niet,' zei ze. 'Maar ik verheug me erop. Dat is mijn zoon met zijn nieuwe vrouw.' Ze wees naar een glimlachend stel. 'Ik geef steeds hints, maar tot dusver concentreren ze zich allebei op hun carrière.'

Ik knikte begrijpend.

'Goed, zullen we het dan nu over je moeder hebben? Heb je nog vragen?'

Ik haalde mijn schouders op. 'Alleen algemene vragen, denk ik. Zo zou ik graag willen weten hoe het hier met haar gaat.'

'Het gaat in alle opzichten goed met haar. Ze is op een neutrale manier aanwezig. Ze is meestal op zichzelf en ze leest alles wat ze te pakken kan krijgen.'

'Gaat ze helemaal niet met de andere patiënten om?'

'Ze is heel beleefd tegen hen, maar ze heeft nog geen vrienden gemaakt, als je dat bedoelt. Heb je nog eten voor haar meegebracht?' vroeg de dokter na een korte stilte.

'Ja, een casserole. Ze was er heel erg mee in haar nopjes.'

'Ik ben blij dat te horen. Misschien gaat ze dan wat meer eten.'

'Hoe bedoelt u? Eet ze niet?' Ik beet me vast in dit nieuwe probleem. Dat was veel gemakkelijker dan de grote problemen bespreken, het probleem van mamma's geheugenverlies, het probleem van de steeds dreigend opdoemende datum van het proces, het probleem dat mamma helemaal de kluts kwijt zou raken.

'Ze eet wel,' zei dr. Sloan. 'Alleen niet veel, dus misschien helpt dit.'

'Dan zal ik casseroles mee blijven brengen.'

'Ik wilde wel over één ding met je praten, Bethany. Het is niets alarmerends, maar misschien zou je er je licht over kunnen laten schijnen.'

'Natuurlijk,' zei ik. 'Wat is het?'

'We hebben gezien dat je moeder elke avond voordat ze naar

171

bed gaat een foto van haar zoon Michael in haar handen neemt en tegen hem praat. Maar we kunnen niet verstaan wat ze zegt omdat ze fluistert.'

Goed zo, mamma, dacht ik. In elk geval kunnen ze je geheime momenten met Michael niet afluisteren.

'Heb je enig idee wat ze zou kunnen zeggen?' vroeg dr. Sloan.

Ik herinnerde me de keren dat mamma in Michaels kamer was en dat haar stem door de ontluchtingsbuizen zweefde. 'Toen ik een kind was, smeekte ze hem om naar huis te komen. Nu praat ze bijna tegen hem als tegen een vriend. Ik heb haar in het voorbijgaan een paar keer gehoord toen ze bij me op bezoek was. Soms meldt ze zich gewoon bij hem. Ze vertelt hem hoe haar dag is geweest. Ik denk dat ze hem beschouwt als haar vriend, haar therapeut.'

'Haar god?'

Ik glimlachte, keek naar de twee stijf gebalde vuisten in mijn schoot en haalde mijn schouders op.

'Dat weet ik niet. Misschien. Ze gelooft al heel lang niet meer zo erg in een andere god.'

'En jij, Bethany? Geloof jij in God?'

'Ik zou het wel willen,' zei ik. 'Mijn vader gelooft wel in God. Hij zegt dat zijn geloof sterker wordt door tegenslagen in het leven. Ik denk dat het nu wel zo onwrikbaar is als een rots.'

Dr. Sloan reageerde niet op mijn poging tot humor.

'Maar bij jou is het niet zo gegaan?'

'Dat lijkt me niet, nee. Ik bedoel, mijn moeder heeft de mogelijkheid dat Hij bestaat naar de prullenbak verwezen en mijn vader heeft het geloof juist omarmd. Ik zit daar ergens tussenin. Ik sta ervoor open. Ik denk dat ik mijn eigen weg naar God zal moeten vinden.'

De gezichten van het talrijke ziekenhuispersoneel werden me even vertrouwd als die van dr. Ashley en dr. Sloan. Na mijn gesprek met dr. Sloan openden ze met een knikje en een blik van herkenning de diverse deuren naar mamma's kamer voor me. Toen ik binnenkwam, zaten mamma en Ryan op het bed en vulden met viltstiften zorgvuldig de omlijnde figuren in een kleurboek in. Tijdens mijn afwezigheid had mamma de drie schilderijtjes aan de muur boven het tafeltje geplakt. Mamma's kale kamer werd nu opgefleurd door Ryans bergtafereel met een waterig zonnetje, zijn schilderij van gele en rode bloemen en een drukke familiecollage van in totaal twaalf mensen met armen en benen als stokjes: pappa en Lori in hun huis in Dartmouth, Richard en mamma naast een motorfiets, het hele gezin Zingler, samengeperst in één kamer, Will en ik die Ryans hand vasthielden en, stralend vanuit de hoogte achter een berg en met een gezicht dat groter was dan dat van de anderen, Michael. Mamma had ervoor gezorgd dat hij ook deel uitmaakte van Ryans leven.

'Mamma is terug,' zei ik.

'Kijk eens wat oma en ik gemaakt hebben.' Ryan hield zijn meesterwerk voor me omhoog, een paars met groene dinosaurus.

'Dat is prachtig. Wat een mooie kleuren, Ryan.' Ik ging naast het bed op de vloer zitten.

Ik keek met een soort eerbied naar hen, naar hun voorovergebogen lichamen en hun verstrengelde ledematen die een eenheid leken te vormen. Hun liefde hing in de kamer als een gordijn en ik zat aan de andere kant ervan. Mamma was haar eigen wereld binnengegaan en Ryan was de enige die er toegelaten werd. Ik hoorde haar geanimeerde stem kirren.

Een vreemde gedachte kwam opeens bij me op, een gedachte die ik nog nooit eerder had gehad. Als Ryan een meisje was geweest, zou mamma dan voor haar dezelfde gevoelens hebben gehad?

30

Ik zit op de bank tussen rechercheur Adams en mamma in. Het is tien voor tien 's avonds en er staan schalen met popcorn en chips voor ons op de koffietafel. Het lijkt alsof we ons gereedmaken voor een speciale aflevering van *Beverly Hills 90210*, maar ik mag opblijven om naar een programma dat *Newsline* heet te kijken. Vandaag is het de dag waarop Michael is gestolen en mamma komt op tv.

Ik ben tegelijkertijd opgewonden en van angst vervuld wanneer de herkenningsmelodie van *Newsline* begint. Ik denk dat ik me zo zal voelen wanneer ik aardbeienijs zou eten en tegelijk naar een dode kat zou moeten kijken.

Wanneer het programma begint, zit een man achter een bureau papieren te verschuiven. Wanneer de herkenningsmelodie ophoudt, is de camera ingezoomd.

'Goedenavond en welkom bij *Newsline*. Ik ben John Brennan.' John Brennan kijkt naar links en in de rechteronderhoek van het scherm verschijnt de laatste computerfoto van Michael.

'Vanavond neemt onze correspondente Maria Gray ons mee terug naar 16 juli 1983, een dag die velen van u zich zullen herinneren als de dag waarop de kleine Michael Fisher in zijn geboortestad Dartmouth in Montana verdween.'

Daarna komt een reclame voor pizza. Rechercheur Adams verplaatst zijn lichaam, dat veel te groot is voor onze bank en strekt zijn arm over de rugleuning uit. Over mijn hoofd heen zegt hij tegen mamma: 'Jij bent het belangrijkste onderwerp.'

Ik vraag me af of pappa ook kijkt. Natuurlijk kijkt hij en Lucy, Benjamin, mevrouw Zingler en zelfs Daniel zullen ook kijken. Mevrouw Brown, onze buurvrouw zal kijken. Nu ik erover nadenk, lijkt het me waarschijnlijk dat heel Dartmouth zal kijken.

'Welkom terug,' zegt John Brennan met een aangename, krachtige stem die je dwingt om te luisteren en er tegelijkertijd voor zorgt dat je dat wilt.

'Voor ons hoofdonderwerp van vanavond schakelen we over naar Montana, waar Maria Gray *tien jaar later* de gevolgen van een ontvoering in een kleine stad onderzoekt.' De woorden tien jaar later verschijnen op het scherm naast Michaels foto. De camera zoomt langzaam in op Michaels rechteroog tot er op het scherm alleen maar een vergrote pupil is te zien die niet als een onderdeel van een gezicht herkenbaar is. Daarna komt Maria Gray in beeld, die op het honkbalveld van Dartmouth staat.

'Op dit veld achter me werd vroeger het jaarfeest van Dartmouth gehouden, waar de inwoners elk jaar met hun gezin naartoe gingen om zich een dag lang te amuseren met ritjes in kermisattracties, wedstrijden en spelletjes.'

Maria loopt over het veld. Ik herken de curlingbaan achter haar.

'Maar precies tien jaar geleden veranderde dat allemaal toen Dartmouth een van zijn kinderen verloor: de kleine Michael Fisher, die destijds vier jaar was. Op één herinnering na aan wat er zo lang geleden is gebeurd, is dit veld leeg gebleven.'

De camera zwenkt weg en laat een lange rij foto's van Michaels gezicht zien die zijn bevestigd aan stokken die in de grond zijn gestoken. Het is de laatste foto die aan de muur van zijn slaapkamer is gehangen en hij is vele malen gedupliceerd zodat hij zijn boodschap herhaalt als borden voor te koop staande huizen. Alleen verkoopt Michael hier zichzelf en de boodschap is hier *vind mij* in plaats van *koop mij*.

Mamma en rechercheur Adams verschijnen nu op het scherm. Het moment waarop we allemaal gewacht hebben. We horen alleen Maria's stem, terwijl de camera op hen gericht blijft.

'Ik zit hier met Michael Fishers moeder, Doris Fisher, en rechercheur Adams, die het onderzoek in de zaak heeft geleid.'

De camera zoomt langzaam in op mamma's gespannen, roerloze gezicht.

'Kunt u die dag van tien jaar geleden beschrijven?' vraagt Maria vriendelijk. Mamma's ogen schieten heen en weer. Ze kijkt naar rechercheur Adams naast haar, hoewel we hem niet meer kunnen zien. Ze zucht.

'Zoals u al zei, was het het jaarfeest van Dartmouth.' Mamma's woorden komen haperend uit haar mond wanneer ze de dag in haar geheugen terugroept. Ik heb mamma nog nooit zo verlegen, zo angstig gezien. Tranen branden in mijn ogen. Mamma vervolgt haar verhaal en ze vertelt het precies zoals ze het al zo vaak verteld heeft, de klodders jam in de plastic schaaltjes, ik in mijn kinderwagen, Michael onder de tafel, het hondje, het grote veld en die verschrikkelijke wind.

'En toen was hij weg, in rook opgegaan,' besluit ze. De camera zwenkt weg van haar angstige gezicht naar rechercheur Adams naast haar en zoomt op hem in terwijl Maria vraagt: 'Wat heeft de politie toen gedaan?'

'Natuurlijk is het gebied direct uitgekamd en niet alleen door de politie. De hele bevolking van de stad heeft meegeholpen.' Zijn raspende stem is in schril contrast met die van mamma, maar vormt er op de een of andere manier ook een noodzakelijke aanvulling op. Ze zijn een team.

Terwijl rechercheur Adams praat, zijn op het scherm stomme beelden te zien van mensen die over het veld uitwaaieren en de oevers van de Dart River afspeuren.

'Met hulp van de media hebben we zo snel mogelijk ruchtbaarheid aan de ontvoering gegeven. Binnen twee dagen was Michaels foto in heel Amerika te zien op aanplakbiljetten en melkpakken.'

Er verschijnt een pak melk met een oude foto van Michael. Daarna zwenkt de camera terug naar de rechercheur.

'Maar dat bleek toen allemaal al te laat te zijn.'

De camera zoomt uit voor een shot van hen allebei.

'Hoe zijn de afgelopen tien jaar voor u geweest, eerst beroepsmatig en daarna persoonlijk?' Maria's vraag blijft even in de lucht hangen en daarna verbreekt de rechercheur de stilte.

'We hebben in de loop van de jaren enorm veel steun van de gemeenschap gehad en honderden en nog eens honderden tips gekregen, die we allemaal zeer serieus hebben genomen en zo goed mogelijk hebben nagetrokken, maar zoals bekend, hebben ze geen van alle tot de opsporing van Michael geleid. Nu is het zaak – en dat is ook de reden waarom we dit doen – dat de mensen het niet vergeten. Het is niet de politie die Michael zal vinden, maar het publiek. We vertrouwen op hun ogen en oren. Deze stad blijft rouwen, dit gezin lijdt nog steeds en zal niet rusten voor Michael thuis is.'

'Vertelt u ons eens hoe de afgelopen tien jaar op persoonlijk vlak zijn geweest,' zegt Maria.

De camera is weer op mamma gericht en de lens omvat haar gezicht. Haar ogen zijn naar links neergeslagen. Op de band vastgelegd is ze nu in haar eigen wereld.

'Zoals meneer Adams al zei, heeft de gemeenschap ons ongelooflijk gesteund en ik ben iedereen heel erg dankbaar. De rechercheur zelf is in ons gezin een bron van hoop geweest. Maar wat me aanvankelijk op de been hield en ervoor zorgde dat ik

177

elke ochtend mijn bed uit kwam, de ene voet voor de andere zette en doorging, was Michael, omdat ik weet dat hij ergens is en ik er voor hem wil zijn wanneer hij thuiskomt.'

Dan komt mamma bij ons terug en kijkt diep in de camera.

'We willen dat je thuiskomt, Michael. Kom gewoon naar huis, schat. Kom gewoon naar huis.'

Mamma kan het laatste woord amper uitbrengen. Haar verdriet wordt op het tv-scherm vergroot, haar ogen vullen zich met tranen en haar onderlip trilt en de mijne ook. Ze toont haar verdriet aan iedereen. Ik huil en kan niet meer ophouden. Rechercheur Adams drukt me met zijn behaarde berenarm even tegen zich aan. Ik snik tegen zijn borst met lange jammerende uithalen, maar ik huil niet om mamma. Ik huil niet om mamma's pijn en verdriet. Ik huil niet om Michael, om het kwaad dat hij heeft meegemaakt of omdat ik hem mis. Hoe kun je iemand missen die je nooit hebt gekend?

Ik huil omdat ik net iets bedacht heb. Ik huil omdat de mensen me morgen, wanneer ik opsta om de prijs voor mijn verhaal in ontvangst te nemen, niet zullen zien als Bethany Fisher, het meisje dat goed verhalen kan schrijven, maar als dat zielige meisje uit dat zielige gezin.

Ik zie hoe Maria tot slot van haar verslag een telefoonnummer noemt dat de mensen kunnen bellen wanneer ze informatie hebben en ik voel iets voor Michael wat ik nooit eerder gevoeld heb.

Ik voel een intense haat.

31

Begin december nam pappa een week vrij van zijn werk om bij ons te kunnen zijn. Hij bracht deze keer zijn vrouw niet mee, maar wel mijn beste vriendin Lucy. Richard maakte van de gelegenheid gebruik om een paar dagen naar Dartmouth terug te gaan om wat onafgemaakte zaken af te handelen. Hij was bij de politie gepensioneerd, maar hij had met het idee gespeeld om zich bij de huidige eigenaar van een motorenzaak aan de rand van Dartmouth in te kopen. Het had een spannende tijd voor hem moeten zijn door het vooruitzicht dat hij binnenkort na een leven van hard werken door motoren, zijn hobby, omringd zou zijn, maar nu was het iets waaraan hij pas in laatste instantie dacht, alsof het een bijzaak was die toch even geregeld moest worden.

Voordat Richard vertrok, kocht hij een kerstboom voor ons. Omdat hij wist dat ik weinig kerstversieringen had, kocht hij ook een hele zak vol glanzende gouden en rode kerstballen, zilverkleurig engelenhaar en knipperende miniatuurlampjes.

We waren niet van plan geweest om de kerst in Helena door te brengen. Het was vaste prik dat Ryan, Will en ik de feestdagen in

179

Dartmouth doorbrachten. Ryan sliep dan bij mij in mijn oude kamer en stormde op kerstochtend vroeg de kamer van mamma en Richard binnen om hen wakker te maken en de rest van de ochtend maakten we foto's en genoten we van Ryans aanstekelijke opwinding. Het was gebruikelijk dat Will, pappa, Lori, en de familie Zingler later bij ons kwamen. We gingen dan om mamma's keukentafel zitten voor het kerstmaal en we bewonderden de grote kalkoen die Richard aan zou snijden.

Dat stond allemaal vast. Zo werd Kerstmis tegenwoordig in mijn familie gevierd. Maar dit jaar niet. Dit jaar zou Will naar zijn familie in Dartmouth gaan en wij zouden hier blijven om Kerstmis te vieren in onze bizarre omstandigheden. We zouden ons moeten behelpen, zoals mamma zou zeggen. Ik zou proberen Ryan ervan te overtuigen dat het volkomen normaal was om de ochtend bij ons kleine boompje en de middag bij oma door te brengen, dat Kerstmis dit jaar uit twee delen zou bestaan. Er gaat met Kerstmis niets boven een bezoek aan het gekkenhuis.

Ik probeerde mezelf ervan te overtuigen dat het Ryan niets zou uitmaken. Zolang de belangrijkste ingrediënten aanwezig waren – een spoor van koekkruimels dat we voor de Kerstman vanaf het blad in de huiskamer naar de voordeur hadden achtergelaten, geschenken van de Kerstman onder de boom en een familie die hem met feestelijk enthousiasme omringde – zou hij het niet erg vinden.

Pappa en Lucy arriveerden en Richard vertrok, een wisseling van de wacht. Het was fijn om pappa weer te zien en hij was deze keer wat evenwichtiger. Maar ik vond het fantastisch om Lucy de hele week aan mijn zijde te hebben.

Nadat ze haar spullen had uitgepakt in Ryans kamer, waar ze zou slapen, en pappa en Ryan zich in de huiskamer door een spel *Slangen en Ladders* heen kronkelden en klommen, lieten we ons direct op het bed van mijn zoon ploffen om eens goed bij te praten. Ik vertelde haar hoe het met mamma ging en dat ik haar achter glas ons levensverhaal had horen vertellen. Ik vertelde haar over mijn gesprekken met dr. Ashley na zijn sessies met mamma, waarin ik mijn eigen herinneringen opgehaald had, en dat mamma zich nog steeds niets herinnerde van de afschuwelijke momenten in TRF's keuken.

Daarna vroeg ik hoe het met haar moeder, Sylvie, ging.

'Ja, het gaat geweldig met haar. Ze heeft iemand leren kennen.'

'Wat cool,' zei ik.

'Zeg dat wel. Het is een fysiotherapeut die Daniel behandelt. Zijn vorige fysiotherapeute is met zwangerschapsverlof en hij vervangt haar. Het is een Duitser of zo. Ze zijn nu onze achtertuin volledig aan het herinrichten. Er heeft zich een soort tuinierwoede van hen meester gemaakt. Ze leggen een nieuwe vijver aan, bouwen poortjes en planten exotische bomen waarover mamma maar doorratelt alsof ik het verschil zou weten tussen een Japanse ahorn en een bonsai. Ze is op een prettige manier waanzinnig geworden en de tuin is een complete ramp.'

Ik lachte snuivend, maar ik kon wel huilen. Wat had ik mijn vriendin gemist.

'Hoe gaat het met Ben?' vroeg ik nerveus.

'Ben heeft de baan gekregen die hij wilde hebben: leerling-monteur in de garage van Doug Seaburg. Hij zal vóór zijn derde jaar niet veel geld verdienen, maar hij is er dik tevreden mee.'

'Dat is perfect. Hij wilde altijd al automonteur worden. En hoe gaat het met de andere vrienden?'

'Het beste nieuws is dat Nicole een taakstraf heeft gekregen en nu in het Zorgcentrum van Dartmouth werkt. Zij en Dave Matthews hadden zich bezat aan de tequila die ze uit de drankkast van haar ouders had gestolen en daarna hebben ze geprobeerd de N uit het bord van auto-onderdelenhandel Bixbie 'N Son's te rukken om die aan de muur van haar slaapkamer te hangen. Toen de politie hen in het licht van de koplampen zag, nam Dave de benen en liet haar alleen op het dak achter. Ze is aangeklaagd wegens poging tot vernieling en ze moet dat werk zes maanden doen.'

'Godallemachtig. Het was ook wel te verwachten dat die vervloekte Matthews haar zou laten stikken.'

'Dat weet ik, maar het was allemaal Nicoles idee. Ze heeft hem niet eens verlinkt. Maar genoeg over die twee. Wat kan het ons schelen? Moet je luisteren, ik denk dat ik verliefd ben. Hij heet Andrew en hij werkt in de videozaak, maar hij volgt net als ik de koksopleiding. Daar hebben we elkaar ook leren kennen en hij is zó leuk. Hij heeft zwarte krullen en met die ogen van hem zou hij IJsboogland kunnen laten smelten.'

O, ja, ja, vertel me meer. Ga verder. Dit is precies wat ik nodig heb, iets wat zo gewoon is als in de tuin werken, zo belachelijk als het stelen van een reusachtige N, zo luchtig als een nieuwe romance. Ja, neem me mee, neem me mee terug, laat me dit ene gezegende moment weer negentien zijn. Laat me een paar minuten normaal zijn, volkomen normaal, voordat mijn werkelijkheid weer op me neerdaalt...

'Je hebt vorige week twee afspraken afgezegd,' zei dr. Ashley beschuldigend. Ik zat tegenover hem in de spreekkamer die hij met dr. Sloan deelde. Er was geen spoor te bekennen van zijn glimlach, die normaal gesproken een baken was.

'Ja, het spijt me,' zei ik, 'maar mijn vader en mijn vriendin waren een week op bezoek en, eerlijk gezegd, had ik even rust nodig.' Ik vond dat het volkomen redelijk klonk.

'Nou, de rechtbank neemt geen rust, Bethany. Om heel eerlijk te zijn, je moeder en ik hebben je nu nodig. Wanneer dit voorbij is, zal er volop tijd zijn voor bezoek.'

Ik had dr. Ashley nooit anders meegemaakt dan hoffelijk en beminnelijk, dus deze nietsontziende, onverbloemde eerlijkheid was een beetje een schok voor me.

'We hebben nog drie maanden,' protesteerde ik zwakjes.

'We hebben iets minder dan drie maanden. Bovendien is het gauw Kerstmis en we zijn nog even ver als toen ik je de laatste keer sprak en dat was niet erg ver.' Er verscheen een ernstige, gewetensvolle blik in zijn hondenogen.

'Ik zei toch dat het me spijt.' Ik zakte in de stoel ineen als de terechtgewezen twaalfjarige die ik me voelde.

'Ik heb je boeken trouwens gelezen,' zei dr. Ashley.

'O, mooi,' zei ik, blij dat hij van onderwerp veranderde.

'Ik vond ze heel interessant.'

'Hoezo?'

'Vanwege de personages.'

'Er zijn een heleboel personages. Nog enkele in het bijzonder?'

'De hoofdpersonen, de kinderen die naar IJsboogland gaan.'

'Wat vond u dan zo interessant aan ze?'

'Ze lijken allemaal wat te mankeren,' zei hij.

'Tja, zo kun je het ook zeggen.'

'Hoe zou jij het dan zeggen?'

'Ik zou zeggen dat ze anders zijn. Daar draaien de verhalen om. Wanneer ze naar IJsboogland gaan, worden ze niet anders behandeld. Alles en iedereen is daar anders, dus is het voor hen alsof ze naar huis gaan.'

'Voelde jij je ook zo toen je die verhalen schreef? Alsof je naar huis ging?'

'Dat weet ik niet. Ik vond het schrijven ontspannend. Ik vond het leuk om die verhalen te schrijven en in het begin was het een soort opdracht, weet u nog wel?'

'Je had alles kunnen schrijven voor een opdracht Engels. Je had ook een boekbespreking of een gedicht kunnen schrijven. Waarom heb je juist deze verhalen geschreven?' De doelgerichtheid spatte van dr. Ashleys vragen. Het leek alsof hij zijn rol had ingestudeerd en ik onvoorbereid het toneel op gekomen was.

'Dat weet ik niet. Ze zijn gewoon in mijn hoofd ontstaan.

'Wie was Raine, het meisje met de gebroken benen?'

'Niemand. Ik heb haar verzonnen.' Het leek alsof ik mijn woorden door de kleine ruimten schoot die hij tussen zijn vragen in voor me overliet.

'In haar echte wereld kon ze niet lopen of rennen. Ze kon niet naar de plaatsen gaan waar ze naartoe wilde. Denk je dat jij, metaforisch gezien, misschien ook niet naar de plaatsen kon gaan waar *jij* naartoe wilde?'

'Ik begrijp niet wat u bedoelt. Mijn benen waren niet gebroken. Ik kon overal naartoe gaan waar ik maar wilde. Ik heb haar gewoon verzonnen.'

'Misschien wilde je naar school. Misschien zat je net als Raine thuis vast. In plaats van tegen je moeder te zeggen dat je naar school wilde en haar daardoor teleur te stellen, heb je misschien Raine verzonnen zodat je overal naartoe zou kunnen gaan.'

'Ik weet het niet, dr. Ashley. Het klinkt allemaal alsof u er een beetje te veel in probeert te lezen. Het is me allemaal wat te psychologiserend. Ik heb gewoon voor een opdracht Engels een verhaal verzonnen.'

'En hoe zit het met het albinomeisje? Heb je haar ook verzonnen?'

'Ja,' zei ik.

'Eerst is ze een beetje een rariteit en later wordt ze een prinses, voordat haar status duidelijk verlaagd wordt.'

'En?'

'Dus je wilt beweren dat je geen enkel verband met je eigen leven ziet?'

'Ik ben nooit een rariteit geweest en ik ben zeker geen prinses.' Ik bleef voet bij stuk houden.

'Je moet het niet letterlijk nemen. Je begrijpt toch wel dat ik het metaforisch bedoel?'

'Natuurlijk.'

'Kun je dan de mogelijkheid overwegen dat je onderbewustzijn, omdat jij het bent die deze personages verzonnen heeft, misschien een beetje in hun uiterlijk en gedrag doorgewerkt heeft? Dat je je misschien ook op een bepaald moment een beetje een rariteit voelde, dat je plotseling als een prinses werd behandeld en dat dat allemaal op de een of andere manier minder werd toen de aandacht zich op iemand anders richtte.'

'Zoals Michael?'

'Ja, ik bedoel met name Michael.'

'Ik veronderstel dat dat een mogelijkheid is, ja.'

'Ik zou zeggen dat het meer dan een mogelijkheid is. Heb je er bezwaar tegen dat ik je iets voorlees uit het verhaal over Shine en Genn?'

Hij pakte het boek van de stapel op zijn bureau alsof dit moment de climax van zijn optreden vormde en mijn boek een belangrijk rekwisiet was. Hij bladerde het boek door tot hij bij een bladzijde kwam die met een geel plakkertje gemarkeerd was en daarna las hij me mijn zinnen voor. In een oogwenk was ik talloze kilometers ver weg in een ander universum, terwijl ik me tegelijk zo veilig voelde als een kind dat gewiegd wordt.

'Shine is de winnares,' leest hij. 'Een glinsterende kristallen tiara wordt door de sneeuwkoningin van vorig jaar op haar hoofd gezet. Wanneer Shine haar zegeronde heeft gelopen, kondigt de ceremoniemeester de komst van de koning van de Zilveren Stad aan, die een paar woorden zal spreken.'

Ik weet wat er komt en ik wil verhinderen dat dr. Ashley de zinnen hardop voorleest. Ik wil het boek uit zijn handen grissen en tegen de oude Brit zeggen dat hij zich met zijn eigen zaken moet bemoeien. Het wordt allemaal zo duidelijk als een paarse bult op je voorhoofd die iedereen ziet behalve jij.

'Daar staat de grote koning aan het eind van de landingsbaan in zijn volle pracht en praal. Hij is het die de mensen zich vandaag bij de "Wie is de Allerwitste-schoonheidswedstrijd" zullen herinneren.'

Dr. Ashley citeert de laatste zin uit zijn hoofd. Zijn blik is niet langer op het boek gericht, maar hij kijkt mij aan met ogen als kleine, onverbiddelijke spiegels die mijn leven weerspiegelen.

'Tot Shines opperste verbazing is de koning van de Zilveren Stad van puur goud.'

Er viel in de daaropvolgende stilte niet veel te zeggen. Ik was om de oren geslagen met mijn eigen gedrukte, gepubliceerde woorden die iedereen zo kon lezen.

In de loop van de tijd had ik deze bekentenis van woede en jaloezie op een veilige plek begraven en nu kwam zij onmiskenbaar tevoorschijn als een oude beblede lap die door de hond van het gezin wordt opgegraven.

'Oké, ik geef toe dat er waarschijnlijk een verband bestaat,' zei ik ten slotte schaapachtig.

Dr. Ashley knikte minzaam en liet het er verder bij. Hij was het toonbeeld van tact en vriendelijkheid, iets wat ik op dat moment absoluut niet kon waarderen.

Hij veranderde enigszins van tactiek en vroeg: 'Gaf het schrijven van die verhalen je een gevoel van vrijheid?'

'Ja, dat denk ik wel.'

'Het is interessant,' zei dr. Ashley terwijl hij in zijn aantekeningen keek.

'Wat?'

'Dat je moeder overbezorgd om je was, wat natuurlijk begrijpelijk is na wat er met je broer was gebeurd, maar dat ze je ook verwaarloosde.'

'Verwaarloosde? Ze heeft me nooit verwaarloosd, dr. Ashley. Allesbehalve. Hebt u niet naar me geluisterd? Ze heeft me godbetert thuis mijn schoolopleiding gegeven. Ze deed alles met me. We waren onafscheidelijk.'

'Er zijn verschillende soorten van verwaarlozing, Bethany.'

Dr. Ashley verhoogde de druk weer. Hij maakte de verloren tijd goed.

'Hoe komt u daarbij?'

'Uit wat je tot dusver hebt gezegd, leid ik af dat je moeder zelden huilde, dat ze haar gevoelens van woede en verdriet ontkende en ze verborg achter het constante zoeken naar Michael. Wanneer jij je emoties toonde, ontkende ze die ook. Ze praatte ze uit je hoofd en leidde je af. Je hebt gelijk, jullie waren onafscheidelijk, maar daar gaat het hier juist om. Ze kon haar eigen ontkenning van haar emoties niet van de jouwe scheiden. Geen wonder dat je je vrij voelde in IJsboogland. Ik herinner me dat er in IJsboogland zeventigduizend kleuren zijn die elk een andere emotie vertegenwoordigen.'

Ik glimlachte. Ik was onder de indruk omdat hij zich de details van mijn verhalen herinnerde. Ik probeerde zijn woorden te verwerken en mijn manier van denken over dit onderwerp te veranderen, maar mijn geest bleef steeds hangen bij iets wat op een hardnekkige kreukel leek die de hitte van het strijkijzer weerstond. 'Ik weet het niet, dr. Ashley,' zei ik hoofdschuddend. 'Het is heel vaak voorgekomen dat ik samen met mijn moeder droevig was.'

'Ja, maar wat zei ze dan bijvoorbeeld dat je moest doen?'

'Dat weet ik niet. Het was elke keer anders.'

'Maar de boodschap was hetzelfde. Verdien je tranen. Je verdient het niet om te huilen. Dit is klein. Wat ik doorstaan heb, is groot en waar jij door van streek bent, is niets. Als ik tegen elke nieuwe dag opgewassen ben en door kan gaan, heb jij niets om over te klagen. Ze bagatelliseerde zelfs je prestaties. Word niet te enthousiast. Vergeet niet wat echt belangrijk is. Je moeder hing de martelares uit, hè?'

Ik vond dit verschrikkelijk en ik kreeg een hekel aan hem, omdat hij dat soort dingen over mamma zei. Het leek alsof hij alles wat ik hem ooit over mamma had verteld in de vorm van een egoïstische gekkin had geboetseerd. Hoe durfde hij dit soort dingen te zeggen? Zijn kind was niet gestolen. Hij wist niet hoe dat

187

voor haar geweest was. Wat had ze dan moeten doen, vroeg ik hem, had ze soms om de dag in moeten storten terwijl ze mij moest grootbrengen?

'Het zou haar misschien goedgedaan hebben als ze ingestort was. Dat zou haar een adempauze hebben gegeven.'

'Nou, ik kan u vertellen dat ze dat ook wel gedaan heeft. Ik heb gezien dat mijn moeder helemaal in elkaar klapte, dat ze helemaal kapot was. Bent u daar blij mee?'

'Het gaat er niet om of ik daar blij mee ben of niet, Bethany. Waar het om gaat, is dat we erachter komen waarom je moeder Thomas Freeman naar zijn huis is gevolgd, hem met een pook de hersens ingeslagen heeft en ze zich dat twee maanden later nog niet kan herinneren.'

'Mijn moeder heeft me nooit verwaarloosd,' zei ik. 'Ze heeft haar uiterste best gedaan.'

'Ze kan je hier niet horen, Bethany. Je hoeft haar niet te beschermen. Je kunt de mogelijkheid overwegen dat je moeder fouten heeft gemaakt, dat ze ook maar een mens is, dat haar manier om met het verlies om te gaan zowel jou als haar meer kwaad dan goed heeft gedaan. Het is geen verraad.'

Ik had het gevoel dat de grond onder me wegzakte. Ik kon niet veel meer verdragen. Ik voelde me duizelig en ik had het warm. Dr. Ashleys spreekkamer leek plotseling zo klein als een kast te zijn. Ik wilde weg. Waarom deed hij dit, waarom probeerde hij mijn moeder in een kwaad daglicht te stellen, waarom probeerde hij mijn moeder als een soort monster af te schilderen? Ik wilde hier geen seconde langer meer naar luisteren. Hoe kon dit haar helpen haar herinnering terug te krijgen? Daar ging het toch om?

'Ik moet weg.'

'Je bent vrij om te gaan, Bethany, maar dat zal het niet gemakkelijker maken. Niet op de lange termijn. Uiteindelijk zul je de zaken onder ogen moeten zien.'

Ik stond op. 'Wat voor zaken?' beet ik hem toe. Mijn handen trilden.

'Het is nodig dat je je moeder vertelt wat je voelt.'

'Mijn moeder weet wat ik voel.'

'Is dat zo?'

'Wat wilt u eigenlijk?' vroeg ik.

'Ik wil dat iemand me eindelijk iets vertelt. Jij zegt afspraken af en je moeder praat over het weer, maar de datum van het proces nadert snel en we hebben niets te bieden. Je zegt dat je haar hier weg wilt hebben, dat ze hier niet hoort, dat ze afgezien van het kleine incident volkomen normaal is. Dan zal ik je eens wat vertellen. Je volkomen normale moeder kan hier nog jaren zitten, tenzij je concludeert dat dit belangrijk genoeg is om je erin te verdiepen en er een beetje werk voor te verzetten.'

'Wat voor werk? Wat kan ik dan doen?' Ik schreeuwde de vragen bijna smekend.

Dr. Ashley schraapte zijn keel en liet de echo van mijn gekrijste woorden wegsterven. Toen zei hij met verontrustende kalmte: 'Begin vragen te stellen.'

'Wat voor vragen?' Mijn ogen leken in brand te staan. Ik had beweging en frisse lucht nodig. Ik stond op het punt om in te storten. Ik sleepte mijn loden benen naar de deur.

'Ik kan je niet tegenhouden als je weg wilt, Bethany.'

Ik had mijn hand op de deurknop.

'Maar denk om te beginnen hier eens over na. Als je je moeder één vraag mocht stellen en je zou gegarandeerd een eerlijk antwoord krijgen, wat zou je haar dan vragen?'

Ik kon niet antwoorden, omdat mijn keel zich pijnlijk samenkneep. Ik opende de deur en liep naar buiten.

DEEL III

32

1997

Soms is er in een gezin een zware storm nodig om rust te creë-ren. De dingen moeten uiteengerukt en tot op hun fundament weggeblazen worden om de boel opnieuw op te kunnen bouwen zodat er een nieuwe geschiedenis geschreven kan worden. Elke geschiedenis begint ergens en het is nooit gemakkelijk.

Ik word eerder ongesteld dan Lucy en ik ren naar de telefoon om het haar te vertellen. Maar niet voordat mamma *het regelt*. Ze overhandigt me met twee handen een doosje tampons alsof het een heilig voorwerp is.

Ik ben niet bang wanneer ik bloed in mijn slipje zie. Ik weet precies wat het is omdat mamma en ik het onderwerp uitgebreid besproken hebben. Ze zegt dat het een natuurlijk proces is dat de overgang van meisje naar vrouw markeert, dat het iets prachtigs is, iets om trots op te zijn en dat ben ik ook.

Wat mamma vergat te vertellen was dat ik plotseling zou gaan huilen wanneer ik naar een liefdesliedje luisterde en dat ik over-gevoelig zou worden voor de geringste kritiek. Dat ik het gevoel zou krijgen dat ik een baksteen in mijn buik heb. En ze heeft zeker niet verteld hoe ik naar Benjamin Zingler zou gaan kijken. Maar dat kan me allemaal niet schelen, want ik ben nu een vrouw.

'Wat voor kleur hebben de Sneeuwballieten?' vraagt Lucy.
'Wat voor kleur hebben de sneeuwbergen waar ze vandaan komen?' kaats ik terug.
'O ja, natuurlijk,' zegt Lucy en ze zoekt tussen de potten plakkaatverf naar oranje.

Dankzij mevrouw Zinglers ingeving en Lori's artistieke kwaliteiten (we willen alle grote mensen graag bedanken) hebben we een schilderij zo groot als de muur van Lucy's slaapkamer gemaakt met taferelen uit IJsboogland. Het witte karton, zes aan elkaar gelijmde stukken die in een halve cirkel gesneden zijn die van het plafond tot de vloer reikt, is bedekt met potlood- en houtskooltekeningen. Het heeft drie maanden geduurd voor het klaar was en vanavond gaan Lucy en ik er de eerste verf op smeren.

Er zijn tekeningen van de Zilveren Stad, de Glanzende Vallei, de Echoberg, de Pastelberg, de IJsananasvelden, de Limonadebronnen, het Spiraalbos, de Gele Rivier en het Violette Meer. Alle pinguïns en hun kinderen zijn aanwezig, plus de sneeuwprinsessen, de ijskoningin en mijn laatste toevoeging, Sneeuwkei en haar Sneeuwballieten. De figuranten zijn er ook, de vogels die niet kunnen vliegen zijn in de bladerloze bosjes en tussen de bladerloze bomen getekend.

Onze muurschildering heeft beslist een hoog zoekplaatjesgehalte. Lucy en ik hebben veel tijd besteed aan het bestuderen van ons werk om vergeten details te ontdekken. Zo op het oog lijkt het een totaal chaotisch sneeuwlandschap, maar als je er beter en aandachtiger naar kijkt, zie je al snel een reeks taferelen die allemaal een visuele uitbeelding van hun eigen verhaal zijn.

Tekenen is één ding. Hoewel het lang geduurd heeft, was het

meer een kwestie van aanhoudend, gedachteloos gekrabbel. Wanneer ik mijn penseel op het papier zet, merk ik dat verf iets definitiefs heeft dat houtskool mist. Ik vraag me af hoe lang het schilderen zal gaan duren. Ik raak plotseling een beetje ontmoedigd.

'Misschien kan Jenny zaterdag komen om ons te helpen,' zegt Lucy, alsof zij ook heeft nagedacht over de overweldigende hoeveelheid werk die we voor de boeg hebben.

'Denk daar eens even over na,' zeg ik met de zelfgenoegzame grijns van iemand die het beter weet.

'O ja, natuurlijk. Hoe kon ik dat nu vergeten?' zegt ze. 'De grote wedstrijd.'

Lucy heeft veel nieuwe vriendinnen gemaakt, maar dat kan me niet schelen, want het zijn ook mijn vriendinnen. In het begin vond ik het wel vervelend, heel erg zelfs. Ik vond het vervelend dat Jenny Jacobs bij Lucy thuis kwam en het alleen maar over jongens had. Ik vond het vervelend dat Kelley James bij Lucy thuis kwam en haar Boyz II Men-bandjes op Lucy's gettoblaster afspeelde. Ik vond het vervelend dat Nicole Wilkins bij haar kwam en erover opschepte dat ze achter de school rookte en met Kerstmis alcohol uit de kast van haar ouders jatte. Ik vond het vervelend dat Lucy lachte om hun stomme grappen en dat ze allemaal gemaakte gilletjes slaakten en hun T-shirt een beetje strakker trokken wanneer Benjamin Lucy's kamer binnenkwam om te zeggen dat er telefoon voor haar was.

Maar ik vind het niet vervelend meer omdat ik nu ook graag over jongens praat en omdat mijn borsten even groot zijn als de hunne, maar ik vind het in de eerste plaats niet vervelend meer omdat ik, wanneer ze naar huis zijn gegaan, alleen met Lucy ben en het tussen ons hetzelfde is als altijd.

Ja, sommige dingen zijn veranderd en andere niet. De dingen die niet veranderd zijn, zijn de dingen waarop ik kan bouwen, die me op de been houden, zoals mamma zou zeggen. Ik ga nog steeds twee keer per week naar mevrouw Zingler voor mijn Franse les. Ik blijf daar nog steeds tot Lucy thuiskomt en we gaan nog steeds naar haar kamer om lekker te lummelen. Wat wel veranderd is, is dat mamma niet meer in de huiskamer op me blijft wachten en dat ik nu tot halftien mag blijven omdat ik Lucy, in ruil voor de Franse lessen, help met haar wiskundehuiswerk.

Ik houd niet zo veel van wiskunde als van Engels, maar ik heb er geen moeite mee en ik haal er goede cijfers voor. Omdat ik thuisonderwijs heb, ben ik veel sneller door de lesstof heen gegaan dan Lucy, dus ben ik ook veel verder met wiskunde, zodat haar wiskunde gemakkelijk voor me is, en ik vind het niet erg om haar daarmee een beetje te helpen.

Wanneer het *tijd voor de bijles* is, zoals Lucy's moeder het noemt, moeten we onder het toeziend oog van mevrouw Zingler aan de keukentafel gaan zitten, omdat zij en mamma weten dat er niets van het huiswerk terecht zou komen als Lucy en ik het op haar kamer gingen maken, terwijl we naar Nicki French luisterden die 'Total Eclipse of the Heart' uitbrulde.

Tijdens de bijles mag Lucy geen telefoontjes aannemen en Benjamin en Daniel mogen ons niet lastigvallen. Ik heb strikte orders om Lucy's huiswerk niet te maken, maar haar alleen te helpen om zelf te bedenken hoe het moet en mevrouw Zingler let daar ook op.

Lucy haat wiskunde.

Gelukkig houdt ze van tekenen en schilderen, maar af en toe wens ik dat voor ons werk aan het schilderij dezelfde regels zouden gelden als voor de bijles, zoals nu bijvoorbeeld, want de deur gaat plotseling met een klap open en Benjamin blijft in de deuropening staan. Hij leunt tegen de muur en zijn dikke haar hangt voor zijn ogen.

'Hé! Donder op,' zegt Lucy zonder op te kijken en met haar blik gericht op de perzikkleurige vlek die zijn onverwachte komst heeft veroorzaakt.

'Oké, dan vertel ik het je niet,' zegt Benjamin.

'Wat?' vragen Lucy en ik tegelijk.

'O, niets, er is alleen een of andere *jongen* aan de telefoon.'

'Dat zal best,' zegt Lucy zonder een spier te vertrekken.

'Goed, dan vertel ik hem wel dat je bezig bent.'

'Wie is het dan, meneer de betweter.'

'Ach, dat weet ik niet, misschien is het Nick of Howie of A.J.,' plaagt Benjamin, waarmee hij verwijst naar Lucy's nieuwste poster van de Backstreet Boys, die boven haar bed hangt sinds het schilderij de muur in beslag neemt.

De ongeduldige stem van mevrouw Zingler klinkt door de gang,

'Lucy, neem je nou nog op of niet.'

'Ik zei het je toch,' zegt Benjamin en hij trekt een gezicht.

Lucy zet het penseel in een glas gekleurd water en geeft haar broer een duw met haar schouder wanneer ze langs hem heen loopt. Benjamin komt de kamer binnen, blijft met zijn armen voor zijn borst gekruist achter me staan en bestudeert ons meesterwerk.

'Zeg het niet.' Ik probeer zijn kritiek al af te wenden voordat hij zijn mond opengedaan heeft.

'Wat niet? Ik wilde helemaal niets zeggen. Het is geweldig,' zegt hij.

Ik ben even niet meer op mijn hoede, maar dan hoor ik hem opeens lachen.

'Wat is er?'

'Wat is dat?' Hij wijst naar Sneeuwkei. 'Dat is heel grappig. Ik vind die uitdrukking op zijn gezicht leuk terwijl hij de berg af rolt.'

Sneeuwkei raast de Allesberg af met Egu en Daw in haar enorme lijf verpakt als twee worstjes in een sneeuwbroodje.

'Het is een zij en ze is net wakker gemaakt,' zeg ik, maar ik realiseer me dat hij niet zal begrijpen waar ik het over heb. 'Laat maar. Het hoort gewoon bij het verhaal,' voeg ik er snel aan toe.

'Wat voor verhaal?'

'Het zijn er een heleboel, maar ik werk op het ogenblik hieraan.'

'Ik wil het graag lezen als je het klaar hebt,' zegt hij, maar ik weet niet of het geen inleiding voor zijn volgende grap is.

'Echt waar?' vraag ik, maar de manier waarop ik het zeg, bevalt me helemaal niet. Ik heb een klein stemmetje dat veel te gretig klinkt.

'Ja, echt waar. Ik wil graag weten hoe het zit met die reusachtige sneeuwbal.'

Ik voel dat mijn oren gaan gloeien. Lucy komt de kamer binnenrennen en werkt Benjamin de deur uit.

'Je raadt nooit wie het was! Dat was Kyle Peterson,' zegt ze met een piepstemmetje. 'Hij heeft me gevraagd voor het bal.'

O ja, het bal. Het bal waar ik niet naartoe ga, omdat mamma het niet goedvindt en ze zich niet laat ompraten.

Er zijn deze week twee dingen gebeurd. Ten eerste is Lucy ongesteld geworden. Ze had me tenminste het plezier kunnen doen om nog minimaal zes maanden te wachten.

Ten tweede mislukt mijn poging om me Beth te laten noemen. Hoe vaak ik mamma, mevrouw Zingler, Lucy en iedereen die het maar horen wil, er ook aan herinner dat ik nu een vrouw ben en liever Beth genoemd wil worden, het heeft geen zin. Lucy, haar grootmoedigheid zij geprezen, probeert het in elk geval en het lukt haar soms zelfs om in een kwartier een paar keer Beth te zeggen, maar ongemerkt valt ze steeds weer terug op Bethany. Mamma zegt alleen maar: 'Stel je niet zo aan, Bethany.'

Het is alleen maar logisch dat de week ook op een vernederende manier eindigt. Niet alleen wil mamma Lucy, Nicole, Kelley en mij met de auto naar de grote basketbalwedstrijd brengen terwijl we liever gaan lopen, maar ze wil ook nog samen met ons naar de wedstrijd blijven kijken.

'Ik hoef niet bij jullie te zitten,' zegt ze wanneer ik voor de laatste keer op alle mogelijke manieren probeer haar op haar belachelijke besluit terug te laten komen.

Maar mamma is mamma en nee is nee. Ik sleep me verslagen naar de Volvo.

'Kunt u dan ook apart van ons naar binnen gaan?' zeg ik, berustend in mijn lot.

'Pas op je woorden, jongedame, anders ga je helemaal niet.'

Ik zeg er geen woord meer over. Eerst halen we Lucy op, dan Nicole en ten slotte Kelley en vervolgens rijden we met een volle auto langzaam naar de school. Ik haal oppervlakkig adem en hoop dat niemand iets verkeerds zal zeggen. Ik hoop dat Lucy niet gaat vertellen dat Kyle Peterson haar voor het bal heeft gevraagd en dat hij vandaag bij de wedstrijd zal zijn. Ik hoop dat Kelley niet zal zeggen dat ik Benjamin leuk vind en ik hoop dat Nicole helemaal haar mond houdt. Binnen één seconde zou mamma bevestigd kunnen krijgen dat haar grootste zorgen (dat ik een tiener ben en aan jongens denk) gegrond zijn en de weinige vrijheden die mamma me toestaat, zouden voor altijd ingetrokken worden.

Maar de meisjes praten alleen over basketbal, over verloren en gewonnen wedstrijden. Mijn hoorbare zucht verraadt mijn opluchting wanneer ik de passagiersdeur open zodra mamma op het drukke parkeerterrein van de school geparkeerd heeft. Ik wacht tot de andere meisjes uitgestapt zijn en daarna lopen we naar de ingang van de sportzaal waarbij we mamma, die achter ons aan komt, wreed negeren.

Kelley gaat als eerste naar binnen en we volgen haar de Dartmouth-kant van de tribune op. We duiken met grote onhandige stappen naar voren en wekken duidelijk de ergernis van iedereen die in ons pad zit. Mamma heeft gelukkig woord gehouden en ze is nergens te bekennen. Ik weet echter dat ze ons zal kunnen zien, waar ze ook is tussen deze massa jonge supporters.

We gaan drie rijen van de top van de tribune zitten, strijken ons haar en onze kleren glad en doen alsof we met elkaar in een diep gesprek verwikkeld zijn waaruit moet blijken dat we zo interessant en geestig zijn dat we verder iedereen wel saai zullen vinden, terwijl we tegelijkertijd rondkijken om te zien wie er naar ons kijkt.

'Daar zit hij,' zegt Lucy. 'Niet kijken!'

'Kijkt hij deze kant uit?'

'Dat weet ik niet. Ik kijk niet.'

'Kijk dan!'

'Uitgesloten. Ik kijk niet. Kijk jij maar.'

'Je zei dat ik niet moest kijken.'

We worden gered doordat het publiek plotseling begint te juichen wanneer de cheerleaders en de mascotte van Dartmouth het tot hysterie opzwepen. We zingen mee.

'Dartmouth, Dartmouth, we gaan ertegenaan, Dartmouth, Dartmouth, we zullen ze verslaan,' brult een rij van acht prachtig uitgedoste cheerleaders. Zilverkleurige en rode pompons flitsen beneden ons door de lucht als de wild bewegende hoofden van punkrockers en daar is ze, onze vriendin Jenny. Ze glimlacht, gooit haar benen in de lucht, zingt en draait rond alsof ze nooit anders heeft gedaan. Ik kan het niet helpen dat ik trots op haar ben.

Tegen de tijd dat de teams de zaal in komen en in hun zilverkleurig met rode respectievelijk blauw met goudkleurige uniformen allebei in een andere richting rondjes beginnen te lopen, stampt, bonkt en brult de hele zaal van koortsachtige opwinding. Ik vraag me af of mamma wist wat haar te wachten stond.

De meisjes van Dartmouth walsen vanaf het begin door de verdediging van de Warmish Wimps heen en bij de rust is mijn stem schor en staan we met 52-16 voor. De meisjes en ik lopen met het publiek mee naar de kantine om limonade te drinken. Er staat een rij tot op de gang, de perfecte gelegenheid om gezien te worden zonder dat we de indruk wekken dat we ons best ervoor doen. Jenny haalt ons in. Haar wangen zijn rood, haar make-up is door het zweet uitgelopen en haar glinsterende uniform is van dichtbij nog mooier. We schuifelen pratend en giechelend naar voren en voor we het weten, staan we bij de toonbank. Lucy bestelt citroencider wanneer een hand met een vijfdollarbiljet tussen de vingers over haar schouder glijdt en een stem zegt: 'Maak er maar twee van.'

Een andere stem achter ons zegt tegen Kyle Peterson dat hij achter moet aansluiten, maar Lucy heeft het geld al en ze rekent de beide drankjes ermee af.

Wanneer we allemaal onze drankjes hebben, gaan we in een groepje staan. Het is wij en zij, wij en Kyle Peterson met zijn aanhang van drie jongens. Ze hebben allemaal hetzelfde donkere haar dat van achteren en van opzij kortgeknipt en van voren lang is, behalve één jongen, die een dikke bos witblonde krullen heeft.

Kyle praat met Lucy. Twee jongens voelen bewonderend aan Jenny's pompons. Nicole, Kelley en ik drinken onze limonade. Ik kijk naar een onzichtbaar voorwerp voor mijn voeten wanneer ik een stem hoor zeggen: 'Ik ken jou.'

Ik kijk op. Blondie lijkt het tegen mij te hebben.

'Hè?'

Hij kijkt me recht aan, maar ik ken hem niet.

'Je bent bij me thuis geweest,' zegt hij.

Nu weet ik zeker dat hij het niet tegen mij heeft. Ik kijk Nicole en Kelley aan, die hun gegiechel proberen te onderdrukken.

'Nee, dat kan niet,' zeg ik.

'Ja, jij was het. Repareert je moeder meubels?'

Wie heeft de verwarming van mijn gezicht hoger gezet?

'Waar heb je het over?'

'Ik denk dat je moeder een van onze stoelen heeft gerepareerd of zoiets en dat jij met haar meegekomen bent. Je keek buiten naar ons.'

201

Er zoemt een zwerm bijen in mijn hoofd.

'Je bedoelt... op de berg.'

'Ja, ik woon op de berg.'

'Godallemachtig, dat is zo lang geleden. Hoe komt het dat je dat nog weet.'

'Ik weet niet, je ziet er hetzelfde uit, denk ik.'

'Jeetje, bedankt, dan zie ik er dus uit als zeven.'

Iedereen lacht.

'Nee, ik bedoelde niet... ik herinner het me gewoon, dat is alles.'

We gaan terug naar de tribune voor de tweede helft, alleen zitten we nu samen met de jongens op de derde rij van boven en Blondie zit naast mij. Ik kan mamma niet zien, maar ik voel haar ogen.

Ik probeer me te herinneren wanneer ik in het huis van deze jongen ben geweest, maar het lukt niet.

'Hoe heet je dan?' vraag ik in de hoop dat daardoor mijn geheugen opgefrist zal worden.

'Will. Will Cooper.'

De familie Cooper. Natuurlijk.

'Je hebt een tweelingbroer en een zus. Jullie waren op de trampoline aan het springen. Nu herinner ik het me weer.'

'Ja, dat zal wel,' zegt hij en hij voegt eraan toe: 'Het spijt me dat ik dat net gezegd heb. Ik bedoelde niet dat je er als zeven uitziet. Ik herinner je me hoofdzakelijk omdat we niet veel kinderen van onze leeftijd over de vloer kregen.'

De wedstrijd dendert verder en onze meisjes staan nu zo ver voor dat de uitslag geen verrassing zal zijn.

'Ga je vanavond naar het bal?' vraagt Will verlegen.

'Nee, ik ga naar een ander feest,' lieg ik. Ik ben al aan het verzinnen bij wie en waar dat feest zou zijn, maar hij vraagt het niet.

'Ik ga ook niet,' zegt hij. 'Mijn moeder wil niet dat ik laat buiten ben. Ze is een beetje paranoïde.'

Wauw, de waarheid, en het lijkt niet eens zo moeilijk. We zien dat de wedstrijd ten einde loopt. Will lijkt in niets op Benjamin, denk ik. Will heeft krullen, hij is een en al eerlijkheid en verontschuldigingen en vindt zijn weg tastenderwijs door de conversatie. Misschien komt het doordat hij van mijn leeftijd is of doordat hij iets melancholieks in zijn blauwe ogen heeft, maar ik voel me op mijn gemak in zijn gezelschap. In aanmerking genomen waar hij vandaan komt, is het ironisch dat ik me zijn gelijke voel.

Kyle zegt tegen de jongens dat ze weggaan.

'Je kunt nog eens bij me langskomen als je wilt,' zegt Will. 'Mijn ouders vinden het niet erg. Kom een keertje zwemmen.'

We nemen allemaal afscheid en de jongens lopen de tribune af en verdwijnen uit het zicht.

'Waar had je het met Will Cooper over?' Nicole vraagt het, maar drie paar gretige ogen wachten op mijn antwoord.

'Nergens over.' Ze reageren met een koor van gekreun.

'Nee, echt waar. Hij herinnert me zich alleen van lang geleden toen ik een jaar of zeven was. Het is heel vreemd.'

Ik weet niet waarom ik niets zeg over de uitnodiging. O, wacht even, ik weet het wel. Het komt omdat ik er niet op in zal gaan, omdat mamma het nooit goed zal vinden.

'Maak maar eerst die van mij open,' zeg ik tegen Lucy en ik overhandig haar de rechthoekige doos die ik vanmiddag ingepakt heb.

'Wat kan het zijn?' Lucy schudt ermee, ruikt eraan en rekt het moment tergend lang uit. Ze weet precies wat het is. Wat ze niet weet, is dat mijn cadeau onderdeel is van een thema dat haar verjaardagsfeest in beweging zal zetten. De meisjes en ik gaan in de zitkamer van Lucy's huis in een kringetje om haar heen staan en ze scheurt het kleurige papier langzaam open.

'Schiet nou op,' dringen we aan. Zelfs Daniel, die vanuit zijn rolstoel toekijkt en mevrouw Zingler, die op de bank zit, lijken onrustig.

Dankzij een paar meevallers mag ik op Lucy's verjaardag blijven slapen. De eerste meevaller was dat mevrouw Zingler mamma heeft gevraagd of ik mocht blijven logeren. Ze zei dat Lucy het fantastisch zou vinden als ik op deze speciale dag zou blijven slapen. De tweede meevaller was dat mevrouw Zingler essentiële informatie had weggelaten die bij mamma zeker tot een pertinente weigering geleid zou hebben. Ze vertelde niet dat Nicole, Jenny en Kelley ook zouden blijven slapen, waardoor het een soort pyjamafeestje zou worden, een absoluut taboe.

Mamma liet me zelfs door Richard met de auto brengen, omdat hij mamma op een videofilm wilde trakteren die hij op de terugweg naar huis zou ophalen. Mamma bestookte me zelfs niet met haar gebruikelijke spervuur van vragen voordat ik vertrok. Het is fijn om Richard in de buurt te hebben.

'O, mijn god.' Lucy's verrassing is geveinsd, maar haar blijdschap bij de aanblik van het ouijabord dat ze, zoals ze me verscheidene keren duidelijk heeft gezegd, graag wilde hebben, is oprecht. Van Kelley krijgt ze een spel tarotkaarten met een handleiding. Jenny geeft haar een heksenset voor beginners en Nicoles cadeau is een boek over handlijnkunde. Mevrouw Zingler omlijst het thema van het feestje met wierook, kaarsen, zigeunerhoofddoeken, armbanden en een kristallen halsketting, die Lucy die avond van ons allemaal moet dragen.

Als mamma me nu eens kon zien. Ik kwijl bijna bij het heerlijke vooruitzicht van een avond van verboden heidense rituelen. Ik popel om te beginnen wanneer we Lucy's cadeaus naar haar slaapkamer brengen, samen met genoeg popmuziek, popcorn en chocola om drie avonden mee te kunnen doen.

Wanneer we binnen zijn, zetten we de Backstreet Boys op en we steken de kaarsen en de wierook aan. De tarotkaarten worden op tafel gelegd en madame Lucy gaat aan de slag. Na tweeënhalf uur weet Nicole dat ze in verwarring zal raken en van het rechte pad zal afdwalen. Jenny zal een pijnlijke waarheid onthuld worden. Kelley zal hulp zoeken bij intellectuele inspanningen, mijn creativiteit zal me rijk maken en Lucy zal een gids worden voor degenen die zichzelf in de weg zitten.

'Oké, laten we een tovermiddel maken.' Nicole, de hogepriesteres, bestudeert de mogelijkheden al.

'Hoe kun je iemand ja laten zeggen,' leest ze voor uit het heksenhandboek terwijl ze de inhoud van de set in een keurige rij voor Lucy's bed uitstalt. Ik stel me voor dat ik mamma vraag of ze me naar de berg wil brengen en me bij Wills huis af wil zetten om daar in het zwembad te gaan zwemmen. Mamma doet er niet moeilijk over en ze stelt geen vragen. Ze zegt gewoon ja en pakt de autosleutels.

'Hoe kun je iemand nee laten zeggen,' vervolgt Nicole. Ik kan niet bedenken hoe dat voor wie van ons ook van nut zou kunnen zijn.

'O, daar gaan we. Het formulier van de liefde.' Nicole rekt het woord liefde uit en kijkt Lucy erbij aan.

'Je kunt iemand niet dwingen van je te houden, maar hekserij kan je helpen de elementen en omstandigheden te manipuleren die succes garanderen. De krachten van de natuur, intuïtie, vooruitziendheid en de meest mysterieuze vorm van spirituele openbaring zijn hier aan het werk,' leest Nicole voor. 'Oké, we hebben een schaal of een pot of zoiets nodig.'

Lucy opent haar kast en trekt een tenen mand van de bovenste plank. Ze gooit de twee half afgemaakte geborduurde kussenslopen en de zijdeachtige bolletjes gekleurd garen die erin zitten op de bodem van de kast. Ze zet de mand midden in de kring van onze knieën. Intussen heeft Nicole de benodigde ingrediënten voor het tovermiddel geselecteerd.

'Goed, je legt dit zijden lapje op de bodem.' Nicole geeft het glanzende zijden vierkantje aan Kelley als een verpleegster die een dokter een belangrijk instrument overhandigt. 'Daarna druppel je er precies drie druppels rood kaarsvet op.'

Jenny vindt de rode kaars in het assortiment dat mevrouw Zingler heeft gekocht. We kijken vol ontzag en met open mond toe wanneer ze hem aansteekt en vervolgens behendig precies drie kleurige druppels op de stof laat vallen. Het kaarsvet lijkt griezelig veel op bloed.

'Goed,' zegt Nicole. Er valt een stilte in de kamer.

'Lucy, schrijf nu je eigen naam en die van Kyle met de rode pen op deze drie strookjes.'

Lucy volgt de instructies op, maar niet zonder te zuchten en met haar ogen te rollen. Ze legt de strookjes op elkaar in onze pot.

'Goed, dan pakken we nu onze zoetstof.' Nicole schroeft de dop van een flesje, waardoor een druppelaar zichtbaar wordt die in een stroperige, goudkleurige vloeistof gedoopt is.

'Hmm, honing,' zegt ze, en ze overhandigt mij het flesje. 'Druppel zo veel honing op de namen dat de inkt gaat uitlopen. Zorg ervoor dat de inkt van de beide namen zich met elkaar vermengt.'

Ik doe mijn best en ben voorzichtig met de kleverige vloeistof.

'Nu nemen we deze rozenblaadjes.' Ze geeft Kelley een klein zakje met een ritssluiting. 'Hoeveel?' vraagt Kelley.

'Dat staat er niet bij. Gebruik ze maar allemaal.'

Kelley strooit de gedroogde rozenblaadjes over de andere spullen in de mand uit.

'Nu een beetje iriswortel, bij ons heksen beter bekend als de liefdeswortel.' Nicole strooit het poeder zelf uit.

'Leg de veer over de rozenblaadjes heen.' Het is één veer die verpakt is in twee lagen plastic. Nicole trekt ze los en legt de veer in de mand.

'Nu staat er dat we in een kring elkaars handen moeten vastpakken en dan de naam van de persoon drie keer moeten zeggen, maar elke keer dat je de naam zegt, moet je ook zeggen: "Maan, maan, breng me mijn enige ware liefde zodat iedereen het kan zien." Dit is de toverspreuk waarmee alle elementen samen worden gebracht zodat de ware liefde zich kan tonen.'

We pakken elkaars handen vast.

'Klaar?' vraagt Nicole. 'Ik tel tot drie. Een, twee, drie.'

We ademen tegelijk in en roepen: 'Kyle!' Daarna slaan we direct dubbel van het lachen.

'Oké, jongens, kom op nou,' zegt Nicole in een zwakke poging de orde te herstellen. We proberen het opnieuw, maar tegen de tijd dat Nicole tot twee heeft geteld, liggen we alweer in een deuk.

Wanneer we uitgelachen zijn, proberen we het een derde keer. Nicole is bloedserieus geworden. We pakken elkaars handen weer vast en oefenen de spreuk een paar keer. 'Ik tel tot drie. Een twee, drie.' We ademen diep in en zeggen dan: 'Kyle, maan, maan, breng me mijn enige ware liefde zodat iedereen het kan zien,' alleen zeg ik in mijn hoofd een andere naam.

'Harder,' zegt Nicole.

'Kyle, maan, maan, breng me mijn enige ware liefde zodat iedereen het kan zien.'

De laatste keer.

'Kyle, maan, maan...' Maar verder komen we niet omdat de deur van Lucy's kamer openzwaait waardoor het kaarslicht grillig en angstaanjagend begint te flakkeren. We beginnen allemaal te gillen als in een griezelfilm en springen overeind.

'O, mijn god, wat is dit in...' Benjamin bestudeert ons kleverige mengsel van rozenblaadjes en kaarsvetdruppels. 'Wat zijn jullie aan het doen?'

'Straks gaan we een voodoopop maken die op jou lijkt,' zegt Lucy.

'Het is niet aardig om zoiets te zeggen tegen je lieve broer die alleen maar even binnenkomt om je je verjaardagscadeautje te geven.'

Hij sluit de deur achter zich en haalt een fles Blue Nun uit zijn rugzak. 'O, mijn god,' zegt Nicole. 'Ik hou van je.'

'Hoe kom je daar in vredesnaam aan?' vraagt Lucy.

'Ik heb connecties.' Hij houdt de witte wijn boven de uitgestrekte handen van zijn zuster. 'Als je betrapt wordt, dan heb ik er niets mee te maken. Begrepen?'

'Ik snap het. Geef hier.' Hij laat de fles zakken en ze trekt hem naar zich toe.

'Je mag blijven om met ons mee te drinken,' fluistert Kelley.

Benjamin lacht. 'Ik denk dat ik het maar aan jullie overlaat,' zegt hij. 'Maar je kunt de fles maar beter verstoppen voor het geval ma binnenkomt.'

Lucy haalt het sloop van haar kussen en stopt de fles erin. Ze geeft de fles door aan Nicole, die er een grote slok uit neemt voordat ze hem aan Kelley doorgeeft. Wanneer het mijn beurt is, probeer ik niet te laten merken dat het mijn eerste slok alcohol is. De fles is leeg nadat hij drie keer bliksemsnel is rondgegaan en al snel lachen we overal om.

Ik krijg plotseling zin om een hele schaal popcorn leeg te eten en wanneer ik dat doe, moet ik naar het toilet om over te geven.

Ik weet dat ik nooit meer op dezelfde manier naar popcorn zal kijken, nu ik de uitgebraakte versie ervan heb gezien. Ik inspecteer mijn lijkbleke gezicht in de spiegel en hoop dat mevrouw Zingler weg zal blijven. Wanneer ik in de kamer terugkom, zitten de meisjes weer in een kring waarin duidelijk een plek leeg is, ditmaal met het ouijabord in het midden.

'Kom, schiet op,' zegt Lucy en ze slaat op de vloer naast zich.

Het moment waarop we hebben gewacht. Ik pers me in de ruimte tussen Lucy en Nicole.

'Oké, wie zullen we oproepen?' vraagt Jenny, alsof ze dit al talloze keren heeft gedaan.

'Wat vinden jullie van Kurt Cobain?' vraagt Nicole.

'Hè, nee!' zegt Lucy. 'We kunnen niet iemand oproepen die zelfmoord heeft gepleegd. Dat is gewoon verkeerd.'

Ouija-etiquette.

'Je hebt gelijk,' zegt Nicole. 'Wat vind je van jouw broer?'

Mijn maag krimpt ineen. Het woord broer hangt voor me in de lucht als een losse ledemaat. Nicole kijkt me in afwachting van een antwoord aan, maar ik kan geen woord uitbrengen. Lucy komt me te hulp.

'Haar broer is niet dood!'

'Hij zou het best kunnen zijn,' zegt Nicole. 'Dit is een manier om erachter te komen.'

'Houd je mond, Nicole,' zegt Jenny.

Ben ik in de kamer?

'Ja, Nicole, het is een stom idee,' zegt Lucy.

Ik moet hier zijn.

'In elk geval heb ík een idee,' zegt Nicole.

Ik zie ze allemaal.

'Ze hebben zijn lichaam nooit gevonden,' zegt Kelley.

Ik kan elk woord verstaan.

'Dat zegt niets,' kaatst Nicole terug.

Ik ruik het kaarsvet en de chips met zout en azijn.

'We doen het niet, dus houd verdomme je kop,' zegt Lucy.

Ik proef de resten van het popcornbraaksel.

'Houd jij je kop maar, arrogant nest. Sommige mensen leven liever in de echte wereld.'

Ik voel een getintel dat onder aan mijn ruggengraat begint en langzaam naar boven kruipt. Dan raak ik buiten westen.

33

De dag na Kerstmis kleedde ik Ryan warm aan in zijn rode parka, de marineblauwe gebreide muts met de bijpassende sjaal en de handschoenen die Vivian hem had gegeven en de nieuwe winterlaarzen die hij van pappa had. Mijn zoon kon zich amper bewegen; hij leek op een michelinmannetje.

Ik nam hem mee naar het park achter ons huis. Het was te koud voor de glijbaan en de schommel, maar dat kon me niet schelen. Het kon me niet schelen dat we daar alleen waren en dat de vroege ochtendsneeuw een paar centimeter dik op de metalen glijbaan en de plastic schommel lag. Ik moest er even uit, ik moest de lucht inademen die zo fris was dat het pijn deed.

Toen het eerste kerstdag werd, hadden we allemaal een getemperd gevoel van verwachting. Zelfs Ryan leek zijn cadeautjes met aarzelende vreugde open te maken, alsof hij niet precies wist hoe blij hij moest zijn nu oma er niet was. Richard had een grote zak met cadeautjes voor Ryan apart gehouden zodat hij die in het bijzijn van zijn grootmoeder in het State Hill zou kunnen uitpakken. Toen we die middag in het ziekenhuis aankwamen, droeg Ryan het mooie groene corduroy overhemd dat ik voor deze gelegenheid voor hem had gekocht. We gingen eerst naar mamma's kamer, waar we ons privéritueel van het uitpakken van de cadeautjes in het volle zicht van het glazen oog uitvoerden. Nog meer Scooby-accessoires, speelgoedvoertuigen in alle soorten en maten, kleurboeken, namaakgeld en de sokken en het ondergoed die hij toch nodig had. Mamma kreeg pantoffels en toiletartikelen, een veilige keus gezien haar huidige huisvesting. Richard gaf mij parfum en ik hem boeken over motoren. Nadat we het spoor van opengescheurd pakpapier hadden opgeruimd, gingen we naar een deel van het ziekenhuis waar ik nog nooit was geweest, een grote, open kantine waar je tussen een metalen leuning en een lange toonbank in de rij moest staan voor de kalkoen met garnituur.

Het was moeilijk om daar achter de gekken in de rij te wachten voor een kerstmaal waar mamma elk jaar op zwoegde en waarvoor ze al weken van tevoren de voorbereidingen begon te treffen.

Maar het lukte ons. We doorstonden het wachten in de rij. We pakten onze reeds opgeschepte borden aan uit de vermoeide, dikke armen van het keukenpersoneel. We plukten onze broodjes met een slatang uit een overvolle mand met bruine en witte, knapperig gebakken broodjes. We haalden ons bestek uit een rij roestvrijstalen bakken vol plastic messen, vorken en lepels. We aten het gebodene zonder morren op. Het maakte niet uit dat de puree uit een pakje kwam, dat de cranberrysaus op een klodder gelei uit blik leek en de jus op erwtensoep. Kerstmis was een familiefeest en wij waren in elk geval samen.

Richard was vanochtend vroeg vertrokken om een boekwinkel te zoeken die goed gesorteerd was in handboeken voor middenstanders. Zijn reis naar Helena was succesvol geweest. Hij had me verteld dat zijn potentiële partner hem graag voor de helft

211

van zijn motorenzaak wilde laten inkopen. Nu moest Richard een belangrijk besluit nemen. Zou hij de koop doorzetten?

'Ik heb het koud, mamma,' klaagde Ryan. Hij zat op de glijbaan en ik duwde afwezig tegen zijn rug.

Dr. Ashley had gelijk gehad. Er was een vraag die ik mamma wilde stellen, één vraag die me al achtervolgde zolang ik me herinnerde.

'Oké, laten we dan maar naar het klimrek gaan,' zei ik terwijl ik zijn voeten uit de plastic gleuven trok. Ryan rende met rode wangen naar het besneeuwde klimrek, klom er met drie treden tegelijk op en liet zich toen bungelen.

Als de zus van een ontvoerde broer, de niet-gestolene, begon je jezelf al helemaal in het begin vragen te stellen.

Ryan sprong op en neer en begon toen sneeuwballen te maken.

Ik had er nooit echt over nagedacht waarom de ontvoerder (of misschien waren het er meer dan een) Michael had meegenomen in plaats van mij. Ik denk dat ik dat altijd als een kwestie van logica had gezien. Ik lag in mijn kinderwagen vlak bij mijn moeder terwijl Michael ongezien en onbeschermd het gevaar tegemoet was gelopen. Ik had me hem vaak voorgesteld terwijl hij achter dat bruine hondje aan liep. Hij sloop er stilletjes naartoe en kon het dier bijna aaien voordat het verder het honkbalveld op rende. Hij herhaalde het spelletje steeds opnieuw, zoals een peuter die een stuiterende bal de snelweg op volgt.

Ik keek naar Ryan terwijl hij een sneeuwpop maakte. Hij was ongeveer even oud als Michael was geweest toen hij ontvoerd werd, van ons gestolen was, uit mamma's hart gerukt. Een jochie op een honkbalveld dat achter een hondje aan loopt, een jochie dat zich concentreert op zijn doel en onverhoeds meegetrokken wordt.

Ik begreep waarom Michael meegenomen was en niet ik. Nee, de vraag die ik mezelf stelde in de nachten waarin de droom over

212

de wind me wakker maakte, was een vraag waarop ik, zoals ik wist, nooit antwoord zou krijgen, maar ik bleef hem toch stellen. *Had mamma liever gehad dat ze mij hadden meegenomen in plaats van Michael?* Dat was de vraag die dr. Ashley wilde dat ik haar zou stellen.

'Mijn sneeuwpop is omgevallen,' zei Ryan en hij keek teleurgesteld naar het vlokkige, verbrokkelde hoofd ervan.

Toen ik opgroeide, had ik de tragedie van Michaels verdwijning altijd verkeerd begrepen. Ik had de ontvoering altijd gezien als een verlies, als een onrecht dat hersteld moest worden. Ik wist wat een verlies was, ik zag het elke dag aan het gezicht van mijn moeder en ik voelde het als het overgebleven kind. Maar nu ik naar Ryan keek, die vrolijk zijn sneeuwpop weer aan het opbouwen was en opging in zijn eigen wereld, leek het verlies van ons gezin, zoals ik het begrepen had, scherp en vastomlijnd. Als ik eraan dacht dat ik mijn eigen kind zou verliezen, kreeg ik een heel ander gevoel. Het voelde aan als een zee van verdriet, een gat in de hemel. Als ik er nu eens een meisje bij zou hebben? Zou ik dan liever hebben gewild dat zij het was? Hoe kon ik zo'n vraag beantwoorden? Hoe zou iemand dat kunnen?

Ik keek naar mijn zoon, even oud als mijn broer was geweest, die zo vervuld was van het wonder van het leven. Het was een onverdraaglijke gedachte dat ik Ryan zou verliezen, dat iemand hem zou weggrissen wanneer ik even de andere kant op keek, dat ik nooit meer zijn fijne haartjes zou ruiken, zijn aanstekelijke gegiechel zou horen, zijn stevige lijfje zou voelen, zijn licht gezwollen ochtendgezicht zou zien en niet zou weten waar hij was.

God, mamma. Lieve god, ik wist het niet. Het spijt me zo. Ik wist het niet.

Ik herinnerde me dat mijn hart sneller begon te kloppen, dat het zweet me uitbrak en dat daarna alles donker werd. Toen ik mijn ogen opende, tikten de lange, koude vingers van een vrouw op

213

mijn wang. Haar ronde, zwarte gezicht hing boven me als een donkere ballon.

Waar is Ryan?

Hoe lang ben ik buiten westen geweest?

Een gevoel van paniek stroomde door me heen.

'Ryan,' schreeuwde ik, maar mijn stem klonk als een hol gefluister.

'Ryan!' Ik probeerde rechtop te gaan zitten, maar de vrouw hield me met een ferme beweging tegen. Haar lippen bewogen, maar ik kon niet verstaan wat ze zei. Ik hoorde alleen het gebonk van mijn hart, mijn eigen krassende stem en de verre sirene van een politieauto.

Ik keek even de andere kant uit en toen was hij weg. Zo had mamma zich gevoeld.

'Ryan, Ryan.'

Ik probeerde me los te rukken. Waarom liet ze me niet rechtop zitten? Waarom hoorde ik niets? Ik was tien kilometer hoog in de lucht en mijn trommelvliezen waren gebarsten. Ik stortte neer en zou te pletter vallen.

Ik probeerde nog een keer met een ruk omhoog te komen, maar ze drukte me neer en maakte mijn armen ergens aan vast. Ik hapte naar lucht. De vrouw drukte een driehoekig kapje op mijn gezicht. Lucht stroomde mijn lichaam in. Ik gaf me eraan over en ademde diep in en uit tot ik me zo slap als een vaatdoek voelde. Ze haalde het kapje weg. Mijn achterhoofd klopte. Ze hield één sterke hand net onder mijn nek gedrukt en streek met de andere het haar uit mijn gezicht.

Wie was deze vrouw die schrijlings op me zat en me tegelijk troostte? Ik kon haar nu verstaan. 'Het is in orde. Het is in orde.'

Het geloei van de politiesirene werd luider. De engel met het zwarte gezicht glimlachte, een zuurstofmasker bungelde voor mijn gezicht en de grond onder me trilde.

214

'Ryan,' zei ik. Een reddende engel maakte de riemen om mijn armen los, tilde me overeind en hield mijn hoofd schuin. Daar zat Ryan met een gordel om naast de chauffeur in zijn favoriete voertuig op een reuzenvrachtwagen na.

34

Elk jaar krijgen de leerlingen van de middelbare school van Dartmouth twee maanden zomervakantie. Mamma geeft mij maar twee weken vrij.

Hoe moet je anders vooruitkomen? is haar redenering.

Maar dit jaar krijg ik drieënhalve week vakantie en ik mag de hele tijd bij pappa blijven omdat mamma en Richard door het hele land reizen om in talkshows op te treden. In de les maatschappijleer van vandaag vertelt mamma me wat haar reisschema voor die vijfentwintig dagen is.

'Hiervandaan gaan we alle grote steden bezoeken.' Ze wijst de plaatsen op de kaart al pratend aan. 'We gaan van Helena naar Boise, Seattle en LA. Daarvandaan gaan we naar het oosten, naar Phoenix, Denver, Des Moines, Madison en ten slotte Chicago, waar we in de *Oprah Winfrey Show* zullen komen.' Ze tikt met haar wijsvinger extra hard op Chicago wanneer ze Oprah Winfrey zegt, alsof het echt belangrijk is.

'Gaat u naar Los Angeles! U boft maar!' zeg ik. 'Gaat u naar Disneyland?'

'Nee, Bethany, daar hebben we geen tijd voor, maar we gaan

216

wel naar Hollywood om in een aantal tv- en radioprogramma's op te treden. We zullen iets voor je meebrengen.'

Ik weet niet precies wanneer mamma en Richard *we* zijn geworden. Niet lang nadat zijn vrouw overleden was, denk ik. Het leek wel of ze een eeuwigheid in coma bleef, tot mamma op een dag de telefoon in de gang ophing en zei dat het eindelijk voorbij was. 'Phoenix,' zei mamma en ze tikte op de rode ster in Arizona. 'Daar heb ik nu altijd graag naartoe gewild. Misschien kunnen we er even tussenuit knijpen om de Grand Canyon te bekijken.' Mamma lijkt meer tegen zichzelf dan tegen mij te praten. 'We zullen wel zien hoe het gaat,' vervolgt ze. 'Dit is geen plezierreis.'

'Dat weet ik,' zeg ik. Het doel van de reis is om Michael terug te vinden.

Maar het is fijn om te zien dat mamma ergens enthousiast voor is. Ze lijkt zich erop te verheugen, ook al is het geen plezierreis.

'Oké, laten we weer ter zake komen. Ben je klaar voor de examens van volgende week?'

'Ja, mamma.'

'Hoe gaat het met dat opstel voor Engels?'

'Bijna klaar.'

'Laten we even doornemen wat je nu hebt.'

'Oké.'

Ik ga naar boven, naar mijn kamer, en haal een paar vellen papier die met een paperclip aan elkaar zitten uit de la van mijn nachtkastje. Ik neem ze mee naar beneden.

'Goed, lees maar voor wat je geschreven hebt, dan nemen we de grammatica door,' zegt mamma. Ze zit rechtop op de keukenstoel met haar armen over elkaar geslagen. Ik schraap mijn keel en begin. Ik word nerveus wanneer ik mamma moet voorlezen. Mijn keel raakt dichtgesnoerd alsof er een hand in knijpt en mijn ademhaling wordt iets waarover ik moet nadenken. Ik zuig mijn adem scherp naar binnen.

'Ga door,' zegt ze, maar er staat ongeduld in haar ogen te lezen. Mijn stem hapert en ik weet niet meer waar ik gebleven ben. Ten slotte verval ik in een snel, hortend leesritme. Zolang ik niet in die ogen kijk, is er niets aan de hand. Ik voel een soort machteloosheid, alsof ik gedwongen word iets weg te gooien wat ik hard nodig heb, alsof ik zie dat het achter in een vuilniswagen van me vandaan gereden wordt of dat het vlam vat nadat het op een hoop brandende kolen is gegooid. Ik kijk op naar mamma, die zich niet meer heeft verroerd sinds ik begonnen ben. Ze heeft die nadenkende uitdrukking op haar gezicht waarbij haar mondhoeken naar binnen getrokken zijn zodat haar mond de vorm van een rozenknop krijgt, terwijl ze peinzend op de binnenkant van haar wang kauwt.

'Dat is het,' zeg ik. 'Dat is alles wat ik heb.'

'Goed, laten we dan de grammatica en de spelling bekijken. Ik wil dat je het aan het eind van de week klaar hebt en dan bedoel ik niet zondagavond.'

Ik wil haar vragen of ze het mooi vond, of de personages haar boeiden, of er genoeg actie en genoeg beschrijving in zaten, maar dat doe ik niet. In plaats daarvan zeg ik: 'Ja, mamma.'

Dat is gemakkelijker.

35

'Kijk nou eens,' zei dr. Ashley en hij ging op het voeteneinde van mijn bed zitten. Ik probeerde te glimlachen, maar het lukte me alleen mijn gezicht pijnlijk te vertrekken. Ergens onder het verband om mijn hoofd klopte iets morbide muzikaal.

'Als ze je vijf minuten alleen laten, gebeurt er zoiets.' Hij pakte mijn hand vast en kneep erin. 'Je hebt daar een flinke buil.'

'Ja, ik kon gewoon niet zo gracieus flauwvallen als een heldin uit de boeken van Jane Austen. Ik moest op weg naar beneden zo nodig met mijn hoofd ergens tegenaan knallen.' Het praten deed pijn.

Dr. Ashley was de eerste die in het ziekenhuis verscheen. Toen niemand Richard of Vivian kon bereiken, had ik het ziekenhuispersoneel dr. Ashleys nummer gegeven. Nu mijn twee rotsen in de branding onbereikbaar waren en Will op de universiteit zat, wist ik niet wie gewaarschuwd moest worden. Ryan was naar de kinderopvang van het ziekenhuis gebracht.

'Heb je veel pijn?' vroeg hij.

'Alleen wanneer ik ademhaal,' grapte ik. 'Moet u horen, het

spijt me heel erg van de vorige keer in uw spreekkamer,' zei ik.

'Doe niet zo raar.' Ik kijk dr. Ashley aan, die met een tedere, bezorgde uitdrukking op zijn gezicht aan het voeteneinde van mijn bed zit.

'Ik heb me slecht gedragen. Ik had nooit…'

'St,' zegt hij met een vinger op zijn lippen. 'Wat is er precies gebeurd? Wat is je overkomen, jongedame?'

'Ik denk dat ik een glimp van mamma's verdriet heb opgevangen.'

'Hoe kwam dat?'

Ik vertelde dr. Ashley wat er gebeurd was voordat ik flauwviel en met mijn hoofd tegen het klimrek sloeg. Ik vertelde hem dat ik daarvoor nog nooit vanuit mamma's oogpunt als moeder over de ontvoering van Michael had nagedacht en dat de schellen me van de ogen waren gevallen.

'Ik vroeg me al af wanneer het tot je zou doordringen.'

Ik knipperde met mijn ogen en vertrok mijn gezicht van pijn. 'Wilt u beweren dat u dit zag aankomen? Dan had u me wel eens mogen waarschuwen. Dat zou me een gespleten hoofd bespaard hebben.'

'Ik vrees dat het iets was wat je zelf moest ontdekken.'

'Hoe wist u het?'

'Omdat je, elke keer dat we over Ryan praatten, naar je zoon verwees in relatie tot je moeder, alsof hij een verlengstuk van je is. Het is alsof je haar wilde zeggen: hier is meer van mij, dus nu moet u meer van me houden, evenveel als van Michael. Ik denk dat Ryan tot nu toe voor jou evenzeer een zoon als een offer is geweest. Het ultieme offer: een deel van jou in ruil voor haar liefde en acceptatie.'

'Hoe wist u dat ik dat zo voelde?'

'Omdat verder niets werkte. Alles wat je probeerde, was groter en beter dan wat je daarvoor had gedaan. Het was een voorspelbare ontwikkeling die er, tot het uiterste doorgevoerd, toe zou leiden dat je je moeder op de een of andere manier een vervanger voor Michael zou bieden.'

Dr. Ashley wist het zo eenvoudig te zeggen. Hij vatte de gedachten en daden van mijn hele leven in een paar wijze zinnen samen.

'Wat nu, dr. Ashley?' vroeg ik.

'Wanneer je er klaar voor bent, denk ik dat het tijd is dat jij en je moeder eens met elkaar praten.'

Ik voelde plotseling een ander soort pijn.

36

Aan de berg bagage te zien die de voordeur blokkeerde, zou je denken dat mamma ging verhuizen. Wanneer Richard aankomt, probeert hij niet binnen te komen, maar begint hij de koffers in zijn pick-up te laden. Ik help hem.

'Denk je dat je het zonder ons overleeft, apenkop?' vraagt hij wanneer hij een koffer van me aanpakt en in de cabine zet.

'Dat zal wel lukken,' zeg ik.

'Verheug je je erop om een tijdje bij je vader te zijn?'

'Ja, hoor.' Ik haal mijn schouders op. Ik verheug me er meer op dat ik geen huiswerk hoef te maken en dat mamma er niet zal zijn.

Wanneer er geen koffers meer staan en er geen ruimte meer in de pick-up is, gaan we naar binnen. Richard en ik gaan op de bank op mamma zitten wachten. We horen boven geluiden: het geknars van laden en schuifelende voetstappen.

'Wat doet ze?' vraag ik aan Richard.

'Ik zou het niet weten,' zegt hij.

Wat mamma ook doet, ze doet het de hele ochtend al. Ze verplaatst dingen in haar slaapkamer en mompelt in zichzelf.

Ten slotte komt ze nerveus en lichtelijk buiten adem de huiskamer binnen. In haar ene hand heeft ze nog een koffer en haar tas hangt over haar schouder. In haar mosterdgele pantalon zitten perfect geperste vouwen en in haar bijpassende blazer is ze netjes gekleed voor een reis. Ze heeft zich zelfs opgemaakt. Ze draagt perzikkleurige lippenstift en ze heeft rouge op haar wangen. Haar rusteloze ogen vertellen me dat haar hersens druk aan het werk zijn. De nadrukkelijke geur van een bloemenparfum zweeft tussen ons in als een geurig schild.

'Heb je de tickets en je paspoort?' vraagt Richard met zijn ruwe, jolige stem.

'Natuurlijk,' snauwt mamma terug. Ze vindt Richards poging om haar op te beuren niet grappig. Hij gaat naar haar toe en pakt de koffer uit haar hand.

'Nou, dat is alles wat je nodig hebt. Zullen we dan maar?' zegt hij vriendelijk.

Mamma komt bijna in paniek naar me toe. Ik strek mijn armen uit om haar te omhelzen, maar ze heeft iets te zeggen.

'Geen logeerpartijtjes.'

'Nee, mamma.

'Geen dansavondjes.'

'Nee, mamma.'

'En absoluut geen feestjes.'

'Nee, mamma.'

'Als je naar Lucy gaat, moet je uiterlijk om halftien thuis zijn.'

'Ja, mamma.'

Ik ga naar haar toe.

'O, en dan nog iets, Bethany.' Ze strijkt mijn haar glad. 'Zorg dat je je haar twee of drie keer per dag borstelt. Je weet hoe het anders gaat zitten.' Ze is nu dingen aan het zoeken en ze verzint maar wat. Ik borstel mijn haar altijd. Mijn haar is nooit een punt geweest.

'Goede reis, mamma en maakt u zich geen zorgen over me.'

'Ik bel je elke dag.'

'Oké. Veel plezier.'

'Ik ga niet weg voor mijn plezier, Bethany.'

'Nee, mamma.'

Pappa krijgt hetzelfde spervuur van instructies te horen wanneer we bij zijn huis aankomen, maar ik ren langs hen heen en ga regelrecht naar mijn kamer om mijn spullen uit te pakken. Tegen de tijd dat pappa de voordeur dichtgedaan heeft en mamma en Richard de oprit af rijden, hangen mijn kleren al in de kast en liggen mijn sokken en ondergoed in de la.

Lori komt uit pappa's slaapkamer, die eigenlijk de slaapkamer van haar en pappa is. Haar timing is perfect.

'Sjonge, je hebt je al geïnstalleerd,' zegt ze wanneer ze mijn kleren ziet. 'Wil je me helpen om de brunch te maken?'

Het is mijn karweitje om de pannenkoeken diverse vormen te geven in de elektrische koekenpan – harten, klavertjes, manen en een speciaal vrolijk gezicht voor pappa, maar dat blijkt er meer uit te zien als een loerende tronie. Lori bakt de worstjes op het gasstel en pappa dekt de tafel op de nieuwe veranda die hij gebouwd heeft.

Pannenkoeken, ahornstroop, worstjes en eieren, sinaasappelsap en koffie, plastic meubilair en een parasol. Mamma rijdt nu waarschijnlijk Warmish binnen, maar ze lijkt al heel ver weg.

'Is er iets wat je vandaag wilt doen?' vraagt Lori.

'Niet echt,' antwoord ik.

'Misschien kunnen we naar de vijver gaan,' zegt pappa. 'Wat vind je daarvan, schat?'

'Ja, dat lijkt me wel leuk,' zeg ik met mijn mond vol pannenkoek.

Zodra we de borden van de brunch afgeruimd hebben, beginnen we de picknick klaar te maken – tonijnsandwiches, appels, en limonade. Het is al warm en het lijkt of de verwarming in pappa's pick-up aangestaan heeft. We draaien alle ramen naar beneden en laten ons haar door de wind in de war blazen. Pappa zet zijn favoriete Tom Petty-bandje op en we zingen allemaal zo hard we kunnen 'Free Falling' mee.

Andere gezinnen hebben al dekens neergelegd en parasols opgezet wanneer we bij de vijver van de Dart River aankomen. Kinderen spetteren en gillen in het heldere water. We vinden een schaduwrijke plek onder een enorme ahorn en we rollen onze drie rieten matten op het gras uit. Lori trekt direct haar bovenkleding uit en zegt dat ze gaat zwemmen.

'Ik kom straks ook,' zegt pappa en hij leunt achterover op de mat. Lori kijkt mij vragend aan in de hoop dat ik mee zal gaan, maar ik zit nu net lekker in het zachte briesje. Ze haalt haar schouders op en loopt in haar badpak met bloemenmotief naar het water.

'Weer een heerlijke zomerdag in Dartmouth,' zegt pappa en hij smakt alsof hij de vroege middag echt proeft.

'Denkt u dat Michael dood is, pappa?' flap ik eruit.

Er valt een stilte terwijl hij met verbaasd opgetrokken wenkbrauwen zijn blik op me richt. 'Zeg maar gewoon wat je op het hart hebt, schat. Je hoeft je niet in te houden.'

Ik negeer dit.

'Ik bedoel, we weten dat mamma denkt dat hij nog leeft en dat hij ergens wacht tot hij gevonden wordt, maar wat denkt u?'

'Tja, schatje.' Hij neemt een andere houding aan en laat zijn hoofd op zijn elleboog rusten. 'Ik zou ook graag willen geloven dat hij nog ergens is en soms, wanneer ik zie hoe je moeder haar best doet om hem te vinden, doe ik dat bijna.'

Pappa kijkt naar het water. Lori zwaait naar ons.

'Maar…' dring ik aan.

'Ja, er is altijd een *maar*, hè? Mijn *maar* is dat er een tijd is om te zoeken, je best te doen en te hopen, en dat er een tijd is om het op te geven. Dat was het probleem dat je moeder en ik hadden. Ik heb het opgegeven en zij niet. Dat kon ze niet.'

'Ze kan het nog steeds niet,' zei ik.

Pappa strijkt een streng haar uit mijn gezicht. 'Ik heb haar ten slotte moeten verlaten,' zegt hij. Zijn stem klinkt treurig, of misschien teleurgesteld. 'Michaels verdwijning was iets wat ik nooit verwacht had, maar dat had niemand.'

'Dus u denkt dat hij dood is?' dring ik aan.

'Ik weet het niet, Bethany. Ik wou dat ik het antwoord voor je wist. Niemand weet het zeker. Dat is het probleem met deze hele kwestie. Er zijn geen antwoorden.'

'Kom nou, jongens,' roept Lori en ze wenkt ons. 'Het is heerlijk in het water.'

'Maar ik zal je dit zeggen, schat,' zegt pappa en hij tilt mijn kin op tot we elkaar aankijken. 'Als hij nog leeft, dan twijfel ik er niet aan dat je moeder hem zal vinden.'

Pappa moet vandaag in de fabriek overwerken, dus brengt Lori me naar mijn laatste examens. Mijn opstel voor Engels zit in een manilla envelop die op mijn schoot ligt. Ik heb het verhaal over Egu en Daw afgemaakt toen we terugkwamen van de vijver. Daarna heeft Lori me geholpen met de illustraties.

'Ben je nerveus?' vraagt ze wanneer ze de auto, na een stoplicht, in de twecde versnelling zet.

'Een beetje.' Ik knik. 'Dat ben ik altijd.'

'Maar je cijfers zijn ongelooflijk goed en het zal niet lang meer duren voor je klaar bent. Dan heb je op jouw leeftijd de middelbare school afgemaakt. Je mag wel trots op jezelf zijn.'

Ik had er eigenlijk nooit veel over nagedacht. Ik denk dat het nog maar een kwestie van maanden is voor ik eindexamen doe. Wat mij betreft zijn mijn schoolcijfers evenzeer te danken aan mamma's lessen als aan mijn harde werk. Maar de verhalen waren helemaal van mij.

'Misschien wel.' Ik haal mijn schouders op.

'Hé, ik wil dat je ergens over nadenkt,' zegt Lori.

We zijn bijna bij de school en Lori heeft me amper de tijd gegeven om mijn aantekeningen door te kijken (mamma zou er niet blij mee zijn).

'Waarover?' vraag ik.

'Wanneer je je examens hebt gedaan, moeten we het vieren.'

'Wat gaan we dan doen?'

'Ik wil juist dat je daarover nadenkt. Bedenk iets wat je echt graag wilt doen of een plek waar je graag naartoe wilt. Het hoeft niet per se met je vader en mij te zijn. Het kan ook met een vriendin of zo. Ik wil alleen dat je erover nadenkt.'

'Wil je niet wachten tot mijn resultaten bekend zijn?'

'Ik denk dat we allebei weten dat je ze een poepje zult laten ruiken, excuseer mijn taalgebruik. Wie wil trouwens een paar weken wachten?'

'Daar heb je gelijk in.' Ik grinnik.

We rijden het parkeerterrein van de school op en Lori parkeert dicht bij de zijingang.

'Ik kom je over een paar uur halen. Veel succes en denk aan wat ik gezegd heb. Oké?'

Wanneer ik naar de ingang loop om vijf belangrijke examens te gaan doen, kan ik aan weinig anders denken. Ik weet precies waar ik naartoe wil en ik heb heel goed in de gaten wat een kans me geboden wordt.

Mevrouw Cooper vindt het goed dat ik op bezoek kom wanneer Lori haar belt, maar ze is niet eens thuis wanneer we arriveren en meneer Cooper is ook nergens te bekennen. Het lijkt erop dat alleen Will en zijn zus Victoria thuis zijn. Ik kan me niet voorstellen dat mamma me hier ooit zonder toezicht zou achterlaten.

Men zegt dat de dingen kleiner lijken wanneer je groter bent, maar het huis van de familie Cooper is nog steeds even groot en indrukwekkend als in mijn herinnering. Het verbaast me dat ik me de details zo goed herinner: het weidse uitzicht op onze stad over de uitgestrekte kronkelige helling en de bochtige rivier die de stad zacht omhelst, de grenzen ervan bepaalt en de bewoners beschermt. De rustige, brede paden die naar het grillig gevormde gazon aan de voorkant van het huis leiden en de enorme douglasspar links van het stenen tuinpad herinner ik me ook duidelijk.

Het geluid van de deurbel is in mijn herinnering versterkt en wanneer Lori en ik voor de imposante dubbele deuren staan, klinkt het geluid ervan als het gelui van talloze klokken. We wachten lang voordat we horen dat een serie metalen sloten opengeschoven wordt. In tegenstelling tot het pingelende, klikkende geluid van onze sloten beneden, heeft deze beveiliging de solide klank van ondoordringbaarheid die doet denken aan de versterkingen van kastelen en de vestingwerken van forten. Dan verschijnt Will als een geestverschijning. Hij heeft een aureool van veerachtige krullen en ziet er kwetsbaar en lief uit tegen de achtergrond van deze uitgebreide beveiliging. Ik neem afscheid van Lori en stap over de drempel van een wereld die me vertrouwd is en die ik tegelijkertijd volkomen onbegrijpelijk vind.

'Ik zie je om drie uur,' roept ze vanaf de oprijlaan die zo egaal is als een rolschaatsbaan. Ze herinnert me daarmee aan onze afspraak dat ik terug zal zijn voordat pappa van zijn werk thuiskomt. Niet dat pappa er bezwaar tegen zou hebben dat ik hier ben, maar als hij het wist, zou mamma er zeker op de een of andere manier achter komen en dan zouden pappa en ik allebei last met haar krijgen.

Ik trek in de hal mijn sandalen uit en loop op mijn blote voeten over koele, marmeren vloeren met Will mee naar een glanzende, houten trap die zo breed is dat er vier mensen naast elkaar op zouden kunnen lopen. Ik ben me ervan bewust dat mijn vingers doffe vlekken achterlaten op de houten leuning die glimt als een spiegel, alsof de dikke, kronkelige eikentak eeuwenlang in een reusachtige bak met vernis ondergedompeld is geweest.

De treden hebben niet de standaardhoogte en -breedte. Ze zijn lager en breder. Will, die voor me de trap op gaat, lijkt eerder te glijden dan te lopen. Het is een trap die gebouwd is voor een prinses of een koningin. Het lijkt heiligschennis dat ik er op blote voeten en met een afgeknipte spijkerbroek op naar boven loop.

We lopen door een lange gang langs verscheidene deuren voordat we bij Wills kamer komen.

Eindelijk heb ik tapijt onder mijn voeten, maar het is niet het korrelige, groene tapijt dat bij ons in de huiskamer ligt of het blauwe hoogpolige tapijt bij Lucy thuis. Het is van een veel duurder materiaal, zo zacht als aangestampt poeder en met de grijze kleur van regenwolken.

'Houd je van *Hootie and the Blowfish*?' vraagt Will, maar voordat ik kan antwoorden, draait hij al aan de knoppen van zijn stereo en schettert 'I only want to be with you' uit de grote luidsprekers. Zijn vingers dansen langs twee hoge, volle cd-rekken om zijn volgende keus te bepalen. Ik ga op een bank zitten die helemaal in de kamer past, hoewel ik nog nooit een bank in een slaapkamer heb gezien. Naast me staat een bureau met een computer en een printer erop. Boven me zie ik planken vol boeken en tijdschriften. Is dat een kleine koelkast in de hoek?

'Of wil je liever tv-kijken?' Mijn mond valt open wanneer er een flat screen-tv uit het plafond zakt.

'Godallemachtig,' zeg ik. 'Wat ben je toch…' Ik zeg bijna *rijk*, maar weet nog net *een bofkont* uit te brengen. Will glimlacht alsof hij weet wat ik denk.

'Ik dacht dat we gingen zwemmen,' zeg ik.

'Maak je geen zorgen, dat gaan we ook doen,' zegt hij. 'Ik wilde je alleen even mijn kamer laten zien.'

De rondleiding begint in Wills inloopkast, die eruitziet als de afdeling sportartikelen van een groot warenhuis. Ik kijk omhoog naar planken met ijshockeyschaatsen, skeelers, een skateboard, een snowboard, bokshandschoenen, duikspullen, twee tennisrackets, een squashracket, ballen van uiteenlopende grootte en diverse schoenen, van wandelschoenen tot gymschoenen met gladde zolen.

'Gebruik je al die spullen?' vraag ik ongelovig.

'Niet elke dag natuurlijk, maar ik kan met alles overweg, als je dat bedoelt,' zegt Will.

'Wauw,' zeg ik, oprecht onder de indruk. 'Ik kan schaatsen.' Ik klink als de zevenjarige die Will zich herinnert.

'Kun je snowboarden?'

'Welnee,' antwoord ik. 'Dat is te duur. Is het leuk?'

'Hartstikke leuk. Het is de leukste sport die er bestaat. Je hebt het gevoel alsof je vliegt,' zegt hij. 'Misschien kunnen we je een keer meenemen.'

Ik lach. 'Ik betwijfel of ik dat van mijn moeder mag.'

'Ach, je weet maar nooit. Mijn ouders kunnen soms erg overtuigend zijn. Mijn vader is advocaat. Als zij met haar praten, stemt ze misschien in.'

'Stemt ze in?'

'Ja, ik bedoel dat ze het dan misschien goedvindt.'

'Waarom praat je zo?'

'Hoe?'

'Als een volwassene, bedoel ik.'

'Dat weet ik niet.' Hij haalt zijn schouders op. 'Omdat ik zo opgevoed ben, denk ik.'

Ik knik meelevend.

We lopen de kast uit en gaan op de rand van Wills bed zitten. Mijn voeten bungelen een stukje boven de vloer.

'Ik wil je nog één ding laten zien,' zegt Will. Hij gaat naar een brede, stevige kast en haalt een schetsboek uit de onderste lade. Hij laat me de ene na de andere houtskooltekening zien van racewagens, snowboarders, deltavliegers, boksers en ijshockeyers.

'Die heb ik nagetekend uit tijdschriften,' zegt hij.

'Ze zijn ongelooflijk goed,' zeg ik en ik meen het. Hij tekent met krachtige, trefzekere lijnen.

Hij slaat de bladen om en wijst naar fijne potloodtekeningen van zijn moeder, zijn vader en zijn vrienden.

'Als je wilt, kan ik jou ook wel een keer tekenen,' zegt hij.

'Dat zou ik heel leuk vinden,' zeg ik onbesuisd.

'Oké, wacht even,' zegt Will. Hij staat op, rommelt in een van zijn vele laden, haalt er een automatische camera uit en richt die op me.

'Even glimlachen!' Hij drukt af en ik word verblind door een witte lichtflits.

'Waarom doe je dat?' protesteer ik en ik kijk met half dichtge-knepen ogen naar hem op.

'Ik teken meestal van foto's,' zegt hij.

Hij gaat weer naast me zitten en ik blader zijn tekeningen ver-der door. 'Ze zijn heel goed. Ik teken ook,' zeg ik. Het klinkt bijna alsof ik het verzin om indruk op hem te maken.

'Dat weet ik,' zegt hij.

Ik kijk hem bevreemd aan. 'Hoezo? Heeft Lucy je dat verteld?'

'Nee,' zegt hij. 'Ik heb je tekeningen gezien.'

'Hè?'

We hebben weer een van die *ik ken je*-momenten die me spra-keloos maken.

'Mijn moeder beoordeelt je examens.' Hij zegt het zo achte-loos dat ik wil zeggen: o ja, natuurlijk, maar in plaats daarvan staar ik hem alleen uitdrukkingsloos aan.

'Je doet je schoolwerk toch thuis?' zegt hij.

'Ja.' Mijn stem klinkt aarzelend.

'Nou, waar denk je dat je examens beoordeeld worden wan-neer je ze gedaan hebt?'

'Daar heb ik nog nooit over nagedacht. Ik heb altijd aangenomen dat een leraar op school dat doet.'

'Dat klopt, maar het thuisschoolprogramma heeft een eigen leraar of lerares om de examens te beoordelen en dat is mijn moeder. Ze doet dat al jaren voor alle kinderen hier die thuis hun schoolwerk doen.'

'Dus je hebt mijn tekeningen gezien?'

'En ik heb ook je verhalen gelezen, die ik trouwens fantastisch vind.'

'O, god, ik voel me... Wat vreemd is dit.'

'Ja, dat is het eigenlijk wel een beetje. Mijn moeder las ons je verhalen voor het slapengaan voor toen we klein waren. We keken uit naar het volgende avontuur. Ik was dol op IJsboogland.'

'Echt waar?'

'Ja, we waren er allemaal dol op. Soms las mijn moeder je verhalen zelfs voor aan mijn vrienden wanneer ze een middag op hen paste. Je hebt hier boven aardig wat fans. Mijn moeder heeft zelfs met Kerstmis een keer een pinguïn voor me gekocht. Ik heb hem nog steeds.'

Will gaat naar de kast waar hij zijn schetsboek uit heeft gehaald en pakt een pinguïn die iets kleiner is dan Ginpu uit de bovenste la. 'Kijk maar,' zegt hij en hij laat hem voor mijn gezicht bungelen. 'Dit is Gup,' zegt hij.

'Heb je hem zelfs een naam gegeven?'

'Natuurlijk. Hoe zou ik anders in mijn dromen naar IJsboogland kunnen gaan? Misschien kun je hem eens in een verhaal voor laten komen,' zegt Will. Hij grijnst breed en ik zie zijn parelwitte tanden.

'Zullen we nu gaan zwemmen?' zegt hij plotseling. 'We moeten het nu doen als je om drie uur weg moet.'

We lopen de prinsessentrap af. Ondanks mijn blote voeten voel ik me echt een prinses die afdaalt vanuit de hoogte waar voor nietsvermoedende bezoeksters wonderen verricht worden. Het wonder is niet zozeer dat mijn verhalen hier hoog op de berg bij rijke, machtige mensen terechtgekomen zijn. In aanmerking genomen wat Wills moeder doet en hoeveel kinderen thuis hun schoolopleiding krijgen, is dat bijna logisch. Het wonder is dat Will mijn verhalen goed vindt. Nee, hij is er dol op. Het lijkt of het wonder om mijn hals hangt als een zijden sjaal die mijn huid doet tintelen.

Ik was dol op IJsboogland. Ik hoor zijn stem in mijn hoofd en ik zweef.

We lopen over een lang, smal, met gras begroeid pad en duwen dunne takken en bladeren uit ons gezicht.

'We gaan niet naar het zwembad,' zegt hij.

'O nee?'

Mijn huid is al warm en plakkerig door de hitte. Will, die met zijn rugzak om voor me loopt, lijkt er geen last van te hebben.

'We zijn er bijna,' roept hij.

'Ik hoop maar dat er koel water aan het einde van dit pad is,' zeg ik en wanneer ik opkijk, lijkt het alsof mijn wens direct vervuld is. Voor ons uit weerkaatst het zonlicht wit op blauwgroen water alsof er duizenden aangestoken vuurwerksterretjes boven zweven. Wanneer we dichterbij komen, lijken de bomen uiteen te wijken en het meer lijkt groter te worden. Even later staan we op de met stenen bedekte oever van een met bergen omringd juweel. De kleur van het water is op sommige plaatsen blauwgroen en op andere smaragdgroen. Het meer heeft de vorm van een perfect ovale edelsteen. Het water voor onze voeten is zo doorzichtig als tafellak. Hoeveel wonderen kan een meisje op één dag meemaken?

Will leidt me rechts van het pad af, waar de stenen plaatsmaken voor een klein stukje zanderige grond. Hij pakt twee kleurige handdoeken uit de rugzak en spreidt ze op de vlakke grond uit. Hij geeft me een blikje citroencider dat ijskoud uit de koelkast is gekomen, maar dat nu een koele kamertemperatuur heeft. We openen ze tegelijk. *Krak. Psst.*

'Moet je eens luisteren,' zegt Will. Hij brengt zijn handen voor zijn mond en schreeuwt 'hallo', waarop de echo antwoordt. We lachen en onze vrolijkheid wordt vanuit de verte zwakjes weerkaatst.

We drinken samen onze limonade op. Ik kijk uit over het meer en probeer de gevaarlijke schoonheid ervan op te zuigen en vast te houden.

'Dit is het meer,' zeg ik en ik realiseer me dat ik het hardop zeg.

'Welk meer?' vraagt Will. 'Ben je hier dan al eerder geweest?'

'Het meer waarover mijn moeder me verteld heeft. De politie heeft hier gedregd toen ze naar mijn broer zochten. Er waren hier een geheimzinnige diepe plek en een onderstroom die het onmogelijk maakten om door te gaan.'

'Daar heb ik van gehoord,' zegt Will. 'Van je broer, bedoel ik.'

'Iedereen weet van hem,' zei ik. 'Daar zorgt mijn moeder wel voor.'

'Hij wordt nog steeds vermist, hè? Ik bedoel... ze hebben nooit...' stamelt Will.

'Een lijk gevonden?' Ik maak de zin voor hem af. 'Nee, dat is nooit gebeurd.'

'Nou, dan hebben we iets gemeen, Bethany.'

'O ja?'

'Ja, heel veel. Mijn tweelingbroer is zes jaar geleden in dit meer verdronken en ze konden zijn lichaam ook niet vinden.'

Er loopt een huivering over mijn rug.

'Ik heb gezien dat hij van de achterkant van de speedboot van mijn oom viel. Hij droeg een reddingsvest, maar hij gleed er direct uit. Hij was al verdwenen toen mijn oom met de boot gekeerd was.'

'Mijn god, Will, dat is afschuwelijk. Daar wist ik niets van.'

'Nee, dat is ook begrijpelijk. In tegenstelling tot jouw moeder zorgen mijn ouders ervoor dat niemand ervan weet.'

'Waarom?'

'Ik geloof niet dat het een geheim is, maar we zijn hier boven niet erg mededeelzaam.'

'God, Will, dat is verschrikkelijk. Ik bedoel, hij was je tweelingbroer. Jullie zijn samen opgegroeid. Ik was nog maar een baby toen mijn broer verdween. Waarom ga je hier nog naartoe?'

'Ik houd nu van deze plek,' zegt Will. 'Ik weet dat het misschien vreemd klinkt, maar ik heb hier het gevoel dat ik dichter bij hem ben. Hier woont hij. Wanneer ik hier ben, lijkt het soms alsof ik zijn nabijheid voel.'

Ik kijk uit over de volmaakte schoonheid van het meer en terwijl ik dat doe, breekt een vis in een zilverkleurige flits door het oppervlak heen en valt met een pets terug in het smaragdgroene water. Ik put een bizarre troost uit de gedachte dat Michael, als hij hier in het meer is, in elk geval gezelschap heeft van een achtjarige medegeest om samen met hem op het water te dansen wanneer niemand kijkt.

Ik kan me moeilijk concentreren na mijn uitstapje naar de wolken. Lucy en ik leggen de laatste hand aan ons meesterwerk. Ik geef een berg een lichtviolette kleur. Lucy schildert de strepen in een regenboog met lichtgeel, rood en oranje. Ons schilderij lijkt van de muur te springen en haar slaapkamer in een ijskoud regenboogfort te veranderen.

Ik mag van pappa vannacht bij Lucy blijven slapen, omdat ze morgen vertrekt om te gaan kamperen en ik haar twee weken niet zal zien. Ze gaat elke zomer naar Camp Thunderbird, waar kinderen leren boogschieten, kanoën en waterskiën. Het moment zou niet slechter gekozen kunnen zijn. Mijn jaarlijkse vakantie is dit jaar zonder mamma nog aangenamer en nu moet ik mijn beste vriendin missen.

'Ik wou dat je met me mee kon,' zegt Lucy zonder een penseelstreek te missen.

'Ik ook.'

'Hé, misschien mag het wel van je vader,' zegt ze alsof ze net een briljante ingeving heeft.

'Ja, wie zal het zeggen, maar als mamma er dan achter komt? Bovendien moet je je lang van tevoren inschrijven,' zeg ik onwillig verstandig.

Ik stap achteruit om mijn werk te bewonderen en naar zwakke plekken te zoeken. Ik vind een bergtop die een sneeuwkap nodig heeft en ik ga weer aan de slag.

'Vertel me eens wat over Cooper,' zegt Lucy. 'Vind je hem leuk?'

'Wie is Cooper?' vraagt een diepe stem achter me voordat ik kan antwoorden. Benjamin staat bij de deur die we nonchalant op een kier hebben laten staan.

'Opdonderen,' zegt Lucy.

'Dat is toch niet toevallig Will Cooper?' vraagt Benjamin.

'Misschien,' zeg ik.

'Aha, heeft de droomprins het boerenmeisje meegelokt naar zijn kasteel in de wolken?' Benjamin komt al pratend dichterbij. Zijn vingers kruipen over mijn rug omhoog als kleine krabben en ik kronkel.

'Het lijkt erop dat Assepoester niet tegen kietelen kan.'

'Rot op of ik roep ma,' snauwt Lucy.

Ik strijk toevallig expres met mijn penseel over Benjamins gezicht en Lucy en ik barsten in lachen uit wanneer we de lichtviolette streep op zijn wang zien. Hij pakt me onder mijn armen op en draagt me naar de manshoge spiegel aan de binnenkant van de deur van Lucy's slaapkamer.

'Ik hoop voor jou dat er geen…' Hij ziet zichzelf in de spiegel en duwt mijn hand met het penseel omhoog tot er een sneeuwkap op mijn neus zit.

'Oké, oké. Ik geef me over. Genade!' schreeuw ik.

Lucy stapt bij het schilderij vandaan. *Voilà! C'est fini,* zegt ze.

Benjamin en ik houden op met dollen om van dit glorieuze

moment te genieten. Het schilderij is eindelijk klaar. We kijken met z'n drieën naar de voltooide wereld van IJsboogland, waarin de pastelkleurige bergen worden verlicht door de veelkleurige regenboog. Ik realiseer me pas dat Benjamin zijn arm om mijn middel gehouden heeft wanneer hij me bij wijze van felicitatie even tegen zich aan drukt.

'Goed gedaan, jongens. Ik vind het vervelend dat ik een verfgevecht moet afbreken, maar ik heb met een paar jongens afgesproken,' zegt hij. Hij doet de deur wijd open zodat de spiegel tegen de muur slaat. 'O, en ik wil nog steeds dat verhaal lezen, Bethany.'

Nadat Benjamin vertrokken is, ruimen Lucy en ik de verf op en daarna maak ik mijn neus schoon. Mevrouw Zingler roept ons voor het eten. We krijgen kipreepjes en zelfgemaakte patat die we van bladen in de huiskamer mogen opeten om naar een aflevering van *Cheers* te kunnen kijken. Mevrouw Zingler blijft in de keuken om met Daniel te eten.

Ik houd van Lucy's huis. Er schijnt orde te heersen zonder dat er veel regels zijn. De mensen komen en gaan en toch komt alles voor elkaar. Dit gezin is perfect in balans. Er is privacy, maar ook gezelligheid door het gezelschap van anderen.

Na het eten doen Lucy en ik de vaat. Zij wast en ik droog. We horen dat mevrouw Zingler Daniel in zijn kamer voorleest.

'Ga je hem vaker zien?' vraagt Lucy en ze zet een bord in het plastic afdruiprek.

'Wie?' Ik houd me van den domme.

'Cooper, natuurlijk. Wie anders?'

'Ik weet het niet.' Ik zie aan Lucy's gerimpelde voorhoofd dat haar frustratie toeneemt. 'Hij is gewoon een vriend. Het is niet zoals met jou en Kyle.'

Lucy en Kyle zijn nu een stel. Het is allemaal bij het bal voor elkaar gekomen. Ik heb gehoord dat ze de hele avond met elkaar hebben gepraat, het laatste nummer dicht tegen elkaar aan hebben gedanst en dat hij haar daarna heeft gekust ten overstaan van iedereen. Ik vraag me af of ons tovermiddel er iets mee te maken heeft gehad.

'Weet je zeker dat je Cooper niet op die manier leuk vindt?'

'Nee, hij is te... Ik weet het niet, te anders, denk ik.'

'Hoe bedoel je anders?'

'Ik weet het niet. Ik zie hem niet als iemand die mijn vriendje zou kunnen zijn. Zo is het gewoon, maar ik vind het heel fijn om met hem te praten. Het is vreemd. Het lijkt of we heel erg van elkaar verschillen, maar toch kunnen we het goed met elkaar vinden.'

Ik weet dat ik Lucy teleurstel. Ze wil sensatie en hartstocht. Ze wil dat ik een vriendje heb, zodat we met zijn vieren uit kunnen gaan. Ze geeft me een schone, natte pan aan.

'Ik wed dat je waanzinnig verliefd op hem wordt als je hem weer ziet.'

Wanneer Lucy en ik om negen uur in een spelletje yahtzee verdiept zijn, klopt mevrouw Zingler zachtjes op de deur.

'Binnen,' schreeuwt Lucy.

Mevrouw Zingler steekt haar hoofd verlegen om de deur, alsof het haar huis niet is.

'Ik vind het vervelend om het te moeten zeggen, meisjes, maar je moet morgen om vijf uur op om naar het kamp te gaan, Lucy, en ik moet rijden, dus het lijkt me verstandig dat jij en ik zo gaan slapen.'

We kreunen allebei.

'Jij hoeft niet zo vroeg naar bed te gaan, Bethany. Je kunt nog een poosje opblijven en tv-kijken als je wilt,' zegt ze.

Mevrouw Zingler staat gebogen over ons het spel dat we op de vloer hebben uitgespreid.

'Dat is eigenlijk wel een goed idee, nu ik erover nadenk,' vervolgt ze, 'anders blijven jullie toch maar de halve nacht giechelen. Je kunt bij Benjamin in de kuil gaan zitten als je wilt. Hij heeft een paar videofilms gehuurd.'

Mevrouw Zingler noemt het niet voor niets de *kuil*. Benjamin woont onder de grond in een wereld die losstaat van de vrolijke, luidruchtige bedrijvigheid in het huis. In de raamloze kelder staan een wasmachine, een droger en een strijkplank tegen de achtermuur. Twee fietsen hangen aan het plafond boven een wir-war van dozen en sportspullen: een schril contrast met Wills keurige kastplanken.

Aan de andere kant van de ruimte is een geïmproviseerde hobbyhoek met een L-vormige bank, een door schoenen platge-trapt, kobaltblauw tapijt, een koffietafel en een tv op een houten kabelspoel. Onder de versieringen die Benjamin heeft aange-bracht, zijn een afhangende Amerikaanse vlag, een poster van een zilverkleurige Porsche en een poster van Mariah Carey die in een topje en een afgeknipte spijkerbroek alles overziet.

Ik ben voorzichtig wanneer ik in het volslagen donker de hou-ten trap af loop. Het lijkt wel de trap naar een kerker. Ik volg het schijnsel van de tv de hoek om en daar zit Benjamin, weggezakt in de dikke, rechthoekige kussens en met zijn in spijkerbroek ge-stoken benen uitgestrekt op de koffietafel. Zijn haar glinstert eerst blauw, dan groen en dan rood in het licht van de tv. Hij heeft tussen zijn benen een open flesje bier in zijn hand. Hij gaat op in *Pulp Fiction* en ziet me pas wanneer ik bijna voor hem sta.

'Hé, wat doe jíj nou hier?'

'Ja, ook leuk om jou te zien,' zeg ik. Ik laat me in de andere hoek van de L ploffen. 'Iedereen is vroeg naar bed omdat Lucy morgen naar het kamp vertrekt. Je moeder zei dat je films had gehuurd.'

'Ja, dat klopt. Heb je deze gezien?'

'Nee.' Ik zeg niet dat ik van mamma nooit naar zo'n geweldda-dige film zou mogen kijken.

Ik zie er nerveus een stukje van tot Benjamin vraagt: 'Wil je een biertje?'

'Ja, lekker. Ik ben dol op bier,' lieg ik. Ik heb het eigenlijk nog nooit gedronken. Benjamin pakt er een uit het kratje bij zijn voeten. 'Wat heb je nu met Will Cooper?' vraagt hij en hij houdt me het flesje voor.

'Niets,' zeg ik en wanneer ik het flesje wil aanpakken, grijp ik in de lucht. 'Ja, dat zal wel,' zegt Benjamin en hij drukt het flesje in mijn hand.

'Nee, echt niet. We zijn gewoon vrienden. Waar ken je hem van?'

'Alleen van zien. Ik heb gehoord dat hij een beetje een mietje is.' Benjamin grinnikt.

'Nou, ik vind hem aardig.' Ik neem een grote slok bier en hik onmiddellijk luid.

'O, dus je vind hem wel aardig?'

'Maar niet op die manier,' roep ik, omdat ik me in mijn eigen woorden verstrikt voel.

'Wie vind je dan wel op die manier aardig?' vraagt Benjamin.

'Alsof ik dat jou zou vertellen.'

Benjamin maakt een *psss*-geluid alsof hij leegloopt. Het is het laatste geluid dat gemaakt wordt voordat de video afgelopen en mijn bier op is. Benjamin is aan zijn vierde flesje bier bezig.

'Wil je *Ace Ventura* zien?' vraagt hij.

'Nee, ik denk dat ik naar bed ga,' zeg ik. Ik ben slaperig geworden van het bier en het donker.

'Hé, wacht even. Je zei daarnet dat ik iets mocht lezen.'

'O ja. Zullen we dat morgen maar doen? Mijn rugzak ligt boven.'

'Absoluut niet. Ga het even halen, ik wil het nu lezen.'

'Het is echt niet veel bijzonders.'

'Ga nou maar!' zegt hij.

Gelukkig staat mijn rugzak bij de achterdeur en hoef ik Lucy niet wakker te maken door in haar kamer rond te schuifelen. Wanneer ik in de kuil terugkom, heeft Benjamin een vloerlamp aangedaan die de kamer iets uitnodigender maakt.

Ik overhandig hem vier volgekrabbelde vellen papier en zeg erbij dat het een zeer voorlopige versie is. Ik haal de video uit het apparaat wanneer hij begint te lezen. Ik voel me nerveus. Jay Leno houdt zijn monoloog wanneer ik overschakel op tv. Ik ga weer op de bank zitten en kijk naar Jay, maar ik kan me niet op zijn grappen concentreren.

Ik herinner mezelf eraan dat Will mijn verhalen goed vond en dat ze op de berg altijd goede cijfers hebben gekregen, maar het helpt niet. Het is belangrijk wat Benjamin ervan vindt. Ik hoor mijn bloed stromen. Ik begin te wensen dat ik hem het verhaal gewoon had gegeven en die kerkertrap weer op gelopen was. Hij neemt er pijnlijk lang de tijd voor om de eerste bladzijde te lezen.

'Wie is de jongen?' vraagt hij ten slotte.

'Hoe bedoel je?'

'Ik bedoel of je dit geschreven hebt over iemand die je kent?'

'Nee,' zeg ik. 'Ik heb het gewoon verzonnen.'

Hij leest verder en begint dan in verwarring hardop te lezen. 'En met een laatste inspanning zwaarde…'

'Geef hier.' Ik gris het vel papier uit zijn hand en zoek de plaats waar hij opgehouden is. 'En met een laatste inspanning *zwaaide* hij het pikhouweel boven zijn hoofd,' lees ik mijn eigen schrift snel. 'Weet je wat?' zeg ik. 'Ik lees de rest wel. Oké?'

'Ga je gang maar.' Hij schuift dichter naar me toe en ik schraap mijn keel.

'Goed,' zeg ik en ik begin te lezen.

Ik voel het ritme van zijn hartslag tegen mijn ribben en zijn warmte tegen de achterkant van mijn schouder. Hij houdt zijn lichaam perfect stil.

Ze klommen hoger en hoger. Daw voelde dat zijn benen zwakker werden en zijn armen werden zo zwaar als mokers.

Benjamins ademhaling is nauwelijks hoorbaar, maar ik ben me er scherp van bewust dat we dezelfde lucht inademen.

Daw huiverde van angst, een angst die hij nog nooit had gekend en die zowel opwinding als onheil in zich had. Maar hij vertrouwde Egu. Hij vertrouwde hem met heel zijn hart. Hij sprong en viel en viel.

Benjamins blik is strak gericht op een onbekende plek op het smerige tapijt. Wanneer hij beseft dat ik klaar ben, kijkt hij me aan. Zijn gezicht is zo dichtbij dat ik zijn warme adem voel. Ik ruik het bier dat hij heeft gedronken en de muffe stank van de bank. Hij kijkt me lang aan, maar zegt niets. Zeg iets, zeg iets, denk ik koortsachtig. O god, hij kust me, in het begin met korte kussen alsof hij het terrein verkent. Ik kan me niet bewegen. De woorden van het verhaal zweven naar me terug.

Ik heb op je gewacht.

Ik voel zijn tong in mijn mond.

Ik wist dat je zou komen.

Ik voel zijn hand op mijn gezicht en hij streelt mijn haar.

En viel en viel.

Ik kus hem terug en ben bang dat hij zal ophouden. *Houd niet op. Houd nooit meer op.* Zijn handen bewegen zich grijpend en knijpend onder mijn T-shirt.

... vertrouwde hem met heel...

Hij trekt mijn korte broek en slipje in één beweging uit, alsof ze aan elkaar genaaid zijn. Zijn spijkerbroek hangt om zijn knieën.

Ik voel iets hards en ik weet dat het zijn penis is. Het doet pijn wanneer hij duwt, maar dat kan me niet schelen omdat hij zo dicht bij me is en ik het gevoel heb dat ik dat al mijn hele leven heb gewild.

37

Dr. Ashley heeft me huiswerk opgegeven. Ik moest alle dingen opschrijven die ik met mamma wilde bespreken. Het was al moeilijk genoeg om het op papier te zetten, maar ik kan me niet voorstellen dat ik deze dingen in haar gezicht zeg.

Ik wilde dit niet doen. Ik wilde dr. Ashley bellen om te zeggen dat ik er helemaal van afzag. Wie was ik om oud zeer naar boven te halen na alles wat mamma doorgemaakt had? Maar daar ging het volgens dr. Ashley nu juist om. Ik had dat recht wel en de dingen moesten uitgesproken worden, ze moesten vanuit donkere, zwerende diepten in de openlucht gebracht worden omdat ze pas dan konden verschrompelen en genezen.

Als hij het niet over mij had gehad, zou ik geneigd zijn hem gelijk te geven. Maar ik was degene die naar mamma toe moest gaan in de wetenschap dat het haar niet zou bevallen wat ik te zeggen had. In de wetenschap dat ik haar nog meer verdriet zou doen.

Mijn hoofd deed nog steeds pijn, maar niet meer zo erg als een paar dagen geleden in het ziekenhuis. Het was nu alleen nog gevoelig wanneer ik het aanraakte of wanneer ik me toevallig midden in de nacht op mijn rechterzij draaide.

Ryan vond het leuk om naar mijn litteken te kijken.

'Ik zie een litteken, mamma. Ik zie een litteken.'

'Ja, Ryan, maar blijf ervan af.'

Maar dat kon hij niet. Een glanzende, rode plek met zeven hechtingen erin was zo verleidelijk als snoep. Hij raakte aarzelend met zijn kleine vingertjes het litteken aan en trok ze dan snel terug wanneer ik met veel theater ineenkromp.

'Het spijt me, mamma. Ik deed het zachtjes.'

'Ja, Ryan, je deed het zachtjes, maar het is heel pijnlijk.'

Maar nu ik op mijn linkerzij met mijn hoofd tegen het kussen op bed lag en mijn lijst met netelige kwesties opstelde, had ik pijn in mijn maag in plaats van in mijn hoofd. Wie had ook alweer gezegd dat de kindertijd iets was wat ieders leven verwoestte? Waarom probeerden mensen hun hele leven zichzelf te begrijpen, vroeg ik me af.

Ik was deze keer met dr. Ashley en mamma in het aquarium en Richard en dr. Sloan keken vanaf de andere kant toe met de twee coassistenten gereed bij de deur. Mamma en ik zaten aan weerskanten van de kleine tafel en dr. Ashley zat tussen ons in en nam een uit zijn voegen barstend dossier met aantekeningen door. Ik was gewapend met mijn eigen aantekeningen, drie netjes aan elkaar geniete bladzijden met enkele regelafstand.

De enige zonder verdediging was mamma. Het enige wat ze had om zich te beschermen, waren de strenge uitdrukking op haar gezicht en haar voor haar borst gekruiste armen. Ik zag aan haar dat ze zich al aangevallen voelde, voordat iemand ook nog maar iets gezegd had.

Dr. Ashley begon. 'Ik heb Bethany een soort van opdracht gegeven, Doris. Ik heb haar gezegd dat ze enkele lang onuitgesproken aanmerkingen en vragen op moest schrijven en die wil ze nu aan je voorleggen.'

'Dat kan leuk worden.' Mamma klemt haar armen strakker om zich heen alsof ze zichzelf bijeen wil houden.

'Het is maar dat je het weet,' vervolgde dr. Ashley. 'Dit was niet gemakkelijk voor Bethany. Ik denk eigenlijk dat ze het helemaal niet wilde doen. Ik wil je vragen om pas te reageren wanneer Bethany de tijd heeft gehad om te zeggen wat ze te zeggen heeft.'

Mijn ogen brandden al voordat ik een woord gezegd had, mijn mond was kurkdroog en mijn tong dik. Hoe moest ik hier ooit doorheen komen? Zelfs de wetenschap dat Richard achter het glas zat, hielp me niet.

'Ga je gang, Bethany.' Dr. Ashley knikte bemoedigend.

Ik keek mijn aantekeningen door en vond het eerste punt. Ik pakte een bekertje water en nam een paar slokjes om leven te brengen in mijn uitgedroogde mond, mijn wapen.

'Mamma, om te beginnen wil ik zeggen dat ik van u houd en dat ik heel erg met uw verlies meevoel. Het verlies van een kind…' Ik moest even ophouden. Ik voelde tranen prikken en ik kreeg een brok in mijn keel. '… is het ergste wat iemand kan overkomen en ik bewonder uw moed en toewijding bij uw inspanningen om uw zoon terug te vinden.'

Mamma's gezicht was uitdrukkingsloos. Ze leek te wachten tot ik ter zake zou komen. Dat deed ik.

'Dat gezegd hebbende, wil ik dat u erkent dat ik er ergens ook nog was.'

'Ik was er altijd voor je.' Mamma's stem was zacht en emotieloos.

Dr. Ashley legde haar met een opgeheven vinger het zwijgen op. Zo zou ik hier doorheen komen, met de steun en interventie van een onbevooroordeelde scheidsrechter.

'Dat klopt, mamma, in heel veel opzichten was u er voor me, dat ontken ik niet, maar in andere opzichten helemaal niet. Dat moet u weten.'

'Ik heb het zo goed mogelijk…' Weer duldde dr. Ashley niet dat ze me onderbrak.

'Het doel van dit gesprek is niet om te bewijzen wie er gelijk of ongelijk had, Doris, maar om gevoelens en gedachten te verkennen die hiervoor nooit geuit zijn.'

'Ga je gang,' blies mamma. 'Zeg maar wat je te zeggen hebt. Ik luister.'

'Ik wil u alleen zeggen dat er tijden zijn geweest waarin ik me buitengesloten voelde, onzichtbaar. Zoals de keren dat u maar bleef herhalen hoe slim Michael was, terwijl ik juist behoefte aan complimenten had. Er zijn een heleboel kleine incidenten geweest, zoals die keer dat u stilzwijgend toegaf dat hij belangrijker was dan ik en dat deed pijn, mamma, dat deed echt pijn.' Ik kon mijn tranen niet meer bedwingen. Ik had mijn hart gelucht, maar ik voelde me er niet beter door.

'Arme jij,' zei mamma op een sarcastische, wrede toon. Wist ze niet hoe moeilijk dit voor me was? 'Ik wist dat het hierop zou uitdraaien,' zei ze. 'Ik wist dat je ten overstaan van dr. Ashley en wie er daar buiten nog meer meeluisteren slechte dingen over me zou gaan vertellen. Ik wist het gewoon. Nou, je kunt zeggen wat je wilt, maar ik hoef er niet naar te luisteren.' Mamma schoot plotseling uit haar stoel en rammelde gefrustreerd aan de afgesloten deur.

'Ik vrees dat je dat wel moet doen, Doris,' zei dr. Ashley kalm. 'Het is voor jullie allebei belangrijk om deze kwestie te bespreken.'

Mamma liep naar de andere kant van de kamer en bleef met haar rug naar ons toe staan.

'Maakt u zich alstublieft geen zorgen om wat andere mensen denken,' smeekte ik. 'Daar is het allemaal te laat voor. Het is niet belangrijk. Maar wat u en ik denken, is wel belangrijk.'

Ze draaide zich abrupt en met een felle blik in haar ogen om.

'Ik zal je vertellen wat ik denk,' beet ze me toe. Ze wees beschuldigend met een vinger naar me. 'Ik was er in elk opzicht voor je en vertel me niet dat het niet waar is. Hoe durf je me waar iedereen bij is voor een slechte moeder uit te maken? Ik heb je in elk opzicht beschermd…' Ze zweeg even. 'Zodat jou nooit zou overkomen wat je broer overkomen is.'

'Nee, mamma, u beschermde uzelf.' Het was zo moeilijk om deze dingen te zeggen. Elk woord voelde aan als een messteek. 'U hebt uzelf beschermd tegen iedereen van buiten. Pappa is weggegaan, maar ik kon dat niet doen. Eerst sloot u me op en daarna sloot u me buiten. Hoe goed ik het op school ook deed, hoeveel verhalen ik ook schreef, hoeveel prijzen ik ook won, het was nooit genoeg om met Michael te kunnen concurreren. U had altijd hem nodig. Ik ben bij de politie gegaan om te helpen vermiste kinderen op te sporen. Ik heb zelfs een kind gekregen, maar niets wat ik deed, was goed genoeg. In godsnaam, mamma, alles draaide altijd om Michael. Zelfs nu nog.'

'Ik heb je beschermd, ik heb je gevoed, ik heb je je schoolopeiding gegeven. Ik heb ervoor gezorgd dat je dromen uitkwamen.'

'Dat waren *uw* dromen, mamma, niet de mijne. Ik weet niet eens wat mijn dromen zijn. Ik heb nooit genoeg ruimte gehad om dat te ontdekken. Ik ben nu een volwassen vrouw, mamma, en ik moet er nog steeds voor vechten om een beetje aandacht van mijn eigen moeder te krijgen, om door mijn eigen moeder geaccepteerd te worden. Alleen moet ik nu niet alleen tegen Michael vechten, maar ook tegen de media, de psychologen en zelfs tegen Ryan en ik verlies elke keer.' Ik aarzelde. 'Soms, niet vaak, vraag ik me af of u liever had gehad dat ik gestolen was in plaats van Michael.'

Zo. Ik had het gezegd.

'*Ik wil hier niet meer over praten.*' Er stonden nu tranen in mamma's ogen.

'Dat wilt u nooit,' hield ik vol. 'U wilt nooit praten over de echte reden waarom u zich altijd schuil hebt gehouden. Waarom u uw hele leven op zijn terugkeer gewacht hebt.'

'Zo is het genoeg.' Mamma verhief haar stem en veegde haar tranen weg.

'Dat doet u omdat u uzelf niet toestaat om te geloven dat ik misschien het enige ben wat u nog hebt.'

Ik wist de laatste woorden uit te brengen voordat ik eindelijk in tranen uitbarstte. Ik zag dat mamma naar me toe kwam en ik zette me schrap voor haar omhelzing, maar in plaats daarvan prikte ze met een vinger naar mijn gezicht en keek ze me met priemende ogen aan.

'*Waag het niet* me te vertellen wat ik wel en niet voel en hoe ik met dit alles hoor om te gaan. Als ik in *mijn* huis wil blijven en mijn hele leven naar *mijn* zoon wil zoeken, dan doe ik dat. Als ik over Michael wil praten, dan doe ik dat. Als ik niet over Michael wil praten, dan doe ik dat niet. Denk nóóit dat je weet hoe ik me onder dit alles voel en wees niet zo aanmatigend om te denken dat je weet hoe ik me moet gedragen.'

Ik balde mijn handen tot vuisten en opende ze weer en ik groef met mijn nagels in mijn zakken.

'Hoe kan ik nu weten wat u voelt als u nooit met me praat?' zei ik en mijn stem haperde als gestoorde radiogolven. 'Ik weet niet wat u vindt van de dingen die ik doe. Bent u trots op me? Vindt u mijn verhalen goed? Ik weet niets omdat u het me nooit vertelt.'

Mamma deinsde terug, sloeg haar armen stijf om zichzelf heen en begon met haar beste leraressenstem te spreken.

'Je fantasie is jouw gave, Bethany. Ze maakt je vrij, voert je naar allerlei plaatsen en laat je mooie dingen zien. Mijn fantasie is een vloek voor me. Ze beperkt me, laat me alleen verdorven beelden zien en neemt me mee naar afschuwelijke plaatsen. Ze is een hel waar eeuwig wordt geleden. Ik ontsnap eraan door bezig te blijven, door haar een stapje voor te blijven, want zodra ik rustiger aan doe, wacht ze op me, gereed om me te verslinden.'

Ik had mamma onderschat en ik had inmiddels horen te weten dat ik dat nooit moest doen. De indringende woorden die ze over me uitstortte, waren even solide als de goedgebouwde meubels die ze in de afgelopen decennia had gemaakt. Mamma had het heft weer in handen.

'Oké, mamma, maar ik dan?' Ik was aangeslagen door de pijnlijke onthulling die ik had uitgelokt. Voor het eerst had ik het gevoel dat ik dr. Ashleys hulp nodig had om door te kunnen gaan. Nadat hij vriendelijk glimlachend naar me had geknikt, zette ik door.

'Ik vraag u om me binnen te laten,' zei ik. 'Ik vraag u om van me te houden. Michael komt misschien terug, maar intussen ben ik bij u, mamma.'

'Iemand moest naar hem zoeken,' zei ze zacht. Ze was plotseling verslagen en haar blik dwaalde af. Ze zweefde weg.

'Hij is mij ook ontnomen,' zei ik. Ik probeerde haar terug te halen. 'Hij is niet alleen uw zoon. Hij is ook mijn broer. U bent niet de enige die onder Michaels ontvoering te lijden heeft gehad. U hebt niet het alleenrecht op verdriet. Maar u hebt nu een keus. U hoeft de ontvoerder niet toe te staan dat hij mij ook u ontneemt.'

We zwegen alle drie en lieten de duellerende woorden neerdalen. Dr. Ashley raakte mijn knie aan en knikte goedkeurend. Onze aandacht werd weer naar mamma getrokken door een luide klap. Ze had de plastic honkbalknuppel opgepakt en uitgehaald naar de leren stootzak.

'Ik heb alles gedaan wat ik kon,' zei ze. Haar knokkels waren wit doordat ze de honkbalknuppel zo stijf omklemd hield.

'Ik heb zo goed mogelijk voor je gezorgd.' *Bam.*

'Mijn dromen zijn niet uitgekomen.' Haar stem werd met elk woord luider en haar gezicht was dat van een vrouw die haar verstand verloren had.

Dr. Ashley en ik keken elkaar aan en vervolgens keken we weer naar mamma. We hoorden dat de grendel aan de andere kant van de deur opengeschoven werd. Dr. Ashley hief een vinger op om de twee coassistenten tegen te houden. Mamma sloeg niet langer op de stootzak zoals een slagman de bal slaat. Haar slagen misten de razernij van daarnet en hadden nu een griezelig ritme gekregen. Bij elke inspannende dreun zei ze één woord.

'Geef.' *Bam.*

'Hem.' *Bam.*

'Terug.' *Bam.*

Toen schreeuwde ze en ze gooide de plastic knuppel weg alsof hij plotseling in haar handen gloeiend heet was geworden. Mamma liet zich als in slow motion op haar knieën zakken, alsof ze smolt. Haar wijdopen, doodsbange ogen waren op een onzichtbaar beeld gericht. We renden naar haar toe, hurkten aan weerskanten van haar neer en sloegen onze armen zorgzaam om haar verstijfde lichaam heen.

'Wat heb ik gedaan?' mompelde ze steeds opnieuw.

'Het is in orde,' zei dr. Ashley. 'Het is nu voorbij.'

'Stil maar, we zijn bij u, mamma.'

De tranen liepen in dunne stroompjes over haar verstijfde gezicht en bevlekten haar kiel. Wat er ook in haar had gezeten, was nu weg. Ze maakte geen geluid.

DEEL IV

38

Mamma is terug, samen met haar koffers en twee zware boodschappentassen waarin, zoals ik verwacht, iets voor mij zal zitten. Richard is er ook, maar hij vertrekt zodra de bagage binnengezet is.

Mamma is maar drie weken weggeweest, maar ze ziet er op de een of andere manier anders uit. Ik zou willen zeggen gelukkiger of jonger, maar dat is het niet helemaal. Ik zoek naar het woord, terwijl ze de open koffers op haar bed uitpakt. Ze is thuisgekomen met schone kleren aan, dankzij de geweldige wasserij van het fantastische Omni Hotel, waar Richard en zij hun laatste nacht hebben gelogeerd op rekening van de *Oprah Winfrey Show*.

Werelds. Dat is anders aan haar. Ze ziet er werelds uit. Haar doelbewuste bewegingen hebben iets zelfverzekerds wat ik nog nooit bij haar heb gezien en het maakt me een beetje bang. Ik weet niet wat ik moet verwachten.

'Ik wil alles over je vakantie horen. Hoe ging het bij je vader?' Het is meer een bevel dan een vraag.

'Ja, prima,' zeg ik. Ik besef dat ik me niets kan herinneren van wat ik bij pappa heb gedaan.

'En wat heb je al die tijd gedaan?'

'Dat weet ik niet. Een beetje gelummeld, denk ik. Pappa heeft veel gewerkt.'

'Wat heb je dan gedaan wanneer hij werkte?'

'Rondgehangen met Lori en naar films gekeken.'

'Toch geen films voor volwassenen, hoop ik,' zegt mamma automatisch.

'Nee, mamma.' Mijn standaardantwoord. 'Zal ik u eens wat vertellen?'

'Hang deze even voor me op, Bethany.' Ze overhandigt me twee knaapjes waaraan pakken hangen met dunne, doorzichtige plastic hoezen eroverheen.

'Kijk eens hoe fantastisch ze het hebben gedaan,' zegt ze en ze strijkt met haar vingers over het plastic. 'Echt fantastisch.'

Ik knik en loop naar de kast.

'Ik had een negen voor mijn verhaal,' zeg ik.

'Nee, niet daar, Bethany. De pakken horen bij de andere pakken te hangen. Ach, laat ook maar,' zegt ze en ze pakt de pakken uit mijn handen, terwijl ik moeizaam probeer ze netjes tussen de andere te hangen. 'Ik doe het wel.' Ze schuift ze moeiteloos op de juiste plaats.

'Pak jij mijn beautycase maar uit en zet de spullen op de kaptafel.' Ze wijst naar een klein, hard koffertje dat aan het voeteneinde van het bed staat. Ik pak het uit.

'En hoe zit het met je examens? Heb je ervoor gestudeerd, zoals ik je gezegd heb?'

'Ja, mijn cijfers zijn…'

'Shampoo!' zegt mamma. Ze pakt de fles die ik net op de kaptafel heb gezet en houdt hem voor me omhoog zodat ik het etiket kan lezen. 'Bewaren we daar de shampoo?'

'Nee, het spijt me. Hoe was uw reis, mamma?'

'Groots,' zegt mamma. 'Echt groots.'

Groots? Wie is deze vrouw? Wat moet ik tegen haar zeggen?

'Dat is geweldig,' zeg ik.

'Ja, we werden overal met open armen ontvangen. Maar eergisteren was de beste dag van allemaal. De mensen van de *Oprah Winfrey Show* waren allemaal zo aardig en haar gasten… laat ik zeggen dat ik eindelijk omringd werd door mensen die me begrijpen. Ze zitten allemaal in hetzelfde schuitje. Als ik ooit heb getwijfeld aan wat ik doe, dan heeft deze ene dag dat allemaal goedgemaakt.'

Mamma had haar mensen gevonden.

Wanneer Oprah op tv komt, zit mamma in haar stoel en Richard en ik zitten op de bank. Mamma is niet de hoofdgast, zoals jaren geleden in dat programma van *Newsline*. We kijken een uur lang naar andere gasten. Andere moeders en andere vaders van vermiste kinderen. Heel veel anderen.

Mamma is als laatste aan de beurt, maar Richard zegt dat dat in dit geval gunstig is omdat de mensen het zich dan beter zullen herinneren. Mamma's onderdeel begint na een onderbreking voor de reclame en we zien Oprah in een grote, zachte stoel zitten. 'Sommigen van u zullen zich het volgende verhaal nog herinneren,' zegt ze.

We kijken naar een reconstructie van het gebeuren. Vage beelden van mensen die bij het jaarfeest alle richtingen uit rennen, door de wind weggeblazen papier en plastic zakken en een opname van een leeg veld met in de verte een klein hondje. Daarna zien we oud beeldmateriaal van diverse nieuwslezers die het laatste nieuws brengen en ten slotte van de inwoners van Dartmouth die het gebied afzoeken. Oprah komt weer in beeld, alleen zitten mamma en Richard nu bij haar op het podium.

Oprah stelt hen voor en zegt dan: 'Dit is een foto van Michael Fisher ten tijde van zijn verdwijning.' Ze draait zich om naar een groot scherm achter haar. 'En dankzij de wonderen van de moderne techniek kunnen we zien hoe hij er nu uitziet.'

Michaels achttien jaar oude gezicht vult het scherm. De adem van het publiek stokt. Terug naar Oprah. Ze stelt Richard de eerste vraag.

'Kunt u ons vertellen hoe groot de kans is dat iemand zo lang na een ontvoering teruggevonden wordt?'

Richard buigt zich naar voren in zijn stoel.

'Natuurlijk is de kans groter om iemand kort na de verdwijning te vinden. Vierenzeventig procent van de ontvoerde kinderen die vermoord worden, is binnen drie uur na de ontvoering dood.' Oprah herhaalt het percentage.

'Vierenzeventig procent.'

'Maar Michaels lichaam is nooit gevonden en dat stemt ons hoopvol dat hij met een ander oogmerk dan moord is ontvoerd. Een op de zes ontvoerde kinderen wordt gevonden omdat iemand hun foto herkent.'

Oprahs volgende vraag is aan mamma gericht. Ze buigt zich een beetje dichter naar haar toe.

'Waarom denkt u na al die tijd dat uw zoon nog leeft?'

Oprah heeft precies de vraag gesteld die ik nooit onder woorden heb kunnen brengen.

'Omdat er geen bewijs van het tegendeel is, zoals de rechercheur net heeft gezegd,' antwoordt mamma. 'Maar op een veel persoonlijker niveau is het iets wat ik voel, iets wat een moeder weet. Ik heb het altijd gevoeld als een onzichtbare verbinding tussen Michael en mij.'

En dat is het.

Mamma had het gedaan. Ze had gedaan wat ze van plan was. Ze had het hun allemaal laten zien. Niemand kon haar ervan betichten dat ze aan een domme obsessie leed. Niet nu Oprah en Amerika aan haar kant stonden.

Het eindeloze aantal telefoontjes in de daaropvolgende drie dagen lijkt mamma kracht te geven. Terwijl ze van kamer naar kamer danst met bewegingen die op die van een mooie goochel-act lijken, zie ik iets in haar dat op geluk lijkt. Maar ik kijk er ook doorheen. Achter mamma's snelle glimlachen en grillige bewegingen, achter haar doelgerichtheid en hoop, zie ik iets op de loer liggen dat authentieker en duisterder is en dat beangstigt me. Ik zie iemand die op het punt staat één bal te veel in de lucht te willen houden.

Mamma komt weer naast me zitten en ik heb haar amper de eerste zin van mijn opstel over Freud voorgelezen wanneer we weer door het gerinkel van de telefoon worden gestoord. Normaal gesproken zet mamma tijdens de lesuren het geluid van de bel laag en schakelt ze het antwoordapparaat in, maar deze telefoontjes zijn te belangrijk en mamma verontschuldigt zich niet. Deze telefoontjes zouden allemaal het verlossende woord kunnen brengen.

Mamma staat op van de tafel als een vlinder die van bloem naar bloem zweeft. Ze moet aan de sluwe, verheugde uitdrukking in mijn glimlachende ogen zien dat ik het helemaal niet erg vind. Mijn vreugdevolle respijt duurt maar zo lang als mamma nodig heeft om op te nemen en daarna mijn naam te zeggen. Wie belt er om over mij te praten? Is het mevrouw Zingler? Belt ze om te zeggen dat ze Benjamin en mij 's ochtends opgerold op de bank in de kelder heeft aangetroffen? Is het Lori die, door schuldgevoel gekweld, belt om ons *geheimpje* te verklappen? Terwijl mamma praat, hoor ik een reeks aanwijzingen waar ik niets aan heb.

'Ja, die heeft ze. Dat denk ik wel. Dat is heel aardig van u. We zullen over dit genereuze voorstel nadenken.'

Ik merk dat ik snel ademhaal wanneer mamma terugkomt. Ze gaat zitten en kijkt me lang aan. Ten slotte zegt ze: 'Dat was mevrouw Cooper.'

God, ik wist het. Hoe had ik kunnen denken dat ik iets voor mamma verborgen zou kunnen houden? Ik knik als een hond die betrapt wordt wanneer hij de biefstuk van de barbecue steelt en ik zet me schrap voor een spervuur van vragen.

'Zoals je misschien weet...' begint mamma.

Het zal een lange, filosofische preek worden.

'... kijkt mevrouw Cooper je examens na.'

Hoe speel ik dit? vraag ik me af. 'Dat heb ik gehoord,' zeg ik, balancerend op het strakke koord tussen waarheid en leugen.

'In elk geval,' vervolgt mamma, 'vindt ze je verhalen echt goed.'

'IJsboogland?'

'Ja. Ze heeft een opdracht voorgesteld voor je laatste beoordeling voor Engels.'

'Wat dan?'

Ik kan niet geloven dat ik de dans ontsprongen ben.

'Ze wil weten of je het leuk zou vinden om een verzameling in te leveren van je vorige verhalen plus een paar nieuwe, compleet met illustraties.'

Ik ben sprakeloos en kan alleen maar even knikken.

'Het is een hele klus. Je zult een computer nodig hebben. Ik kan Sylvie vragen of je de hare mag lenen.'

'Ja, dat is goed,' zeg ik.

'Weet je het zeker?'

'Ja, ik weet het zeker, heel zeker,' zeg ik snel.

'Goed, dan gaan we terug naar onze vriend Freud.'

Ik pak mijn veronachtzaamde opstel op, maar ik kan me niet op de woorden concentreren.

'O, nog één ding,' zegt mamma. 'Als de verzameling groot genoeg is, wil mevrouw Cooper weten of je het leuk zou vinden als ze probeert de verhalen te laten uitgeven. Blijkbaar kent ze iemand die agent voor kinderboeken is. Ze zegt dat ze haar eigen kinderen in de loop van de jaren je verhalen voor het slapengaan voorgelezen heeft en dat ze ervan genoten hebben, maar waarschijnlijk weet je dat al omdat je daar op bezoek bent geweest toen ik weg was.'

Voordat ik iets kan zeggen, word ik gered doordat de telefoon weer gaat.

Het verhaal waarin ik Will laat voorkomen, lijkt op een geboorte die begint met een haarscheurtje in de schaal van een warm ei, gevolgd door gepik en gehak. Gup en Liw worden om kwart voor zeven 's avonds geboren. Ik zit in mijn kamer met mijn pen op het papier. Ik stel me voor dat Will in zijn dromen naar een waterrijke plek van smaragdgroen vloeibaar fluweel gaat.

'Bethany!'

'Wat is er?'

'Telefoon.'

Ik sta op en laat mijn pen en papier op het bed liggen.

'Ik neem hem hier wel aan,' schreeuw ik over de trap naar mamma.

'Ik heb 'm,' zeg ik in de telefoon wanneer ik opneem. Ik wacht op mamma's klik, maar voordat ze ophangt maakt ze van de gelegenheid gebruik om me eraan te herinneren dat ik niet de hele avond aan de telefoon moet blijven hangen omdat ze verwacht dat er…

'Ja, mamma.'

'Niet zo brutaal, hè.' Klik.

'Hallo.'

'Hallo, hoe gaat het daar?' vraagt Lucy.

'O, je zult het niet geloven. Ik heb je zo veel te vertellen. Ik ben zo blij dat je terug bent.'

'Ja, ik heb gehoord wat je uitgevreten hebt en ik moet je zeggen dat ik er niet bepaald over te spreken ben.'

'Waar heb je het over?'

'Ik heb het over iets waarover ik niet over de telefoon hoor te praten. Kom naar me toe.' Ze zegt het alsof mijn leven ervan afhangt.

'Ik kan niet geloven dat je het gedaan hebt.' Lucy loopt als een nerveuze vader in de gang voor een verloskamer heen en weer.

'Wat?' Ik ben oprecht verbaasd.

'Het!'

'O, *het*,' zeg ik en ik laat mijn hoofd van schaamte hangen. 'Wat heeft Benjamin tegen je gezegd?' vraag ik.

'Hij kwam helemaal over zijn toeren bij me,' zegt Lucy.

'Wat heeft hij je verteld?'

'Nou, om hem te citeren, hij zei dat jullie *het* gedaan hadden. Ik bedoel, kom op zeg, die stomme broer van me. Getver! Hoe heb je het kunnen doen?'

Ik negeer haar afkeer. 'Wat heeft hij nog meer gezegd?'

'Luister je wel naar me? Waarom moest je van alle jongens ter wereld nu juist *hem* nemen?'

'Tja, alle andere jongens ter wereld waren niet beschikbaar,' zeg ik.

'Dit is echt niet grappig. Het is zo weerzinwekkend. Ik kan de gedachte eraan niet eens verdragen.'

'Denk er dan niet aan,' zeg ik.

'Jakkes!' zegt Lucy kronkelend. 'Wat dacht je eigenlijk?'

'Ik dacht hoe lekker het…'

'Zeg het niet. Geen woord meer erover.'

'Je vraagt het toch.'

'Hij is mijn broer!'

'Ja, dat hebben we al vastgesteld. God! Neem een pilletje. Relax een beetje, alsjeblieft,' zeg ik. 'En zeg tegen hem dat hij hetzelfde moet doen. Het is niet zo dat ik verwacht dat hij met me trouwt.'

Lucy zucht. Ze probeert een nieuwe tactiek uit: bezorgdheid.

'Heb je dan tenminste een voorbehoedmiddel gebruikt?'

'God, je lijkt mijn moeder wel.'

'Heb je dat gedaan?'

'Niet echt.'

'Wat betekent dat, *niet echt*. Dit is een simpele vraag die je gewoon met ja of nee kunt beantwoorden.'

'Oké, dan is het nee.'

'God! Hoe heb je zo stom kunnen zijn? En als je nu eens, o, mijn god, als je nu eens…' Lucy is in een soort trancetoestand geraakt en lijkt niet meer te weten dat ik in de kamer ben.

'Even ontspannen, ja!' Ik pak haar arm vast en schud eraan om haar bij zinnen te brengen, maar ze trekt haar arm weg. 'Neem een kalmerend pilletje en relax, verdomme!' zeg ik met de booste stem die ik kan opzetten. Ze houdt even op met haar getob en staart me uitdrukkingsloos aan.

'Wat had je dan verdomme verwacht dat ik zou zeggen?' vraagt ze.

'Je zou me bijvoorbeeld kunnen vragen hoe ik me onder dit alles voel in plaats van zo op jezelf gericht te zijn en alleen stil te staan bij het effect dat dit op jou heeft.'

Ze denkt daar even over na. 'Oké, hoe voel je je er in jezusnaam onder?'

Ik concentreer me op haar blote voeten op de vloer. 'Dat weet ik niet,' zeg ik zacht.

'Nou, dat is dan ook wat moois, hè? Je weet het niet! Je weet het niet! Hoe bedoel je verdomme, dat weet ik niet?'

'Ik bedoel gewoon dat ik het niet weet. Ik bedoel, je weet dat ik al heel lang smoorverliefd op Benjamin ben en het is gewoon gebeurd en…'

Lucy heeft gelijk. Mijn slappe antwoord is geen acceptabele verklaring, maar wanneer ik erover nadenk hoe ik me er echt onder voel, is 'dat weet ik niet' het enige wat ik kan verzinnen. Ik weet niet in hoeverre de alcohol mijn daad heeft beïnvloed. Ik weet niet of ik het gevoel heb dat er misbruik van me gemaakt is. Ik weet niet of ik van Benjamin houd. Wat ik wel weet, is dat ik hem op het ogenblik niet wil zien en dat het *en als* dat Lucy zo gevoelig te berde heeft gebracht me de stuipen op het lijf jaagt.

'Zullen we het ergens anders over hebben?' Ik kondig een wapenstilstand af. Ik wil haar vertellen over Will en mijn verhaal en ook dat de telefoon niet meer stil heeft gestaan sinds mamma terug is.

'Dus mijn idee is om het schilderij in stukken te knippen en ons werk als illustraties te gebruiken. Het is zo raar. Het lijkt alsof al het werk al gedaan is. Ik hoef het alleen maar te verzamelen en dan ben ik voor altijd klaar met Engels.'

'Geweldig.' Lucy doet of ze enthousiast is, maar ik weet dat ze nog steeds aan haar broer en mij denkt. Ik weet dat ze zich verraden voelt.

'Vertel me eens over het kamp,' zeg ik.

Bij wijze van antwoord steekt Lucy haar hand in de zak van haar rugzak en haalt er een dikke, zelfgemaakte envelop uit die ze me overhandigt. Het dikke papier ziet eruit als samengeperste confetti en voelt ruw aan. Ik stel me Lucy voor terwijl ze met een vijzel en een stamper in haar handen stukjes van een boom fijnstampt tot de blaren op haar handen zitten. Ik maak hem open. Erin zitten een met kralen bezette polsband en een met de computer gemaakte kaart. De tekst erop luidt: *Een beste vriendin is een geschenk van God. Ik dank God voor Bethany. Liefs, Lucy.*

Ik wil niet huilen, maar ik voel de tranen opwellen in mijn ogen.

39

'Ik ben heel trots op je,' zei dr. Ashley en hij boog zich over zijn bureau heen naar me toe. 'Ik weet hoe moeilijk het voor je was om de confrontatie met je moeder aan te gaan, maar je zult het fijn vinden om te horen dat ze sindsdien grote vooruitgang heeft geboekt.'

We zaten in dr. Ashleys spreekkamer in de stad, in de ruime kamer met zijn rugbytrofeeën en de foto van zijn vrouw. Hij had me gevraagd het State Hill niet meer te bezoeken tot de herinneringen van mijn moeder onder controle waren. Hij zei dat haar denkprocessen op dit moment nog te kwetsbaar waren.

Ze moest geconcentreerd blijven.

'Wat herinnert ze zich?' vroeg ik.

'Een paar flarden,' zei dr. Ashley. 'Maar de beelden zijn zeer verontrustend voor haar. We hebben haar, nadat de eerste herinnering naar boven is gekomen, elke avond een kalmerend middel moeten geven.'

'Kunnen we haar al vertellen dat de politie Aaron Wetherall levend heeft aangetroffen?'

'Nog niet. Te zijner tijd. Dit is een proces dat niet versneld mag worden. Eerst moet ze controle over de herinneringen krijgen. Ze komen met angstaanjagende snelheid naar boven en het is allemaal een beetje te veel voor haar. Eén ding tegelijk.'

'Weet ze dan tenminste wie Thomas Freeman was en waarom ze het gedaan heeft?'

Dr. Ashley knikte. 'Dat weet ze.'

De volgende weken hield dr. Ashley me niet alleen telefonisch op de hoogte van mamma's vorderingen, maar ook persoonlijk, omdat ik hem wekelijks in zijn spreekkamer bezocht. Mamma's herinneringen begonnen achterstevoren en ze zag eerst bloedige flitsen. Ze zag de muren en de vloer die met bloed bespat waren. Ze zag TRF's witte wandtelefoon en haar trillende hand die zich ernaar uitstrekte...

Toen het tijd was om zijn rapport voor de rechtbank te schrijven, had dr. Ashley alle munitie die hij nodig had. Mamma's door de rechtbank aangewezen advocate, een vrouw van achter in de vijftig die Margaret Reager heette en die ik tijdens haar optreden voor de rechtbank maar één keer ontmoette, werkte in de weken voor het proces nauw met dr. Ashley en mamma samen. Dr. Ashley vertelde me dat we bij mamma te maken hadden met een klassiek geval van tijdelijke ontoerekeningsvatbaarheid. Hij zei dat ze haar in gedachten gehad moesten hebben toen de term verzonnen was. Hij stelde in zijn beëdigde verklaring dat ze dit nooit van tevoren gepland kon hebben omdat het een ironisch toeval was dat ze hem tegenkwam nadat ze de voorgaande avond voor het eerst een tekening van hem had gezien. Uit haar aanvankelijke onvermogen om zich het incident te herinneren en uit het feit dat ze later haar herinnering terug had gekregen, bleek duidelijk dat ze tijdelijk ontoerekeningsvatbaar was geweest.

Dr. Ashley schreef verder dat mamma Aaron Wetherall met groot gevaar voor eigen leven had gered. Belangrijker was echter

dat mamma op een onbewust niveau haar kleinzoon beschermde en dat ze zich er met de slagen op TRF's hoofd van verzekerde
dat Ryan nooit zou overkomen wat er met Michael was gebeurd.
Het besef dat deze kindermoordenaar dicht in de buurt woonde
van haar geliefde kleinzoon over wie ze niet meer dagelijks kon
waken en die ze niet meer dagelijks kon beschermen, was voor
mamma de doorslag geweest om in actie te komen. Tot slot
schreef dr. Ashley dat hij nauw met mamma zou blijven samenwerken om haar te helpen om met de werkelijkheid en de gevolgen van haar daad te leren omgaan. Hij verklaarde dat het zijn
professionele mening was dat mamma uiteindelijk het State Hill
geestelijk volkomen gezond zou verlaten en dat ze verder geen
gevaar voor haar omgeving of voor zichzelf zou vormen. Hij
schreef dat datgene wat er op de vroege avond van 15 oktober
was gebeurd het resultaat was van de combinatie van een verschrikkelijk en onverwerkt verleden en een reeks ongebruikelij-
ke en ironisch vergelijkbare omstandigheden. Hij vermeldde
ook dat mamma na de verdwijning van haar zoon geen enkele
vorm van therapie had gehad.

Dr. Ashleys oordeel plus de politierapporten en de foto's van
de gruwelijke bevindingen in het huis van het slachtoffer waren
voor de rechter reden genoeg om een snel besluit te nemen. De
rechtbank was clement en mamma werd ertoe veroordeeld in
het State Hill te blijven tot dr. Ashley zou verklaren dat ze volledig hersteld was. Wanneer mamma vrij zou komen, hing nu van
haarzelf af.

40

Richard installeert de nieuwe fax die hij voor mamma heeft gekocht, zodat de politie en de Opsporingsorganisatie voor Vermiste Kinderen haar nu rechtstreeks documentatie kunnen sturen.

Richard heeft ook verschillende soorten donuts gekocht, met jam gevuld, met regenboogkleuren bespikkeld of met chocola bedekt, en ik wacht geduldig aan de keukentafel tot mamma koffie heeft gezet. Wanneer de laatste druppel door het filter is gezakt en Richard alle kabels tussen de telefoon, het faxapparaat en het stopcontact in de muur heeft aangesloten, zal ik mogen kiezen.

Dat is nog maar een paar minuten geleden en ik heb mijn donut pas half op wanneer de fax begint te zoemen en direct een bericht uitspuugt. Ik hoop dat zijn bescheiden gezoem in de plaats zal komen van het eindeloze gerinkel van de telefoon. Ik neem nog een hap en het dunne laagje poedersuiker kietelt mijn lippen. Mamma verschijnt met de glanzende bladzijde van fax nummer een.

'Geachte mevrouw Fisher,' leest ze voor.

'Bedankt dat u ons uw faxnummer hebt toegestuurd. We zullen u met genoegen van alle relevante informatie met betrekking tot uw zaak voorzien. Op dit moment is er niets nieuws te melden. We hebben af en toe valse aanwijzingen ontvangen en daarom zult u begrijpen dat we u niet lastig willen vallen, tenzij we iets steekhoudends hebben. Ondertekend door commissaris Harrison Wathy van de politie van Helena.'

Mamma kijkt Richard aan alsof hij een ondeugende jongen is. 'Heb jij het nummer doorgegeven?'

'Natuurlijk,' zegt hij.

'Bedankt.'

Ik herinner me de uitdrukking op mamma's gezicht toen ze Benjamin voor het eerst ontmoette. Ik vraag me af of mamma overal waar ze is Michael ziet. Hoeveel wreedheden moet mamma dagelijks ondergaan? Merkt ze ze nog wel op? Terwijl ik op mijn laatste stukje donut kauw, begrijp ik iets van mamma waarover ik daarvoor nog nooit heb nagedacht. Ik bedenk dat ze mijn hele leven met verdriet heeft geleefd en dat ik haar nooit anders heb gekend. Maar ze moet anders zijn geweest voor de dag waarop Michael gestolen werd. Ze moet toen blijmoediger en gelukkiger zijn geweest.

Ik voel een zekere afstandelijkheid ten opzichte van haar nu ik over deze dingen nadenk. Het lijkt alsof ik me een klein stukje heb verplaatst en buiten haar bereik ben gekomen. Een ogenblik zie ik haar niet als mamma, maar als een vrouw die elke dag op zoek is naar een schat. Ze heeft die dag meer verloren dan een zoon. Veel meer. Misschien zoekt mamma helemaal niet naar Michael. Misschien zoekt ze een manier om zichzelf terug te vinden.

Er wordt in de volgende paar dagen minder gebeld, maar nu heeft mamma een nieuwe hobby. Ze legt een papieren pad van de oostkust naar de westkust aan. Op de vloer van haar slaapkamer ligt een lappendeken van glanzende faxen waarvan de meeste het logo van de Opsporingsorganisatie voor Vermiste Kinderen in de linkerbovenhoek hebben staan. Wanneer ze dit geografische wonder niet uitbreidt en niet aan het bellen is, helpt ze mij met de voorbereidingen op het toelatingsexamen voor de universiteit of mijn eindexamen van de middelbare school, wat eigenlijk op hetzelfde neerkomt. Als alles goed gaat, ben ik voor Kerstmis klaar met de middelbare school.

Vandaag is het zaterdag, mijn vrije dag, en ik ben de hele ochtend in mijn kamer geweest om IJsbooglandverhalen te selecteren voor volgende week, wanneer ik ze op de computer van mevrouw Zingler ga uittikken. Toen mamma het haar vroeg, vond ze het direct goed dat ik haar computer zou gebruiken. Ze zei dat ze heel blij voor me was.

Mamma glimlacht vreemd wanneer ik de keuken binnenkom voor de lunch. Haar gezicht straalt een geheime kennis uit. Ik volg haar schrandere blik naar de tafel waarop in het midden een manilla envelop van brieffformaat ligt. Hij is geopend. Ik vind het vervelend wanneer mamma dat doet, hoewel ik meestal geen post krijg behalve verjaardagskaarten van opa en oma, maar toch...

Ik kijk van de envelop naar mamma en dan weer naar de envelop. Ze lijkt te wachten tot ik iets zeg.

'Is die van de universiteit?' vraag ik.

'Niet echt,' zegt mamma. Ze lijkt dit leuk te vinden.

'Van oma?'

'Kijk maar even.' Dat is een goed idee.

Ik pak de envelop en kijk erin. Ik zie een houtskooltekening. Misschien heeft Lori die gestuurd, maar waarom zou ze die me dan niet gewoon morgen geven wanneer ik toch de hele dag bij haar en pappa ben. Ik trek de tekening eruit en zie een vlekkerige zwart-witversie van mezelf.

'Will,' fluister ik. Ik herinner me onze afspraak.

Het is een uitermate gevoelige tekening – zelfs ik zie dat – en ik houd er direct van. Het portret heeft iets zo persoonlijks dat ik het bijna gênant vind om er in mamma's bijzijn naar te kijken.

'Heb je het briefje gezien?' vraagt mamma.

Het is een opgevouwen velletje papier dat onder in de envelop zit. Ik lees het.

Hallo Bethany,
Beloofd is beloofd, dus hier is je portret. Ik hoop dat je haar mooi vind. Kom alsjeblieft nog een keer op bezoek. Jij en je moeder zijn hier altijd welkom.
Groeten, Will

Zodra ik het briefje gelezen heb, stelt mamma voor dat we mijn verzameling verhalen persoonlijk gaan brengen wanneer alles klaar is.

'Ja, natuurlijk, dat is een goed idee,' zeg ik, maar ik kan niet geloven dat ze zo cool is. Ze heeft geen enkele vraag over mijn bezoek aan Will gesteld en ook niet gevraagd waarom hij mijn portret getekend heeft. Ze leeft tegenwoordig echt in haar eigen wereldje en ik weet niet of me dat wel bevalt.

'Gaan we vandaag nog naar de K-mart?' vraag ik. Het duurt verscheidene seconden voordat ze zichzelf weer naar de kamer teruggestraald heeft.

'Ja, ja, natuurlijk. Wanneer de vaat is gedaan.'

Mamma wast en ik droog en daarna gaan we met de Volvo naar de K-mart om nieuwe schoenen te kopen. Mijn voeten hebben een inhaalslag gemaakt om de achtenhalve centimeter die ik het laatste halfjaar gegroeid ben bij te benen. Het bewijs daarvoor wordt geleverd door de potloodstreep op de muur voor mijn slaapkamer, waar mamma me af en toe opmeet als ik het vraag. Ik ben nu één meter achtenvijftig en heb schoenmaat zesendertig en mamma denkt dat ik nog heel veel zal groeien.

We rijden het drukke parkeerterrein van de K-mart op en

wanneer we in de winkel zijn, gaan mamma en ik regelrecht naar de schoenenafdeling. Ik wil sportschoenen met een merknaam hebben, maar ik weet dat mamma zal zeggen dat ze te duur zijn en dat de suffige merkloze schoenen net zo goed zijn. Ik denk hierover na wanneer we de met schoenen gevulde schappen naderen, maar mamma stopt niet op de meisjesafdeling. Ze loopt door tot we op de jongensafdeling zijn.

Ik wijs haar op haar vergissing, 'Dat zijn jongensschoenen, mamma.'

'Dat weet ik.' Ze zegt het alsof het volkomen duidelijk is. 'Ik moet ook een paar sportschoenen voor Michael kopen. Ik kan me niet herinneren wanneer ik voor het laatst schoenen voor hem heb gekocht. Als jij uit de jouwe gegroeid ben, zal hij ook wel...'

Mamma praat door terwijl ze schoenen oppakt en naar de maat en de prijs kijkt, maar ik luister niet meer omdat een doof makende gedachte bij me opgekomen is. Deze aanval van koopwoede voor mijn broer lijkt uit het niets te zijn gekomen, maar dan besef ik dat het Oprahs schuld is. Ze heeft mijn moeder nieuwe hoop gegeven. Ik kijk naar mamma's gezicht. Er staat geen enkele gêne of twijfel op te lezen en ik weet dat ze echt gelooft dat Michael nu elk moment thuis kan komen. Daarom zijn we vandaag naar de K-mart gegaan. Ik kan me ook niet herinneren wanneer mamma voor het laatst schoenen voor Michael heeft gekocht, maar ik weet wel dat het heel lang geleden is. En niet alleen koopt ze schoenen voor hem, maar in haar linkerhand bungelen de schoenen van het merk dat ze voor mij veel te duur vond.

Hoe vaak ik ook het tochtje naar de berg maak, het uitzicht verrast me elke keer weer. Dartmouth lijkt in de verte onbeduidend klein en tussen de bomen door zie ik de glanzende, fonkelende rivier. De omringende bergen geven me een gevoel van macht, alsof ik er deel van uitmaak. Het leidt allemaal tot het onwerkelijke moment waarop de straten breder worden en de herenhuizen verschijnen, waarvan sommige zo oud zijn als de reusachtige altijdgroene bomen die hun voortuinen sieren.

Mamma is zichtbaar nerveus wanneer we op de vierstemmige bel gedrukt hebben en voor de deur staan te wachten tot er opengedaan wordt. Ze bijt op haar onderlip en wrijft de pijpen van haar muntgroene pantalon ruisend langs elkaar. Will doet met een brede glimlach open.

We trekken onze schoenen in de hal uit en lopen met Will mee naar de glazen schuifdeuren aan de andere kant van het huis. We gaan het deel van de tuin met het zwembad in waar mevrouw Cooper op een rieten stoel aan een rieten tafel zit. Ik zie nu van wie Will zijn blonde krullenbol heeft. Ik herken haar driehoekige gezicht en haar brede glimlach van Wills tekeningen. Ze is een fijn gebouwde vrouw met lange, tengere armen die er te breekbaar uitziet om vrouw des huizes van zo'n groot huis te zijn. Ik verwacht dat er bedienden naar ons toe zullen snellen, maar nadat mevrouw Cooper ons heeft begroet, vraagt ze of we koffie, thee of frisdrank willen en vervolgens verdwijnt ze om onze drankjes zelf te gaan halen.

Het is een mooie dag, niet te warm. Het zou drukkend zijn geweest wanneer de wolken niet voortdurend voor de zon schoven. Er staat een verfrissend briesje hier in de bergen, maar net wanneer het kouder begint te worden, gaan de wolken uiteen en verwarmt de zon ons weer alsof er, als een soort verlengstuk van het huis, een perfect airconditioningsysteem werkzaam is.

Mevrouw Cooper komt terug met een rond blad van gelamineerd parelmoer waarop cola voor Will en mij en thee voor haar en mamma staan. Mamma drinkt nooit thee.

'Gefeliciteerd met de voltooiing van je verhalen, Bethany. Je moet er erg hard aan gewerkt hebben,' zegt ze. Ze zegt het oprecht, maar deze visite voelt plotseling aan als een sollicitatie naar een beter leven. Ik haal de verhalen uit mijn rugzak en leg de groene ringband waarin ze zitten voor mevrouw Cooper op tafel.

'Dat is grandioos, Bethany. Ik popel om ze te bekijken.' Mamma zou een woord als grandioos nooit gebruiken, maar uit de mond van mevrouw Cooper klinkt het vriendelijk en natuurlijk.

'Dank u,' zeg ik zacht. Ik wil niet overdreven doen. Dat ze rijk is, betekent nog niet dat ik dolblij moet zijn omdat ze me een compliment geeft. Ik begin me aan dit bezoek te ergeren. Ik krijg te sterk het gevoel dat het doorgestoken kaart is. Een valstrik.

'Ik vond deze verhalen uitermate geschikt om aan mijn goede vriendin Diane Pent te laten zien,' vervolgt mevrouw Cooper. 'Haar agentschap brengt al jaren kwaliteitskinderboeken bij uitgevers onder. Ik denk dat ze IJsboogland prachtig zal vinden.' Ze rekt het woord prachtig uit en ik krijg het gevoel dat ik in de film *Steel Magnolias* zit. 'Om je de waarheid te zeggen' – mevrouw Cooper zwijgt even – 'was het Wills idee.'

Ik kijk Will aan. Mamma en mevrouw Cooper nippen van hun thee.

Mijn maag lijkt een wilde dans te doen. Alsof hij aan deze tafel van uitgerekte woorden en voortdurende complimenten mijn ergernis en onbehagen voelt, zegt Will tegen me: 'Heb je zin om mee naar boven te gaan om mijn laatste tekeningen te zien, Bethany?'

Ik kijk automatisch naar mamma om toestemming te vragen.

'Ga maar,' zegt ze, alsof het de gewoonste zaak van de wereld is dat ik naar de slaapkamer van een jongen ga.

Ik pak mijn rugzak en loop achter Will aan de Assepoestertrap op, maar deze keer voel ik me geen prinses. Ik voel me meer een ontsnapte gevangene. Het is één ding om te moeten zien hoe mamma zich aanstelt, maar het is heel wat anders om haar daarin te steunen.

Ik laat me op Wills bed ploffen met de nonchalance van iemand die hier kind aan huis is. Will gaat naast me zitten.

'En?' zegt Will.

'Wat en?'

'Heb je iets voor me?'

'O, gossie, ja,' zeg ik. 'Ik was het bijna vergeten.' Ik pak mijn rugzak, die naast me op het bed ligt, rits hem open en laat hem de dunne map zien die ik van de andere apart heb gehouden.

'Liw en Gup,' zeg ik. 'Jouw verhaal. Ik reik het hem met beide handen aan.

'Mag ik het nu lezen?' vraagt hij, maar hij heeft de map al opengeslagen en kijkt de eerste bladzijde door.

'Kan ik je dan tegenhouden?' Ik lach. Terwijl hij leest, zeg ik dat ik even naar het toilet ga.

Het toilet boven is intimiderend schoon en groot. Geen spatje water in de goudkleurige wastafel, geen deukje van een vinger in de gestreken, crèmekleurige handdoeken die over een glanzende, koperen roede zijn gevouwen. Zelfs het romige, zachte, met bloemen bedrukte toiletpapier dat gewichtig in een aparte, in de vloer gemonteerde koperen houder hangt, lijkt nooit gebruikt te zijn. In het begin loop ik zachtjes, pak ik het toiletpapier en de zeep voorzichtig beet en gebruik ik ze spaarzaam, maar ten slotte geef ik het op om mijn spoor van schaamte uit te wissen en was ik mijn handen uitgebreid met het muntgroene stuk zeep en verstoor ik de symmetrie van de handdoeken door mijn handen krachtig af te drogen.

Wanneer ik in de slaapkamer terugkom, zit Will in kleermakerszit op zijn dekbed met mijn verhaal tegen zijn borst gedrukt. Ik ga weer op het bed zitten.

'En?' vraag ik. Zijn stilzwijgen is pijnlijk.

'Ik vond het prachtig,' zegt hij met een lieve, oprechte stem.

'Daar ben ik blij om,' zeg ik. 'En ik vond het portret dat je van me gemaakt hebt ook heel mooi.'

Will staat op en trekt een schetsboek onder het bed vandaan. Het is deze keer een ander schetsboek met grotere, dikke, rechthoekige vellen. We schuiven tegen elkaar aan. Het schetsboek is zo groot dat het de schoot van ons allebei bedekt wanneer hij het door begint te bladeren. We zien het meer, de bergen, de bomen en ten slotte zijn laatste tekening, die verdacht veel op mij lijkt, maar dan van achteren gezien terwijl ik naar een vis kijk die in de verte uit het water omhoogspringt. Mijn adem stokt even.

'Vind je 'm mooi?' vraagt hij.

'Nee,' zeg ik. 'Ik vind 'm prachtig. Schitterend zelfs.'

Ik kijk naar de tekening, maar ik voel dat Wills blik op me gericht is.

Ik sla mijn ogen langzaam op en kijk in de zijne. Mijn gezicht gloeit, maar hij lijkt zo kalm als het meer. 'Ik vind je mooi,' zegt hij.

Dat heeft nog nooit iemand tegen me gezegd, mamma niet en pappa niet. Niemand.

Will glimlacht naar me. Als zijn glimlach een structuur had gehad, zou het die van het binnenste van een donskussen zijn geweest.

41

Mamma's stapels faxen van de Opsporingsorganisatie voor Vermiste Kinderen worden groter en breiden zich uit. Ik mag nu niet meer in haar kamer komen. Ze is bang dat ik op een stapel stap en dat de papieren door elkaar zullen raken. Ik wil er trouwens niet eens naar binnen. Afgezien van de ruimte die de deur nodig heeft om open te kunnen zwaaien, is er geen vierkante centimeter van de vloer onbedekt.

Vandaag is het een gewone dag. Ik maak de hele ochtend wiskundehuiswerk in mijn kamer terwijl ik naar de cd van Céline Dion luister die Richard van hun reis voor me meegebracht heeft. Ik denk dat hij gewoon niet wist wat hij voor me moest kopen. Eerst dacht ik dat ik de cd niet mooi zou vinden, maar nadat ik er een paar keer naar geluisterd heb, begin ik er nu van te houden. Célines stem heeft iets vreemd hoekigs en terwijl ik vergelijkingen oplos, vraag ik me af of ik haar stembereik zou kunnen berekenen.

Het is nog geen elf uur en mijn maag knort. Ik denk aan Benjamin en mij op de bank in de kuil, aan Lucy's woorden *en als… en als* en aan het feit dat Benjamin me sinds die avond heeft genegeerd. Ik concludeer dat ik gewoon paranoïde ben. Ik heb honger, dat is alles, maar bij de gedachte aan voedsel komt mijn maag in opstand. Wanneer ik me om vijf over elf niet meer op sommen kan concentreren, ga ik naar beneden om te kijken of mamma al iets voor de lunch heeft klaargemaakt. Ik wil haar vragen iets lichts klaar te maken.

Maar ik ruik niet de geur van dampende soep, gebakken eieren of bruin wordende toast. Er is niets te eten en mamma is er niet. Ik open de koelkast en kijk er goed in. Ik laat de koude lucht de keuken in stromen, iets wat mamma verfoeit. Wanneer ik besluit om te kijken of ik een restje spaghetti naar binnen kan krijgen, hoor ik een vreemd ver geluid dat op een gedempt gegiechel lijkt. Ik sluit de koelkast om het gezoem ervan te laten ophouden en luister. Het duurt niet lang voor ik het weer hoor, deze keer duidelijker. Ik volg het geluid de gang in en door wat ik daar zie, blijf ik stokstijf staan en mijn maag, die toch al van streek is, lijkt in de knoop te raken.

Ik kan mijn benen niet bewegen omdat mamma gehurkt op de vloer zit naast de fax die bladzijden uitspuwt. Haar gezicht is verborgen achter haar hand en het vel papier dat ze vasthoudt. Ik weet dat ze huilt omdat haar lichaam schokt en ik haar korte, snelle ademhaling hoor.

'Mamma?' zeg ik ten slotte en mijn eigen tranen beginnen direct te vloeien alsof iemand een schakelaar heeft overgehaald. Ze kijkt niet op. Het papier in haar hand ritselt en beweegt heen en weer. Het zou hier de oorzaak van kunnen zijn. Ik ga naar haar toe en kniel voor haar neer en wanneer ik haar hand naar beneden duw, zie ik haar rode ogen waar de tranen uit stromen.

'Wat is er, mamma? Wat is er gebeurd?' Ik probeer de paniek die ik voel opkomen niet in mijn stem te laten doorklinken. Mijn woorden komen er gespannen en overdreven vriendelijk uit. Mamma begint harder te huilen en ze gooit haar hoofd in haar nek. Ik kan alleen maar met morbide fascinatie naar deze uiting van intens verdriet kijken. Ik kan me niet herinneren dat ik mamma ooit zo heb zien huilen. Elke rimpel in haar vertrokken gezicht is dieper en verwrongen. Ik voel me onthecht van mijn eigen tranen.

Ik weet niet wat ik moet zeggen of doen. Mamma klapt dubbel en houdt haar buik omklemd, alsof haar ingewanden anders naar buiten zullen komen. Ze wiegt heen en weer als een kind. Ze zegt alleen maar steeds 'o-o-o' en ze haalt hijgend adem alsof ze net drie kilometer hardgelopen heeft.

Ik voel een steek van bittere woede. Ze maakt me bang en ze moet me vertellen wat er aan de hand is. Ik wil niet gaan gissen, maar ik kan er niets aan doen dat ik me een aantal gruwelijke scenario's voorstel. Michaels stoffelijk overschot is gevonden. Richard is bij een motorongeluk op de snelweg omgekomen, iemand heeft mamma een afschuwelijk wrede brief geschreven waarin staat dat ze Michael nooit terug zal krijgen en dat ze zal worden vermoord als ze naar hem blijft zoeken. Ik ben ervan overtuigd dat de brief die ze stevig vasthoudt de oorzaak van dit alles is. Ik probeer hem uit haar hand te pakken en tot mijn verbazing laat ze hem los. Ik ontvouw de verfrommelde prop langzaam en herken direct het logo van de Opsporingsorganisatie voor Vermiste Kinderen. Daarna lees ik de verkreukelde woorden.

Als gevolg van de zeer goed bekeken Oprah Winfrey Show *hebben we veel telefonische tips gekregen en de Opsporingsorganisatie voor Vermiste Kinderen wil haar leden ervan op de hoogte brengen dat Joey Adams op zondag 16 september is opgespoord en met zijn familie is herenigd. We danken u allemaal voor uw hulp.*

de directeur, W. Waddel

Ik snap het niet. Dit is toch goed nieuws? Maar mamma's verdriet is hartverscheurend.

Ik wrijf over haar armen. Haar gesnik ebt langzaam weg. Haar blik is op het plafond gericht alsof ze met God een wedstrijdje doet wie het eerste zijn ogen neerslaat.

'Het is in orde,' zeg ik. 'Het is in orde, mamma. Dit is goed nieuws. Goed nieuws.'

Na mijn woorden begint mamma weer te huilen, maar zonder het gejammer. De tranen lopen gewoon over haar gezicht en vallen op haar T-shirt, waar ze donkerblauwe vlekken achterlaten.

'Dat weet ik,' fluistert ze. 'Dat weet ik. Dat is het nu juist. Het *is* goed nieuws en toch ben ik totaal niet blij voor Joey en zijn ouders omdat...' Ze begint weer met korte, snelle uithalen te snikken. 'Omdat ik zo jaloers ben dat ik verder niets kan voelen. Ik ben een zielige, egoïstische, oude vrouw geworden die geobsedeerd is door haar vermiste zoon en die geen greintje liefde meer in haar hart overheeft voor de kinderen van anderen.' Ze haalt diep adem en blaast de lucht luidruchtig uit.

'Ik vind het verschrikkelijk dat ze Joey gevonden hebben en niet Michael. Ik vind het verschrikkelijk dat Joey nu thuis is en samen met het hele gezin eet en in bed ingestopt wordt en niet Michael.' Mamma kijkt me recht aan. 'Maar wat ik nog het verschrikkelijkst vind, is dat ik het verschrikkelijk vind.' Ze wendt zich van me af.

'Waarom Michael niet?' Ze snikt weer. 'Het is mijn beurt. Joey is pas een paar jaar vermist en Michael veertien. Het is mijn beurt. Het is mijn beurt.'

'U bent niet zielig,' zeg ik vriendelijk om haar terug te halen. Ik pak haar slappe hand vast. Ze kijkt naar de vloer, maar ik weet dat ze niets meer ziet.

'Wanneer zullen ze hem vinden? Wanneer komt hij thuis?'

Ik help mamma overeind. Ze zegt dat ze wil gaan liggen en ik breng haar naar haar slaapkamer. Ze lijkt niet te beseffen dat het me grote moeite kost om haar te ondersteunen wanneer we slingerend de trap op lopen. Ze ploegt dwars door haar berg faxen heen, hoewel ik mijn best doe haar eromheen te leiden. Ze laat zich met haar kleren aan op bed ploffen en neemt de foetushouding aan. Ik doe de deur achter me dicht wanneer ik wegga.

Ik probeer verder te gaan met mijn huiswerk. Ik hoop dat het me af zal leiden, maar ik kan me niet meer op de sommen concentreren. Mijn maag blijft knorren en ik zie alleen maar mamma's gezicht voor me dat nat van de tranen is en ik hoor weer haar laatste, van twijfel doortrokken woorden.

'Wanneer komt hij thuis?'

Het zijn de treurigste woorden die ik ooit heb gehoord.

Mamma eet lusteloos terwijl Richard in de keuken rondscharrelt en het fornuis en het aanrecht met een doekje afneemt. Ik zit zelf aan de tafel en doe of ik in mijn biologieboek lees. Ik kan het niet helpen dat ik af en toe stiekem naar haar kijk. Het lijkt of ze verschrompeld is en wel kan zwemmen in haar witte badstoffen badjas. Ze neemt belachelijk kleine hapjes van haar toast en schuift de gebakken aardappelen op haar bord heen en weer alsof ze die voor een gevecht in stelling brengt.

Ze merkt dat ik over mijn boek heen naar haar kijk en ik glimlach dommig.

'Het gaat nu weer goed,' zegt ze, alsof dat alles is wat er te zeggen valt.

Het gaat nu weer goed? Wat betekent dat in vredesnaam?

Het betekent dat alle stapels papier op de vloer van haar slaapkamer weggehaald zijn, zoals ik zie wanneer ik er de volgende keer naar binnen kijk. Het betekent dat Richard de fax de deur uit doet. Het betekent dat mamma zonder duidelijke reden alle meubels in de garage begint op te knappen. Het betekent dat Richard bij ons intrekt. Het betekent dat ik bijna nooit meer alleen met mamma ben en wanneer dat wel het geval is, is ze zo ver weg dat ik haar niet kan bereiken. Het betekent dat ik midden in de nacht haar zachte gesnik door de ontluchtingsbuis hoor, alsof ze een geheim, treurig vergif afscheidt.

Misschien gaat het met u weer goed, mamma, maar met mij gaat het niet goed en daar is meer dan één reden voor.

Onze huiskamer staat belachelijk vol met meubels. In plaats van mamma's oude fauteuil en onze versleten bank weg te doen, zijn ze om de een of andere reden naast Richards bank tegen de muur gezet, op de plek waar de tv altijd stond. Zijn bijpassende twee-zitsbankje verspert de gang naar de voordeur, zodat die in een soort hindernisbaan is veranderd.

Richard heeft een driehoekige plank in de hoek tussen de twee muren tegenover het raam gezet. De tv staat erop, zodat we onze nek moeten uitstrekken om ernaar te kunnen kijken. Verder hebben we mamma's opgeknapte meubels nog. Ze zijn op een wonderbaarlijke manier in ons huis verschenen, alsof ze 's nachts in tekenfilmtafels en -stoelen zijn veranderd en uit eigen bewe-ging naar binnen zijn gewandeld.

Ik ben niet verbaasd wanneer ik mijn teen stoot aan de poot van een ouderwetse Singer-naaimachine die vanaf vanochtend in de gang boven staat. Het ergste is nog dat niemand ergens over praat. De dingen moeten zelf maar spreken. Mamma is niet met me aan tafel gaan zitten om me te vertellen dat Richard en zij verliefd op elkaar zijn en dat ze wilde dat hij bij ons introk zodat ze haar leven met hem kan delen. Nee! In plaats daarvan vertel-len de bank en het tweezitsbankje me dat. Ze zeggen: 'Hallo, hier staan we. Daar zul je rekening mee moeten houden!'

Maar ik wil er geen rekening mee houden. Ik heb mijn eigen leven. Ik moet me richten op school en op mijn naderende exa-mens. Ik moet mijn houding bepalen tegenover Benjamins on-verschilligheid en Wills tederheid. Ik wil dat mamma mamma weer wordt.

Wanneer ik de garage binnenga, slaat de sterke geur van mam-ma's tweecomponentenlijm me tegemoet. Ik adem in de mouw van mijn sweatshirt en kijk toe terwijl ze de lijm vakkundig op een rechthoekig, houten frame smeert. Ze draagt een mondkapje en een beschermende bril. Ze merkt niet dat ik nog geen meter van haar vandaan sta.

Ik ben zo nerveus dat ik mijn hart in mijn mouw voel kloppen. De hele wereld slaat op een inheemse trommel en mijn oren tuiten. Ik ben duizelig van de lijm en het gedreun.

Ik flap er ten slotte een gedempt 'hallo' uit en ze schrikt. Het was niet mijn bedoeling om haar te laten schrikken. 'Hemeltje, Bethany. Je moet hier niet zo binnen komen sluipen,' zegt mamma. Ze praat tegen mijn voeten.

'Sorry, mamma,' zeg ik. 'Hebt u hulp nodig?'

'Nee, dank je. Ik ben bijna klaar. Ik moet alleen…'

'Dat zei u gisteravond ook en u bent hier tot één uur 's nachts gebleven.'

Mamma houdt op met smeren en kijkt me voor het eerst aan. De verfkwast bungelt in haar rechterhand. Ze trekt haar mondkapje met haar pink naar beneden. Door haar bebrilde ogen lijkt het net alsof ze uit een ouderwetse bommenwerper is gesprongen.

'Ik stuitte op een onverwacht probleem dat niet kon wachten,' zegt ze. Ik zie dat ze achter de plastic glazen nerveus met haar ogen knippert.

'En als ik nu eens een onverwacht probleem had?' zeg ik. Ik ben zelf verbaasd door de uitdagende toon van mijn stem, maar ik kan er niets aan doen.

'Ik verlies mijn geduld met je, Bethany. Wat bedoel je?'

'Ik vraag me alleen af wanneer het eindelijk afgelopen zal zijn,' zeg ik.

'Waar heb je het over?'

'Ik heb het erover dat u hier elke avond bent.'

Mamma slaakt een diepe zucht. 'Dit is mijn hobby, Bethany, en toevallig verdien ik er ook mijn brood nog eens mee. Ik hoor je niet klagen wanneer we bij de kassa een nieuwe spijkerbroek afrekenen.'

'Hoeveel opdrachten hebt u dan de laatste tijd uitgevoerd?'

'Zo is het wel genoeg, jongedame. Ik kan zo veel in de garage komen als ik wil.'

'U verschanst zich hier.' Het geeft me een goed gevoel dat ik geen blad voor de mond neem, maar het maakt me ook bang.

'Hoe durf je zo tegen me te praten?'

Ik speel schaapachtig met een paar schroeven die mamma op het triplex werkblad heeft laten liggen. 'Dat is beter dan helemaal niet praten,' zeg ik binnensmonds, maar niet zacht genoeg.

'Pardon?' Mamma legt de plakkerige verfkwast op een blikken deksel, schuift haar bril omhoog, zet haar handen strategisch op haar heupen en plant haar voeten stevig op de grond. De strijdhouding.

Ik gebruik een afleidingsmanoeuvre. 'Ik mis u gewoon,' zeg ik.

'Doe niet zo belachelijk, Bethany. Ik ben toch hier.'

Ik wil haar zo veel zeggen. Ik wil zeggen dat ik van haar houd. Ik wil zeggen dat ik haar haat. Ik wil zeggen dat ze naar me moet kijken, dat ze me echt moet zien, dat ze moet ophouden met zich te verbergen, en dat ze de garage uit moet komen. Ik wil dat ze haar geheime, gesloten wereld verlaat, maar ik kan dat allemaal niet zeggen omdat ze zich van me afwendt, de deur van de communicatie tussen ons dichtslaat en de verfkwast weer oppakt. Ik loop naar de deur, maar blijf er vlak voor staan. Ze heeft haar bril en haar mondkapje al weer opgezet en haar gezicht lijkt op dat van een insect. Ze gaat verder met lijm smeren. Vanaf deze afstand moet ik schreeuwen.

'Ik heb u nú nodig!'

Mamma kijkt op. Ik zie alleen maar twee zoekende ogen achter kleine ronde vensters. Twee ogen die op een verklaring wachten. Die geef ik.

'Ik ben zwanger,' zeg ik.

42

Eindelijk hadden mamma en ik tijd om alleen te zijn. Er was zo veel gebeurd sinds die dag in de observatiekamer toen mamma totaal instortte. Ze was nu anders. Ze droeg nog steeds dezelfde roze ziekenhuiskiel en haar haar was nog steeds, zoals altijd, in een losse knot opgebonden, maar de vrouw die op de rand van haar bed zat, had nu een andere uitstraling. Ze was op een goede manier veranderd.

Ik wist niet wat ik moest zeggen. De laatste woorden die ik tegen haar gesproken had, waren bijtend en pijnlijk geweest en ik wist niet waar ik moest beginnen. Gelukkig hoefde ik dat ook niet te doen. Mamma begon als eerste te praten.

'Bedankt dat je me hierdoorheen geholpen hebt,' zei ze. 'Zonder jou was ik er nooit uitgekomen.'

Het was het laatste wat ik verwacht had dat ze zou zeggen. Ik begon me te verontschuldigen voor de dag in de observatiekamer, voor het openrijten van oude wonden, maar ze legde me met een onverwachte omhelzing het zwijgen op. Ze hield me lang vast en toen ze me losliet, had haar gezicht een vreemd serene uitdrukking.

'Ik heb nooit liever gehad dat jij het was,' zei ze. Haar handen omvatten mijn gezicht even eerbiedig als God de wereld misschien omvat houdt. 'Je bent mijn dochter en ik ben heel erg trots op je.' Ze boog zich naar voren en kuste mijn voorhoofd als een soort doop.

Er werd zachtjes op de deur geklopt. Mamma en ik draaiden ons om. Dr. Ashley had een verrassingsbezoekster voor mamma ingeschreven. Sharon Wetherall en haar twee kinderen, Amy en Aaron, kwamen verlegen mamma's kleine kamer binnen.

Ik kon mijn ogen niet van Aaron afhouden, van dit mooie, kwetsbare jongetje dat vanonder zijn roomwitte wimpers opkeek naar de vrouw die hem gered had.

Sommige vermiste kinderen worden dood gevonden, andere worden nooit opgespoord en weinigen worden gered. Mamma had er een gered, dat was zeker, en het leek meer dan genoeg voor haar om op te teren. Een gevoel van trots zo krachtig als een drug stroomde door me heen. En toen ik zag dat mamma haar hand naar die van dit jongetje uitstrekte, wist ik dat ze nu voor altijd van haar demonen verlost zou zijn.

Dit boek is geïnspireerd door de ontvoering van Michael Duna-
hee die in 1991 van de speelplaats van een school in Victoria in
Canada is ontvoerd. Alle personages en plaatsnamen, met uit-
zondering van die van grote steden, zijn fictief.

Ik ben dank verschuldigd aan dokter Willard Gaylin, uit wiens
boek *The Rage Within: Anger in Modern Life* (New York: Simon &
Schuster, 1984) ik mijn kennis over geheugenverlies en verdrongen woede heb geput.

DANKBETUIGING

Van de vele mensen die ik moet bedanken, komt op de eerste plaats Maria Rejt, die door haar aanmoediging, vriendelijkheid en geloof in *Levenslang* een grote steun voor me is geweest.

Verder bedank ik de mensen van Macmillan voor hun deskundigheid en harde werk.

Mijn kinderen voor hun liefde en inspiratie.

Henry omdat hij me geleerd heeft groot te dromen.

Sheri omdat ze trots op me is en dapper de taak van de beste vriendin op zich genomen heeft.

Jean omdat ze het soort moeder is geweest die me heeft toegestaan mijn eigen weg te vinden.

Catherine en familie voor een van jullie mooiste herinneringen en omdat ik me altijd bij jullie thuis voel.

Tova omdat ze er altijd voor me is.

En ten slotte Caleb, die me de juiste richting heeft gewezen en zonder wie ik echt verloren zou zijn geweest.